LETTRES ALLEMANDES
série dirigée par Martina Wachendorff

LES ARPENTEURS DU MONDE

DU MÊME AUTEUR

MOI ET KAMINSKI, Actes Sud, 2004.

Titre original :
Die Vermessung der Welt
Editeur original :

ISBN 978-2-7427-6545-4

Illustration de couverture :

DANIEL KEHLMANN

Les Arpenteurs du monde

roman traduit de l'allemand
par Juliette Aubert

ACTES SUD

LE VOYAGE

En septembre 1828, le plus grand mathématicien du pays quitta, pour la première fois depuis des années, la ville où il résidait, afin de participer au Congrès allemand des naturalistes à Berlin. Bien évidemment, il ne voulait pas y aller. Il s'y était refusé des mois durant, mais Alexander von Humboldt était resté inflexible jusqu'à ce que, dans un moment de faiblesse et dans l'espoir que ce jour ne vînt jamais, il eût accepté.

Pour l'heure, donc, le professeur Gauss se cachait dans son lit. Quand Minna l'invita à se lever en lui disant que la voiture à cheval l'attendait et que la route était longue, il se cramponna à son oreiller et tenta de faire disparaître sa femme en fermant les yeux. Lorsqu'il les rouvrit pour constater que Minna était toujours là, il lui dit qu'elle l'importunait, qu'elle était bornée, et faisait le malheur de ses vieux jours. Comme cela non plus ne servit à rien, il rejeta sa couverture et posa les pieds sur le sol.

Furibond, il descendit l'escalier après une toilette sommaire. Dans le salon l'attendait son fils Eugène, muni d'un sac de voyage. A sa vue, Gauss fut pris d'un accès de rage : il cassa une cruche qui se trouvait sur le rebord de la fenêtre, tapa du pied et donna des coups de poing dans le vide. Il ne se calma même pas quand Eugène et Minna, postés chacun d'un côté, posèrent leurs mains sur ses épaules et lui affirmèrent qu'on s'occuperait bien de lui, qu'il serait bientôt de retour chez lui et que cela passerait aussi vite qu'un mauvais rêve. C'est seulement lorsque sa très vieille mère, dérangée par le bruit, sortit de sa chambre, lui pinça la joue et demanda où était donc son grand garçon, qu'il se ressaisit. Il prit congé de Minna avec froideur ; quant à sa fille et son plus jeune fils, il leur passa distraitement la main sur la tête. Puis il se fit aider pour monter dans la voiture.

Le trajet fut atroce. Il traita Eugène de raté, lui prit sa canne des mains et chercha à lui frapper le pied de toutes ses forces. Pendant un moment, il regarda par la fenêtre en fronçant les sourcils, puis il demanda quand sa fille allait enfin se marier. Pourquoi est-ce que personne ne voulait d'elle, où était le problème ?

Eugène repoussa ses longs cheveux en arrière, pétrit des deux mains son bonnet rouge et ne voulut pas répondre.

Parle, dit Gauss.

Pour être franc, dit Eugène, ma sœur n'est pas précisément belle.

Gauss acquiesça, cette réponse lui semblait plausible. Il demanda un livre.

Eugène lui donna celui qu'il venait tout juste d'ouvrir : *L'Art de la gymnastique allemande* de Friedrich Jahn. C'était l'un de ses livres préférés.

Gauss essaya de lire, mais au bout de quelques secondes déjà il leva les yeux et se plaignit de la nouvelle suspension à soupentes en cuir ; à cause d'elle, on était encore plus malade qu'à l'accoutumée. Bientôt, expliqua-t-il, des machines transporteraient les hommes de ville en ville à la vitesse d'un projectile. Dès lors, on pourrait aller de Göttingen à Berlin en une demi-heure.

Eugène balança la tête d'un air sceptique.

C'était étrange et injuste, dit Gauss, et une illustration parfaite du caractère lamentablement aléatoire de l'existence, que d'être né à une période donnée et d'y être rattaché, qu'on le veuille ou non. Cela donnait à l'homme un avantage incongru sur le passé et faisait de lui la risée de l'avenir.

Eugène fit oui de la tête, tout somnolent.

Même une intelligence telle que la sienne, reprit Gauss, n'aurait rien pu concevoir aux premiers âges de l'humanité ou sur les rives de l'Orénoque, tandis que dans deux siècles le premier imbécile venu pourrait se moquer de lui et inventer des absurdités sur son compte. Il réfléchit, traita une nouvelle fois Eugène de raté et retourna à son livre. Pendant ce temps, Eugène se forçait à regarder fixement par la fenêtre de la voiture pour dissimuler son visage déformé par l'humiliation et la colère.

Dans *L'Art de la gymnastique allemande*, il était question d'appareils de gymnastique. L'auteur décrivait avec force détails les dispositifs qu'il avait imaginés pour que l'on puisse grimper sur ces équipements et tourner autour. Il en nommait un "cheval d'arçons", un autre "poutre", un autre encore "mouton de saut".

Cet individu a perdu la raison, dit Gauss. Il ouvrit la fenêtre et jeta le livre dehors.

C'était le mien, s'écria Eugène.

C'est bien ce qu'il me semblait, dit Gauss, sur quoi il s'endormit et ne se réveilla qu'au soir, pour le changement de monture au poste frontière.

Pendant qu'on dételait les chevaux pour en atteler de nouveaux, ils mangèrent de la soupe de pommes de terre dans une auberge. Un homme maigre à la longue barbe et aux joues creuses, le seul hôte à part eux, les observait à la dérobée depuis la table voisine. Le corps humain, dit Gauss, qui, à son grand énervement, avait rêvé d'appareils de gymnastique, était véritablement la source de toutes les humiliations. Qu'un esprit tel que le sien soit enfermé dans un corps maladif, alors qu'un être médiocre comme Eugène ne tombait pour ainsi dire jamais malade, il avait toujours trouvé cela typique de l'humour diabolique de Dieu.

Quand j'étais petit, dit Eugène, j'ai contracté une variole grave. J'ai failli en mourir. On en voit encore les cicatrices, là !

Ah oui, en effet, répliqua Gauss, j'avais oublié. Il désigna du doigt les chevaux de poste qui se trouvaient devant la fenêtre. A vrai dire, il était assez drôle que les gens riches mettent deux fois plus de temps que les pauvres pour voyager. Quand on utilisait des chevaux de poste, on pouvait les changer après chaque étape. Quand on possédait les siens, on devait attendre pour repartir qu'ils se soient reposés.

Et alors ? demanda Eugène.

Bien entendu, répondit Gauss, c'était là une évidence pour celui qui n'avait pas l'habitude de réfléchir. Tout comme il était évident qu'un jeune homme porte une canne et un vieil homme, non.

Tous les étudiants marchaient avec une canne, dit Eugène. Il en avait toujours été ainsi, et il en serait toujours ainsi.

Probablement, répliqua Gauss en souriant.

Ils mangèrent leur soupe en silence jusqu'au moment où le gendarme du poste frontière entra et leur demanda leur passeport. Eugène lui donna son laissez-passer, un certificat émanant de la cour et stipulant que, bien qu'étudiant, il ne posait pas de problème, et qu'il avait le droit d'entrer sur le sol prussien accompagné de son père. Le gendarme le regarda d'un air méfiant, vérifia le passeport, fit oui de la tête et se tourna vers Gauss, qui lui n'avait rien.

Aucun passeport, demanda le gendarme surpris, pas de billet, pas de sceau, rien du tout ?

Jamais encore il n'avait eu besoin de tout cela, dit Gauss. La dernière fois, c'était il y a vingt ans, il avait passé la frontière de Hanovre. A l'époque, ça n'avait fait aucune difficulté.

Eugène tenta d'expliquer qui ils étaient, où ils allaient et à la demande de qui : l'assemblée des naturalistes avait lieu sous l'autorité de la couronne. Son père, en tant qu'invité d'honneur, y avait en quelque sorte été convié par le roi en personne.

Le gendarme voulait un passeport.

Il ne pouvait certes pas le savoir, dit Eugène, mais son père était vénéré jusque dans les contrées les plus lointaines, il était membre de toutes les académies et, depuis sa plus tendre enfance, on l'appelait le Prince des Mathématiciens.

Gauss acquiesça : on disait que, par égard pour lui, Napoléon avait renoncé à canonner Göttingen.

Eugène pâlit.

Napoléon, répéta le gendarme.

En effet, dit Gauss.

Le gendarme exigea, cette fois en haussant légèrement le ton, un passeport.

Gauss posa la tête sur ses bras et ne bougea pas. Eugène le poussa, en vain. Cela lui était égal, murmura Gauss, il voulait rentrer à la maison, cela lui était parfaitement égal.

Le gendarme tripota sa casquette d'un air gêné.

C'est alors qu'intervint l'homme assis à la table voisine. Tout cela allait cesser ! L'Allemagne serait libre, et les honnêtes citoyens vivraient et voyageraient sans être inquiétés, sains de corps et d'esprit, et ils n'auraient plus besoin de paperasse.

Incrédule, le gendarme lui réclama ses papiers.

C'est bien ce que je disais, s'écria l'homme en fouillant dans ses poches. Tout à coup, il se leva d'un bond, renversa sa chaise et se précipita dehors. Le gendarme regarda fixement la porte ouverte durant quelques secondes, puis il se ressaisit et lui courut après.

Gauss leva lentement la tête. Eugène suggéra de reprendre la route immédiatement. Gauss approuva d'un signe de tête et mangea le reste de sa soupe en silence. La maisonnette des gendarmes était vide, les deux agents s'étant lancés à la poursuite du barbu. Eugène et le cocher soulevèrent ensemble la lourde barrière. Puis ils poursuivirent leur route sur le sol prussien.

A présent, Gauss était gai, presque euphorique. Il parlait de géométrie différentielle. On pouvait à peine pressentir jusqu'où mènerait la voie des espaces courbes. Lui-même n'en saisissait que les grandes lignes, Eugène devait se réjouir de sa médiocrité, car parfois tout cela en devenait vraiment angoissant. Puis il parla de l'amertume de sa jeunesse. Il avait eu un père dur, qui le rejetait. Eugène pouvait s'estimer heureux. Lui-même avait su compter avant de prononcer son premier mot. Un jour, son père avait fait une erreur en calculant son salaire du mois, et l'enfant s'était mis à pleurer. Quand son père eut corrigé l'erreur, il s'était tu immédiatement.

Eugène fit mine d'être impressionné, bien qu'il sût que cette histoire n'était pas vraie. C'était son frère Joseph qui l'avait inventée et colportée. Entre-temps, elle avait dû arriver si souvent aux oreilles de leur père qu'il avait fini par y croire.

Gauss en vint à parler du hasard, cet ennemi du savoir qu'il avait toujours voulu vaincre. A y regarder de près, on voyait derrière chaque événement la finesse infinie de la trame causale. Avec un recul suffisant, on découvrait les grandes structures. La liberté et le hasard étaient une question d'éloignement moyen, une affaire d'écart. Est-ce qu'il comprenait ?

A peu près, dit Eugène, l'air fatigué, et il regarda sa montre. Elle n'était pas très précise, mais il devait être entre trois heures et demie et cinq heures du matin.

Or les règles de la probabilité, poursuivit Gauss en appuyant ses mains sur son dos douloureux, n'étaient pas immuables. Elles n'étaient pas des lois de la nature, des exceptions étaient possibles : un intellect comme le sien, par exemple, ou encore ces gains de loterie amassés sans conteste à longueur de journée par la première tête de linotte venue. Parfois il en venait même à supposer que les lois de la physique fonctionnaient elles aussi de façon purement statistique, et qu'elles admettaient par conséquent des exceptions : les fantômes, par exemple, ou bien la transmission de pensée.

Eugène demanda si c'était une plaisanterie.

Même moi, je l'ignore, répondit Gauss, puis il ferma les yeux et sombra dans un profond sommeil.

Ils arrivèrent à Berlin en fin d'après-midi, le jour suivant. Des milliers de petites maisons, pas de point central ni d'alignements ordonnés, une agglomération qui proliférait sur l'emplacement le plus marécageux d'Europe. On commençait tout juste à ériger des édifices prestigieux : une cathédrale, quelques palais, un musée pour les objets rapportés de la grande expédition de Humboldt.

Dans deux ou trois ans, dit Eugène, ce sera une grande métropole comme Rome, Paris ou Saint-Pétersbourg.

Jamais, répliqua Gauss. Quelle ville répugnante !

Le véhicule cahotait sur un mauvais pavement. A deux reprises, les chevaux s'emballèrent à cause de chiens qui grondaient et, dans les ruelles, les roues manquèrent de s'enliser dans le sol sablonneux. Leur hôte habitait au *Packhof* n°4, en pleine ville, juste derrière le chantier du nouveau musée. Afin qu'ils puissent le repérer, il avait tracé à l'aide d'une fine plume un plan d'une précision extrême. Quelqu'un avait dû les voir de loin et annoncer leur arrivée, car quelques secondes à peine après leur entrée dans la cour ils virent la porte principale s'ouvrir brusquement et quatre hommes venir en hâte à leur rencontre.

Alexander von Humboldt était un vieux monsieur de petite taille à la chevelure blanche comme neige. Il était suivi par un secrétaire avec un carnet ouvert, un messager en livrée et un jeune homme à favoris portant un chevalet surmonté d'une caisse en bois. Ils prirent la pose comme s'ils s'y étaient exercés. Humboldt tendit les bras vers la portière de la voiture.

Rien ne se passa.

On perçut une discussion agitée en provenance de la voiture. Non, cria quelqu'un, non ! Un coup sourd retentit, et on entendit une troisième fois : Non ! Puis plus rien pendant un moment.

Enfin, la portière s'ouvrit avec fracas, et Gauss mit prudemment pied à terre. Il recula en tressaillant lorsque Humboldt le saisit aux épaules et s'écria : Quel honneur, quel grand moment pour l'Allemagne, pour la science, pour moi-même !

Le secrétaire prit des notes, l'homme qui se trouvait derrière la caisse en bois souffla : Maintenant !

Humboldt se figea et murmura sans bouger les lèvres que c'était M. Daguerre, l'un de ses protégés ; il travaillait à un appareil qui fixerait cet instant sur une couche d'iodure d'argent sensible à la lumière, et l'arracherait à la fuite du temps. Il ne fallait surtout pas bouger, de grâce !

Gauss dit qu'il voulait rentrer chez lui.

Juste un instant, murmura Humboldt, quinze minutes environ, on avait déjà fait des progrès considérables. Encore récemment, cela durait beaucoup plus longtemps ; lors des premiers essais, il avait cru que son dos ne les supporterait pas. Gauss voulut se libérer, mais le petit vieillard le maintenait avec une force surprenante, et il murmura : Prévenez le roi ! Le messager était aussitôt parti au pas de course. Puis, visiblement parce que l'idée lui traversait l'esprit à ce moment précis, il s'écria : Prenez note, évaluer la possibilité d'un élevage de phoques à Warnemünde, les conditions semblent favorables, me présenter les résultats demain ! Le secrétaire prit note.

Eugène, qui ne sortait que maintenant de la voiture en boitant légèrement, s'excusa de l'heure tardive de leur arrivée.

Ici, il n'y avait pas d'heure matinale ou tardive, murmura Humboldt. Ici, il n'y avait que du travail à faire, et il serait fait. Heureusement, on avait encore de la lumière. Il ne fallait pas bouger !

Un policier entra dans la cour et demanda ce qui se passait là.

Plus tard, souffla Humboldt, les lèvres serrées.

Ceci est un attroupement, dit le policier. Ou bien on se dispersait sur-le-champ, ou bien il se verrait dans l'obligation de verbaliser.

Je suis chambellan du roi, souffla Humboldt.

Pardon ? Le policier se courba.

Chambellan du roi, répéta le secrétaire de Humboldt. Membre de la cour.

Daguerre demanda au policier de sortir du champ.

Le policier recula, les sourcils froncés. Premièrement, n'importe qui pouvait affirmer cela, et deuxièmement, l'interdiction d'attroupement était valable pour tout le monde. Et lui là-bas, il montra Eugène du doigt, c'était de toute évidence un étudiant. Là, les choses se compliquaient sérieusement.

S'il ne disparaissait pas à la seconde, dit le secrétaire au policier, il aurait des problèmes dont il n'avait encore aucune idée.

On ne parle pas comme ça à un fonctionnaire, dit le policier, l'air hésitant. Il leur donnait cinq minutes.

Gauss gémit et se dégagea de force.

Ah non, s'écria Humboldt.

Daguerre frappa du pied par terre. Maintenant, cet instant était perdu à jamais !

Comme tous les autres, dit Gauss calmement, comme tous les autres.

Et de fait : au cours de cette même nuit, tandis que Gauss, dans la chambre voisine, ronflait si fort qu'on l'entendait dans toute la maison, Humboldt examina à la loupe la plaque de cuivre impressionnée, et il n'y reconnut rien. C'est seulement au bout d'un moment qu'il lui sembla voir apparaître un enchevêtrement de contours fantomatiques, l'esquisse floue de quelque chose qui ressemblait à un paysage sous l'eau. Au centre, on apercevait une main, trois chaussures, une épaule, le parement d'un uniforme, et la partie inférieure d'une oreille. Ou peut-être que non ? Dans un soupir, il jeta la plaque par la fenêtre et l'entendit tomber sur le sol de la cour avec un bruit sourd. Quelques secondes plus tard, il l'avait oubliée, au même titre que tout ce qu'il avait raté au cours de sa vie.

LA MER

Alexander von Humboldt était célèbre dans l'Europe entière grâce à une expédition dans les tropiques qu'il avait faite vingt-cinq ans plus tôt. Il était allé en Nouvelle-Espagne, Nouvelle-Grenade, Nouvelle-Barcelone, Nouvelle-Andalousie et aux Etats-Unis, il avait découvert le canal naturel entre l'Orénoque et l'Amazone, gravi la plus haute montagne du monde connu, recueilli des milliers de plantes et des centaines d'animaux, vivants pour certains, morts pour la plupart, il avait parlé à des perroquets, déterré des cadavres, mesuré chaque fleuve, chaque montagne et chaque lac sur sa route, rampé dans toutes les cavités souterraines, et le nombre de baies qu'il avait goûtées et d'arbres auxquels il avait grimpé dépassait l'entendement.

Il était le cadet de deux frères. Leur père, un homme aisé issu de la petite noblesse, était mort jeune. Leur mère s'était renseignée auprès de Goethe en personne sur la manière dont elle devait faire instruire ses fils.

Des frères, répondit celui-ci, qui à eux deux reflétaient si bien la diversité des tentatives humaines et réalisaient de façon tout à fait exemplaire les vastes possibilités de l'action et du plaisir, c'était là en effet un spectacle de nature à donner de l'espoir à la pensée et fournir toutes sortes de réflexions à l'esprit.

Personne ne saisit le sens de cette phrase. Ni la mère, ni Kunth, son majordome, un homme maigre avec de grandes oreilles. Il croyait avoir compris, dit-il finalement, qu'il s'agissait là d'une expérience. L'un devait être formé aux lettres, l'autre aux sciences.

Et lequel à quoi ?

Kunth réfléchit. Puis il haussa les épaules et proposa de tirer à pile ou face.

Quinze spécialistes hautement rémunérés leur donnèrent des cours de niveau universitaire : chimie, physique et mathématiques pour le cadet, langues et littérature pour l'aîné, grec, latin et philosophie pour les deux. Douze heures par jour, tous les jours, sans pause ni vacances.

Le plus jeune, Alexander, était de nature taciturne et de constitution fragile, il fallait l'encourager pour tout, ses notes étaient médiocres. Quand on le laissait à lui-même, il errait en forêt, ramassait des insectes et les classait selon des systèmes qu'il avait inventés. A neuf ans, il reproduisit le paratonnerre de Benjamin Franklin et le fixa sur le toit du château qu'ils habitaient à proximité de la capitale. C'était le deuxième paratonnerre réalisé en Allemagne ; l'autre se trouvait à Göttingen, sur le toit d'un certain professeur de physique nommé Lichtenberg. A ces deux endroits seulement, on était protégé du ciel.

Le frère aîné ressemblait à un ange. Il parlait comme un poète et écrivit dès son plus jeune âge des lettres distinguées aux personnalités les plus en vue du pays. Quiconque le rencontrait était transporté d'enthousiasme. A treize ans, il maîtrisait deux langues, à quatorze ans quatre, à quinze ans sept. Il n'avait encore jamais été puni, personne n'avait le souvenir qu'il eût fait quelque chose de travers. Il s'entretenait de politique commerciale avec l'ambassadeur anglais et du risque d'une insurrection avec l'ambassadeur français. Un jour, il enferma son jeune frère dans une armoire située dans une pièce isolée. Lorsque le lendemain, un domestique y retrouva le garçon presque évanoui, ce dernier prétendit s'être enfermé lui-même. Il savait que personne ne croirait la vérité. Une autre fois, le cadet découvrit de la poudre blanche dans sa nourriture. Il avait des connaissances suffisantes en chimie pour comprendre qu'il s'agissait de mort-aux-rats. Il repoussa son assiette, les mains tremblantes. De l'autre côté de la table, l'aîné le regardait d'un air approbateur, de ses yeux d'une clarté insondable.

Personne ne pouvait nier que le château était hanté. Rien de bien spectaculaire, simplement des pas dans les couloirs vides, des pleurs d'enfants venus de nulle part et parfois un personnage fantomatique qui demandait d'une voix sourde qu'on lui achète des lacets de chaussures, de petits jouets aimantés, ou un verre de limonade. Mais il y avait plus inquiétant encore que les revenants eux-mêmes : c'étaient les histoires de revenants. Kunth donnait à lire aux deux garçons des livres dans lesquels il était question de moines, de tombes ouvertes, de mains qui émergeaient des profondeurs, d'élixirs élaborés aux enfers et de séances où des morts parlaient à un auditoire figé d'effroi. C'était là une mode récente et si nouvelle qu'on ne s'était pas encore habitué à l'épouvante. Tout cela était nécessaire, expliquait Kunth, la rencontre avec les ténèbres faisait partie du développement de l'individu, celui qui ne connaissait pas l'angoisse métaphysique ne serait jamais un Allemand. Un jour, ils tombèrent sur une histoire au sujet d'Aguirre le

Fou qui avait dénoncé son allégeance au roi et s'était lui-même proclamé empereur. Au cours d'une expédition absolument cauchemardesque, lui et ses hommes avaient navigué sur l'Orénoque, et le sous-bois était si dense sur les rives que l'on ne pouvait pas accoster. Les oiseaux criaient dans les langues de peuples disparus et, lorsqu'on levait les yeux, le ciel reflétait des villes dont l'architecture révélait qu'elles n'avaient pas été construites de main d'homme. Jusqu'à présent, très peu de chercheurs avaient réussi à pénétrer dans cette région, et on ne disposait d'aucune carte fiable.

Mais, moi, je vais le faire, dit le cadet. J'irai là-bas.

Bien sûr, répondit l'aîné.

Je suis sérieux !

Cela me paraît évident, répondit l'aîné et il appela un serviteur pour enregistrer la date et l'heure. Un jour, on sera heureux d'avoir fixé ce moment.

Les cours de physique et de philosophie étaient dispensés par Marcus Herz, l'élève préféré d'Emmanuel Kant et le mari d'Henriette, célèbre pour sa beauté. Il versait deux substances dans une cruche en verre : le liquide hésitait un instant, puis changeait brusquement de couleur. Il laissait de l'hydrogène s'échapper d'une éprouvette, approchait une bougie allumée du bord et le feu jaillissait avec un cri joyeux. Un demi-gramme, disait-il, et la flamme atteignait douze centimètres. Dès lors que l'on avait peur d'une chose, il était judicieux de la mesurer.

Une fois par semaine, les gens cultivés se retrouvaient dans le salon d'Henriette. Ils parlaient de Dieu et de leurs sentiments, pleuraient quelque peu, s'écrivaient des lettres et se disaient membres de la Ligue de la vertu. Personne n'aurait pu dire qui avait trouvé ce nom. Leurs conversations devaient être tenues secrètes en dehors du cercle, mais chacun avait le devoir de révéler aux autres membres sans détour et en détail les troubles de son âme. Si l'âme n'était point troublée, il fallait inventer. Les deux frères étaient les plus jeunes de l'assemblée. Ces rencontres étaient nécessaires elles aussi, expliqua Kunth, et en aucun cas ils ne devaient en manquer une. Cela servait à éduquer le cœur. Il les encouragea expressément à écrire des lettres à Henriette. Négliger son éducation sentimentale dans les phases précoces de la vie pouvait avoir des conséquences fâcheuses par la suite. Il allait de soi que toute lettre devait lui être soumise au préalable. Comme on pouvait s'y attendre, les lettres de l'aîné étaient les meilleures.

Henriette leur répondit poliment, de son hésitante écriture d'enfant. Elle n'avait elle-même que dix-neuf ans. Un livre offert par le plus jeune revint sans qu'elle l'ait lu : *L'Homme-Machine* de La Mettrie. Cet ouvrage était interdit ; un pamphlet exécrable ! Elle ne pouvait même pas se résoudre à l'ouvrir.

Dommage, dit le cadet à l'aîné. Un livre remarquable, selon lui. L'auteur prétendait très sérieusement que l'homme était une machine, un automate d'une très grande dextérité.

Et dépourvu d'âme, répondit son frère. Ils se promenaient dans le parc du château ; une fine couche de neige recouvrait les arbres nus.

Non, répliqua le plus jeune. Doté d'une âme. D'intuition, du sens de l'immensité et de la beauté. Or cette âme n'était elle-même qu'une partie, la plus complexe certes, de la machine. Et il se demandait si cela ne correspondait pas à la réalité.

Tous les hommes, des machines ?

Peut-être pas tous, dit Alexander d'un air songeur. Mais nous, oui.

L'étang était gelé, la neige et les stalactites de glace prenaient une teinte bleutée dans le crépuscule. Il avait quelque chose à lui dire, déclara l'aîné. On s'inquiétait à son sujet : son caractère taciturne et renfermé, ses progrès scolaires lents et laborieux. Ils étaient tous deux au cœur d'une expérience d'envergure. Ni l'un ni l'autre n'avaient le droit de se laisser aller. Il hésita un instant. Au fait, la glace était tout à fait solide.

Vraiment ?

Mais oui, bien sûr.

Le cadet hocha la tête, inspira profondément et s'avança sur l'étang. Il se demanda s'il devait réciter *L'Ode au patinage* de Klopstock. En faisant de grands moulinets des deux bras, il glissa vers le centre. Il tourna sur lui-même. Son frère, légèrement penché en arrière, l'observait depuis la rive.

Soudain ce fut le silence. Le garçon ne vit plus rien, et le froid lui fit presque perdre connaissance. Alors seulement, il comprit qu'il était sous l'eau. Il battit des pieds. Sa tête heurta quelque chose de dur, la glace. Son bonnet de fourrure se détacha et flotta à la dérive, ses cheveux se dressèrent, ses pieds frappèrent le fond. Ses yeux s'étaient à présent habitués à l'obscurité. L'espace d'une seconde, il vit un paysage figé : des tiges tremblantes sous des plantes transparentes comme un voile, un unique poisson, à peine aperçu, déjà disparu, telle une hallucination. Il fit quelques mouvements de natation, remonta, heurta de nouveau la glace. Il se rendit compte qu'il ne lui restait plus que quelques secondes à vivre. Il tâtonna et, juste au moment où il n'avait plus d'air, il aperçut une tache sombre au-dessus de lui, la brèche. Il s'élança vers le haut, inspira, expira, cracha, la glace acérée lui lacéra les mains, il se hissa, se pencha sur le côté, ramena les jambes et se retrouva allongé sur la glace, haletant et sanglotant. Il se retourna sur le ventre et rampa jusqu'à la rive. Son frère se tenait toujours là, penché en arrière, les mains dans les poches, le bonnet enfoncé sur la tête. Il lui tendit la main et l'aida à se relever.

La fièvre arriva dans la nuit. Il percevait des voix et ne savait pas si elles appartenaient aux personnages de ses rêves ou aux gens qui se trouvaient à son chevet, et il ressentait toujours le froid de la glace. Un homme arpentait la chambre de long en large, le médecin sans doute, en disant : Décide-toi, la réussite ou l'échec, il faut choisir et après il suffit de tenir bon, tu ne crois pas ? Mais quand il voulut répondre, il ne se rappela plus ce qu'on lui avait dit, et il vit à la place une mer immense sous un ciel électrique. Lorsqu'il rouvrit les yeux, il était midi le surlendemain, un pâle soleil d'hiver s'était immobilisé à la fenêtre, et sa fièvre avait baissé.

Dès lors, ses notes s'améliorèrent. Il travaillait avec concentration et prit l'habitude de serrer les poings lorsqu'il réfléchissait, comme s'il devait vaincre un ennemi. Il avait changé, lui écrivit Henriette, à présent il lui faisait un peu peur. Il demanda à passer une nuit dans la chambre vide d'où provenaient le plus fréquemment des bruits nocturnes. Le matin suivant, il était livide et silencieux, et sur son front était gravée, verticalement, sa première ride.

Kunth décida que l'aîné étudierait le droit et le cadet la finance. Evidemment, il fit le voyage avec eux jusqu'à l'université de Francfort-sur-l'Oder, assista à leurs cours magistraux et surveilla leurs progrès. Ce n'était pas une bonne université. Le premier incapable venu qui souhaitait devenir docteur, écrivit l'aîné à Henriette, pouvait tranquillement se présenter. Et, pour une raison obscure, on voyait souvent un gros chien qui se grattait beaucoup et faisait toutes sortes de bruits durant les cours.

Chez le botaniste Wildenow, le cadet vit pour la première fois des plantes tropicales séchées. Elles avaient des excroissances en forme d'antennes, des bourgeons qui ressemblaient à des yeux et des feuilles dont le contact rappelait la peau humaine. Il lui semblait les avoir déjà vues dans ses rêves. Il les disséqua, en fit des croquis minutieux, contrôla leurs réactions aux acides et aux bases et les traita soigneusement en vue de leur conservation.

Il dit à Kunth qu'il savait désormais à quoi il voulait se consacrer. A la vie.

Il ne pouvait y consentir, répondit Kunth. Sur cette terre, on avait bien d'autres tâches que le simple fait d'être là. La vie, ce n'était pas le but de l'existence.

Ce n'était pas ce qu'il voulait dire, répliqua-t-il. Il désirait étudier la vie, comprendre l'étrange obstination avec laquelle elle s'étendait sur le globe terrestre. Il entendait la percer à jour !

C'est ainsi qu'il put continuer à étudier auprès de Wildenow.

Le semestre suivant, le frère aîné changea d'université et alla à Göttingen. Tandis que, pour la première fois, il se faisait des amis, buvait de l'alcool et touchait une femme, le cadet, lui, rédigeait sa première étude scientifique.

C'est bien, dit Kunth, mais pas suffisamment pour être imprimé sous le nom de Humboldt. La publication devrait encore attendre.

Pendant les vacances, il rendit visite à son frère aîné. Lors d'une réception donnée par le consul français, il fit la connaissance du mathématicien Kästner, de Zimmermann, son ami et conseiller à la cour, et du plus important physicien expérimental d'Allemagne, le professeur Georg Christoph Lichtenberg. Celui-ci, bossu, un beau visage sans défaut, une masse de chair et d'intelligence, lui serra mollement la main et leva les yeux vers lui d'un air amusé. Humboldt lui demanda s'il était vrai qu'il travaillait à un roman.

Oui et non, répondit Lichtenberg en le regardant comme s'il voyait des choses dont Humboldt lui-même ne soupçonnait pas l'existence. L'ouvrage s'appelait *A propos de Gunkel*, il ne parlait de rien et n'avançait absolument pas.

Ecrire des romans, dit Humboldt, lui semblait être la voie royale pour garder une trace de l'instant présent dans sa fugacité même.

Ah ah, dit Lichtenberg.

Humboldt rougit. Par conséquent, il était fort naïf de la part d'un auteur de prendre pour cadre de son récit, comme cela se faisait actuellement, un passé déjà reculé.

Lichtenberg le regarda en plissant les yeux. Non… et oui, dit-il ensuite.

Sur le chemin du retour, les deux frères virent un second disque argenté, à peine plus grand, à côté de la lune qui venait de se lever. Un ballon à air chaud, expliqua l'aîné. Pilâtre de Rozier, le collaborateur des Montgolfier, était en ce moment tout près d'ici, à Brunswick. La ville entière en parlait. Bientôt, tous les hommes pourraient s'élever dans les airs.

Mais ils n'en auront pas envie, dit le cadet. Ils auront trop peur.

Peu avant son départ, il fit la connaissance du célèbre Georg Forster, un homme maigre au teint maladif et qui toussait sans cesse. Avec Cook, il avait fait le tour de la terre et en avait vu plus qu'aucun autre habitant de l'Allemagne ; maintenant c'était une légende, son livre était connu dans le monde entier, et il travaillait comme bibliothécaire à Mayence. Il parla de dragons et de morts vivants, de cannibales extrêmement polis, de jours où la mer était si claire que l'on croyait flotter au-dessus d'un abîme, de tempêtes si violentes que l'on n'osait pas prier. La mélancolie l'enveloppa soudain comme un fin brouillard. Il en avait trop vu, dit-il. C'était exactement de cela qu'il s'agissait dans le mythe d'Ulysse et des sirènes. Se faire ligoter au mât ne servait à rien, car même si l'on en réchappait on ne se remettait pas du côtoiement de l'étrange. Il avait du mal à trouver le sommeil, ses souvenirs étaient trop intenses. Quant à son capitaine, le grand et sombre Cook, il avait appris récemment qu'on l'avait bouilli et mangé à Hawaii. Il se frotta le front puis regarda les boucles de ses chaussures. Bouilli et mangé, répéta-t-il.

Lui aussi, il voulait voyager, dit Humboldt.

Forster acquiesça d'un signe de tête. Plus d'un le voulait. Et tous le regrettaient par la suite.

Pourquoi ?

Parce qu'on ne pouvait jamais revenir.

Forster le recommanda à l'académie des Mines de Freiberg. Abraham Werner y enseignait que le centre de la terre était froid et solide. Les montagnes s'étaient formées à partir des précipités chimiques d'un océan primitif en train de se retirer. Le feu des volcans ne provenait en aucun cas des profondeurs de la terre, il était nourri par la combustion de gisements de charbon, et le noyau terrestre était constitué de pierre dure.

Cette théorie appelée neptunisme était défendue par les deux Eglises et par Johann Wolfgang Goethe. Dans la chapelle de Freiberg, Werner faisait célébrer des messes pour ramener dans le droit chemin ses adversaires qui niaient encore la vérité. Un jour, il avait cassé le nez d'un étudiant sceptique et, disait-on, arraché d'un coup de dents l'oreille d'un autre, des années plus tôt. Werner était l'un des derniers alchimistes : il était membre de loges secrètes, il connaissait les symboles auxquels obéissaient les démons. Il parvenait à reconstituer ce qu'on avait détruit, recréer ce qui était parti en fumée et redonner sa forme à ce qui avait été réduit en morceaux. Il avait également parlé avec le diable et fabriqué de l'or. Mais il n'avait pas l'air intelligent pour autant. Il s'enfonça dans son fauteuil, plissa les yeux et demanda à Humboldt s'il était neptuniste et croyait que l'intérieur de la terre était froid.

Humboldt lui assura que oui.

Dans ce cas, il fallait aussi qu'il se marie.

Humboldt rougit.

Werner gonfla ses joues, prit un air de conspirateur et lui demanda s'il avait une chère et tendre.

Ce ne serait qu'une entrave, dit Humboldt. On ne se mariait que lorsqu'on n'avait aucun projet fondamental dans la vie.

Werner le regarda fixement.

C'était du moins ce que l'on prétendait, ajouta rapidement Humboldt. A tort, bien évidemment !

Un célibataire, déclara Werner, n'avait encore jamais fait un bon neptuniste.

Humboldt acheva le programme de l'académie en trois mois. Le matin, il passait six heures sous terre, l'après-midi il assistait aux cours, le soir et la moitié de la nuit, il travaillait pour le jour suivant. Il n'avait aucun ami, et lorsque son frère l'invita à son mariage – j'ai trouvé une femme qui me convient, une femme unique au monde – il lui répondit poliment qu'il ne pouvait pas venir, faute de temps. Il se faufila dans les puits de mine les plus étroits jusqu'à ce qu'il se fût habitué à sa claustrophobie, qu'il considérait comme une souffrance certes persistante, mais de plus en plus supportable. Il effectua des mesures de température : plus on descendait dans les profondeurs, plus il y faisait chaud, ce qui contredisait toutes les thèses d'Abraham Werner. Il remarqua que même dans l'obscurité la plus totale d'une caverne la végétation était présente. La vie semblait ne s'arrêter nulle part, on trouvait partout une forme de mousse ou de chiendent, des plantes étiolées de telle ou telle espèce. Elles l'inquiétaient, c'est pourquoi il les disséqua, les examina, les classa par catégories et rédigea une étude à leur sujet. Des années plus tard, lorsqu'il vit des plantes similaires dans la grotte des Morts, il sut à quoi s'en tenir.

Il passa l'examen final et reçut un uniforme. Où qu'il aille, il devait le porter. Il était officiellement assesseur du département des Mines et des Fonderies. Il avait honte, écrivit-il à son frère, de s'en réjouir autant.

En quelques mois seulement, il devint l'inspecteur des Mines le plus fiable de Prusse. Il se fit conduire dans les fonderies, les tourbières et les hauts fourneaux de la Manufacture royale de porcelaine ; partout, la vitesse avec laquelle il prenait des notes effrayait les ouvriers. Il était sans cesse en déplacement, dormait et mangeait à peine, sans savoir lui-même à quoi tout cela rimait. Quelque chose en moi, écrivit-il à son frère, me fait craindre de perdre la raison.

Il tomba par hasard sur l'ouvrage de Galvani au sujet de l'électricité et des grenouilles. Galvani avait mis des cuisses de grenouilles disséquées en contact avec deux métaux différents, et elles avaient tressailli comme si elles étaient vivantes. Etait-ce dû aux cuisses elles-mêmes, dans lesquelles il y avait encore de la vie, ou bien le spasme provenait-il de l'extérieur, de la différence entre les métaux, auquel cas les cuisses de grenouilles n'avaient fait que révéler le phénomène ? Humboldt décida d'en avoir le cœur net.

Il enleva sa chemise, s'allongea sur son lit et chargea un domestique d'appliquer deux ventouses sur son dos. Le serviteur obéit, et deux grosses cloques apparurent sur la peau de Humboldt. A présent, il fallait les percer ! Le domestique hésita, Humboldt dut hausser le ton, le domestique prit le scalpel. La lame était si acérée qu'il ne sentit presque rien. Du sang tomba goutte à goutte sur le sol. Humboldt lui ordonna de poser un morceau de zinc sur l'une des plaies.

Le serviteur demanda s'il pouvait faire une pause, il ne se sentait pas bien.

Humboldt le pria de ne pas faire l'idiot.

Lorsqu'un morceau d'argent toucha la deuxième plaie, un tressaillement douloureux lui remonta le long des muscles du dos jusqu'à la tête. La main tremblante, il nota : *Musculus cucularis*, os occipital, apophyses épineuses des vertèbres dorsales. Aucun doute, il s'agissait bien d'électricité. Encore une fois le morceau d'argent ! Il compta quatre décharges régulièrement espacées, puis les objets autour de lui perdirent leurs couleurs.

Lorsque Humboldt revint à lui, le domestique était assis par terre, le visage blême, les mains en sang.

On continue, dit Humboldt, et, avec un étrange effroi, il se rendit compte que quelque chose en lui éprouvait du plaisir. Les grenouilles, à présent !

Pas ça, répliqua le domestique.

Humboldt lui demanda s'il voulait se chercher une nouvelle place.

Le serviteur posa quatre grenouilles mortes et soigneusement nettoyées sur le dos en sang de Humboldt. Ça suffit maintenant, dit-il, nous sommes des chrétiens, tout de même.

Humboldt l'ignora et ordonna : De nouveau le morceau d'argent ! Les secousses ne se firent pas attendre. Chaque fois – c'est ce qu'il vit dans le miroir – les corps des grenouilles sautaient en l'air comme s'ils étaient vivants. Il mordit son oreiller trempé de larmes. Le serviteur avait un petit rire hystérique, Humboldt voulut prendre des notes mais ses mains étaient trop faibles. Il se leva péniblement. Le liquide qui s'écoulait des deux plaies était si corrosif qu'il lui brûlait la peau. Humboldt tenta d'en recueillir un peu dans un petit tube en verre, mais son épaule était enflée et il ne pouvait pas se retourner. Il regarda le serviteur.

Celui-ci fit non de la tête.

Bon, dit Humboldt, dans ce cas qu'il aille chercher le médecin, pour l'amour du ciel ! Il s'essuya le visage et attendit d'être à nouveau en mesure de se servir de ses mains pour noter le plus important. De l'électricité était passée, il l'avait sentie, et elle provenait non pas de son propre corps ou des grenouilles, mais bien de la répulsion chimique des deux métaux.

Il ne fut pas facile d'expliquer au médecin ce qui s'était passé là. Le domestique rendit son tablier la semaine suivante, Humboldt garda deux cicatrices, et son traité sur la fibre musculaire en tant que substance conductrice établit sa réputation scientifique.

Son frère lui écrivit de Iéna : Tu sembles désemparé ; tu devrais cependant considérer que l'on a aussi des obligations morales vis-à-vis de son propre corps, qui n'est pas une simple chose parmi d'autres. Je t'en prie, viens ! Schiller aimerait faire ta connaissance.

Tu te méprends sur moi, répondit Humboldt. J'ai découvert que l'homme est prêt à subir bien des désagréments, mais qu'un grand nombre de connaissances lui échappent parce qu'il a peur de la douleur. Or celui qui se résout à souffrir comprend des choses qu'il ne… Il posa sa plume, se frotta l'épaule et froissa la feuille. Notre lien fraternel, reprit-il, pourquoi m'apparaît-il comme la véritable énigme ? Nous sommes à la fois uniques et doubles, tu es ce que je ne dois pas être, je suis ce que tu ne peux pas être, nous devons traverser l'existence à deux tout en étant, que nous le voulions ou non, à jamais plus proches l'un de l'autre que de quiconque. Et pourquoi ai-je le pressentiment que notre grandeur restera stérile et que, quoi que nous accomplissions, elle disparaîtra, comme si de rien n'était, jusqu'à ce que nos noms, qui ont grandi en s'opposant l'un à l'autre avant d'être confondus à nouveau, soient effacés pour toujours ? Il s'arrêta net, puis il déchira la feuille en tout petits morceaux.

Pour examiner les plantes dans la mine de Freiberg, il mit au point la lampe de mineur : une flamme, alimentée par un réservoir de gaz, qui procurait un éclairage même dans les endroits où l'air se raréfiait. Cette invention faillit le tuer. Il descendit dans une cavité qui n'avait encore jamais été explorée, il déposa la lampe et perdit presque aussitôt connaissance. Mourant, il vit des plantes grimpantes tropicales se métamorphoser sous ses yeux en corps de femmes, et c'est en hurlant qu'il revint à lui. Un Espagnol du nom d'Andres del Rio, un ancien condisciple à l'académie de Freiberg, l'avait trouvé et remonté à la surface. Pris de honte, Humboldt réussit à peine à le remercier.

En un mois de travail intensif, il inventa une machine pour respirer : un sac d'air, relié par deux tuyaux à un masque à oxygène. Il fixa l'appareil et entama la descente. Le visage pétrifié, il endura les premières hallucinations. C'est seulement là – il avait déjà les jambes molles et son vertige transformait la flamme de la bougie en brasier – qu'il ouvrit la valve et vit avec colère que les femmes se métamorphosaient à nouveau en plantes et que celles-ci retournaient au néant. Il resta encore des heures dans la fraîcheur de l'obscurité. A sa remontée l'attendait une lettre de Kunth qui l'appelait au chevet de sa mère mourante.

Comme il se doit, il prit le cheval le plus rapide qu'il pût trouver. La pluie lui fouettait le visage, son manteau flottait au vent, par deux fois il glissa de sa selle et tomba dans la boue. Il arriva sale, mal rasé et, comme il savait ce qu'il convenait de faire en pareil cas, il fit semblant d'être essoufflé. Kunth approuva d'un signe de tête. Assis tous les deux au chevet de la mère de Humboldt, ils regardaient la souffrance altérer son visage. La phtisie l'avait consumée de l'intérieur, ses joues s'étaient creusées, son menton allongé, son nez soudain recourbé, les saignées l'avaient presque tuée. Tandis que Humboldt tenait sa main, l'après-midi fit place au soir, et un messager apporta une lettre de son frère qui s'excusait en raison d'affaires urgentes à Weimar. A la tombée de la nuit, sa mère se redressa brusquement et se mit à pousser des cris perçants. Le somnifère n'avait aucun effet, une nouvelle saignée ne la calma pas davantage, et Humboldt resta stupéfait devant un comportement aussi contraire à la bienséance. Vers minuit, les cris s'amplifièrent de façon indécente, ils semblaient provenir du fin fond de son corps convulsé, comme si elle atteignait le paroxysme du plaisir. Il attendit, les yeux fermés. Au bout de deux heures seulement, elle se tut. Quand le jour parut, elle murmura des paroles incompréhensibles, quand le soleil s'éleva dans le ciel matinal, elle regarda son fils et lui dit de se redresser ; en voilà une façon de se tenir ! Puis elle détourna la tête, ses yeux devinrent vitreux, et il vit la première morte de sa vie.

Kunth posa la main sur l'épaule de Humboldt : Personne, dit-il, ne pouvait s'imaginer ce que cette famille avait représenté pour lui.

Si, répondit Humboldt comme si quelqu'un lui soufflait sa réplique, lui il le pouvait, et jamais il ne l'oublierait.

Kunth soupira, ému. Il savait désormais qu'il continuerait à toucher son salaire.

L'après-midi, les domestiques virent Humboldt faire les cent pas devant le château, arpenter les collines, faire le tour de l'étang, la bouche ouverte, le visage tourné vers le ciel comme un simple d'esprit. Jamais ils n'avaient vu leur maître dans cet état. Il devait être drôlement bouleversé, se dirent-ils. Et, en effet, il n'avait jamais été aussi heureux.

Il donna sa démission une semaine plus tard. Le ministre ne comprit pas. Un poste aussi élevé à son âge, et rien qui puisse entraver sa carrière ! Pourquoi donc ce choix ?

Parce que tout cela était bien trop peu, répondit Humboldt. Malgré sa petite taille, il se tenait très droit, les yeux brillants et les épaules légèrement tombantes, devant le bureau de son supérieur. Et aussi parce que, maintenant, il pouvait enfin partir.

Il se rendit d'abord à Weimar, où son frère lui présenta Wieland, Herder et Goethe. Ce dernier le salua comme un allié. Tous les disciples du grand Werner, dit-il, trouvaient en lui un ami.

Il allait voyager dans le Nouveau Monde, dit Humboldt. Il n'en avait encore jamais parlé à personne. Nul ne l'en empêcherait, et il ne s'attendait pas à revenir vivant.

Goethe le prit à part et le conduisit à travers une enfilade de pièces peintes de couleurs différentes, jusqu'à une haute fenêtre. Un projet d'envergure, dit-il. Il importait surtout d'explorer les volcans afin d'étayer la théorie neptuniste. Aucun feu ne brûlait sous terre. Le cœur de la nature ne se composait pas de lave en ébullition. Seuls des esprits dépravés pouvaient s'abaisser à des pensées aussi abjectes.

Humboldt promit d'aller voir les volcans.

Goethe croisa ses bras dans son dos : qu'il n'oublie jamais de chez qui il venait.

Humboldt ne comprit pas.

Il devait songer à ceux qui l'avaient envoyé. Goethe fit un geste de la main en direction des pièces colorées, des moulages en plâtre de statues romaines, des hommes qui s'entretenaient à voix basse au salon. Le frère aîné de Humboldt parlait des avantages du pentamètre iambique non rimé, Wieland approuvait de la tête, l'air attentif, et Schiller, assis sur un canapé, bâillait à la dérobée. Vous venez de chez nous, dit Goethe, d'ici. Vous resterez aussi notre ambassadeur au-delà des mers.

Humboldt poursuivit sa route vers Salzbourg, où il s'acheta tout un arsenal d'instruments de mesure, le plus onéreux qu'un homme eût jamais possédé. Deux baromètres pour la pression atmosphérique, un hypsomètre pour évaluer la température d'ébullition de l'eau, un théodolite pour les mesures géodésiques, un sextant à réflexion avec horizon artificiel, un sextant de poche pliant, un inclinomètre pour déterminer la force du magnétisme terrestre, un hygromètre à cheveu afin d'enregistrer l'humidité de l'air, un eudiomètre pour contrôler la teneur en oxygène de l'air, une bouteille de Leyde servant à stocker les charges électriques et un cyanomètre pour mesurer le bleu du ciel. Et aussi deux chronomètres hors de prix, tels qu'on les fabriquait depuis peu à Paris. Ils fonctionnaient désormais sans balancier et marquaient les secondes de manière invisible, grâce à un spiral isochrone qui se trouvait à l'intérieur. Si on en prenait bien soin, ils restaient à l'heure de Paris et permettaient, lorsqu'on calculait la hauteur du soleil au zénith et consultait les éphémérides, de déterminer la longitude.

Il resta là un an et s'exerça. Il mesura toutes les collines de Salzbourg, calcula chaque jour la pression atmosphérique, cartographia le champ magnétique, vérifia l'air, l'eau, la terre et la couleur du ciel. Il s'entraîna à démonter et remonter tous ses instruments jusqu'à ce qu'il pût le faire les yeux fermés, en appui sur une seule jambe, sous la pluie, ou encore au beau milieu d'un troupeau de vaches assailli par les mouches. Les gens du pays le croyaient fou. Mais à cela aussi il faudrait qu'il s'habitue, il le savait bien. Un jour, il s'attacha le bras dans le dos pendant une semaine pour se familiariser avec les sévices et la douleur. Comme son uniforme le gênait, il s'en fit faire un deuxième qu'il porta également pour dormir. Tout l'art de la chose consistait, ainsi qu'il l'expliqua à Mme Schobel, sa logeuse, à ne jamais se ménager, et il lui demanda un second verre de ce petit-lait verdâtre qui l'écœurait tellement.

C'est alors seulement qu'il se rendit à Paris chez son frère, qui y vivait à présent en rentier afin d'éduquer ses enfants, déroutants d'intelligence, selon un système strict inventé par ses soins. Sa belle-sœur ne pouvait pas le supporter. Il lui faisait peur, disait-elle, elle considérait son agitation comme une forme de folie et surtout elle avait l'impression de voir en lui une copie, déformée jusqu'à la caricature, de son époux.

Elle n'avait pas tout à fait tort, lui répondit ce dernier. Cela n'avait jamais été chose facile d'être l'unique responsable de toutes les extravagances de son frère ; il était, pour ainsi dire, son gardien.

A l'Académie, Humboldt donna des conférences sur la conductibilité des nerfs humains. Il était présent lorsqu'on mesura, sous la bruine et sur une pelouse piétinée aux portes de la ville, le dernier segment du méridien reliant Paris au pôle. Lorsque ce fut fait, tout le monde enleva son chapeau et se serra la main : un dix millionième de la distance serait moulé en métal et deviendrait l'unité de référence pour toutes les futures mesures de longueur. On voulait l'appeler mètre. Humboldt était toujours transporté de joie lorsqu'on mesurait quelque chose ; cette fois, il était ivre d'enthousiasme. L'excitation l'empêcha de dormir plusieurs nuits d'affilée.

Il s'informa des expéditions. Un certain lord Bristol voulait aller en Egypte, mais peu de temps après on le jeta en prison pour espionnage. Humboldt apprit que le Directoire avait l'intention d'envoyer une troupe de chercheurs dans les mers du Sud sous la direction du grand Bougainville, or ce dernier était vieux comme un roc, complètement sourd, il parlait tout seul, assis sur un trône, et personne ne savait à qui s'adressaient ses gestes de chef d'orchestre. Quand Humboldt s'inclina devant lui, il lui donna la bénédiction épiscopale et lui fit signe de se retirer. Le Directoire remplaça Bougainville par un officier du nom de Baudin. Celui-ci reçut Humboldt aimablement, en lui promettant tout. Il disparut peu après, avec la totalité de l'argent que l'Etat lui avait alloué.

Un soir, un jeune homme était assis sur les marches d'escalier de la maison de Humboldt, il buvait de l'eau-de-vie dans une flasque en argent et jura horriblement lorsque Humboldt lui marcha par mégarde sur la main. Humboldt s'excusa, et ils engagèrent la conversation. L'homme s'appelait Aimé Bonpland et avait voulu lui aussi voyager avec Baudin. Agé de vingt-cinq ans, grand et quelque peu déguenillé, il n'avait que deux ou trois cicatrices de variole et une seule dent manquante, tout devant. Ils se regardèrent, et par la suite ni l'un ni l'autre n'aurait pu dire s'ils avaient pressenti qu'ils allaient compter davantage l'un pour l'autre que n'importe qui au monde, ou s'ils avaient eu cette impression après coup seulement.

Bonpland raconta qu'il était originaire de La Rochelle ; il avait enduré le ciel bas de la province comme le toit d'une prison. Chaque jour, il avait voulu s'enfuir, puis il était devenu médecin militaire, mais l'université n'avait pas reconnu son titre. Tout en préparant son diplôme, il avait étudié la botanique, il adorait les plantes tropicales ; à présent, il ne savait pas quoi faire. Et retourner à La Rochelle, plutôt mourir !

Pouvait-il le serrer dans ses bras ? lui demanda Humboldt.

Non, répondit Bonpland, effrayé.

Ils avaient derrière eux une expérience similaire et devant eux un projet identique, dit Humboldt ; s'ils s'associaient, qui les arrêterait ? Il lui tendit la main.

Bonpland ne comprit pas.

Ils pourraient faire route ensemble, expliqua Humboldt, il avait besoin d'un compagnon de voyage, il avait de l'argent.

Bonpland le regarda attentivement, puis il reboucha sa flasque.

Humboldt ajouta qu'ils étaient jeunes tous les deux, et décidés ; ensemble ils accompliraient de grandes choses. Bonpland n'avait-il pas cette impression, lui aussi ?

Bonpland ne l'avait pas, mais l'enthousiasme de Humboldt était contagieux. Ainsi, et aussi parce qu'il était impoli de laisser quelqu'un la main tendue, il topa et réprima un cri de douleur : la poignée de main du petit homme était plus ferme que prévue.

Et maintenant ?

Où irions-nous donc, répondit Humboldt, si ce n'est en Espagne !

Peu après, les deux frères prirent congé l'un de l'autre avec des manières de monarques. Humboldt fut très gêné lorsque les cheveux de sa belle-sœur effleurèrent sa joue au moment où elle l'embrassa. Allait-on se revoir un jour ? demanda-t-il.

Certainement, dit l'aîné. Dans ce monde ou dans l'autre. A l'état charnel ou lumineux.

Humboldt et Bonpland montèrent sur leurs chevaux et s'en allèrent. Bonpland constata avec stupéfaction que son compagnon réussit à ne pas se retourner une seule fois, jusqu'à ce que son frère et sa belle-sœur fussent hors de vue.

Sur la route vers l'Espagne, Humboldt mesura chaque colline. Il escalada chaque montagne. Il préleva des échantillons de pierres sur chaque paroi rocheuse. Muni de son masque à oxygène, il explora toutes les grottes jusque dans leurs cavités les plus reculées. Les habitants du pays, qui regardaient Humboldt fixer le soleil à travers l'oculaire de son sextant, les prirent pour des adorateurs païens du grand astre et leur jetèrent des pierres, si bien qu'ils durent sauter sur leurs chevaux et partir au galop. Les deux premières fois, ils s'échappèrent sans dommage ; la troisième, Bonpland en rapporta une grave plaie ouverte.

Il commença à se poser des questions. Tout cela était-il bien nécessaire, demanda-t-il, après tout on ne faisait que passer, on voulait juste se rendre à Madrid et on y serait quand même beaucoup plus vite si on y allait d'une seule traite, nom d'une pipe.

Humboldt réfléchit. Non, dit-il finalement, il était désolé. Une colline dont on ne connaissait pas la hauteur était une insulte à la raison et le rendait nerveux. Un homme qui ne déterminait pas à chaque instant sa position géographique ne pouvait pas se déplacer. On ne laissait pas une énigme, si petite soit-elle, sur le bord de la route.

Dès lors, ils voyagèrent de nuit, afin que Humboldt puisse faire ses mesures sans être importuné. Il fallait, dit-il, déterminer les coordonnées géographiques avec plus de précision que cela n'avait été fait jusqu'à présent. Les cartes d'Espagne n'étaient pas exactes. On voulait savoir, n'est-ce pas, où on allait.

Mais on le sait, s'écria Bonpland. La route principale était là, et elle conduisait à Madrid. Cela suffisait amplement !

Ce n'est pas une question de route, répliqua Humboldt, mais de principe.

A proximité de la capitale, la lumière du jour prit une teinte argentée. Bientôt il n'y eut presque plus d'arbres. L'intérieur de l'Espagne n'était pas un bassin, expliqua Humboldt. Une fois de plus, les géographes avaient tort. Il s'agissait en réalité d'un haut plateau qui avait surgi autrefois d'une mer préhistorique, sous forme d'île.

Bien sûr, dit Bonpland en buvant une gorgée d'eau-de-vie. Sous forme d'île.

Madrid était gouverné par le ministre Manuel de Urquijo. Tout le monde savait qu'il couchait avec la reine. Le roi était faible, ses enfants le méprisaient, le pays le trouvait ridicule. Il fallait forcément passer par Urquijo : les colonies étaient interdites aux étrangers, et on n'avait encore jamais fait d'exception. Humboldt se rendit chez les ambassadeurs prussien, belge, néerlandais et français. La nuit, il apprenait l'espagnol.

Bonpland lui demanda s'il ne dormait donc jamais.

Pas s'il pouvait l'éviter, répondit Humboldt.

Au bout d'un mois, il avait réussi à obtenir une audience auprès d'Urquijo dans le palais d'Aranjuez. Le ministre était obèse, nerveux et soucieux. A la suite d'un malentendu, et peut-être aussi parce qu'il avait, un jour, entendu parler de Paracelse, il prit Humboldt pour un médecin allemand et lui demanda un médicament contre l'impuissance.

Pardon ?

Le ministre l'emmena dans un coin sombre de la salle en pierre, lui posa la main sur l'épaule et baissa la voix : Il ne s'agissait pas là de plaisir, dit-il. Son emprise sur le pays résidait dans son emprise sur la reine. Elle n'était plus une jeune femme, et lui-même n'était plus un jeune homme.

Humboldt regarda par la fenêtre en clignant des yeux. Le parc s'étendait avec une symétrie irréelle dans la lumière blanche de midi. Un jet d'eau s'élevait mollement au-dessus d'une fontaine mauresque.

Il restait beaucoup à faire, dit Urquijo. L'Inquisition était toujours puissante, on était encore loin de l'abolition de l'esclavage. Il y avait des intrigants partout. Il ne savait pas combien de temps il allait pouvoir tenir. Au sens le plus concret du terme. Se faisait-il bien comprendre ?

Lentement, les poings serrés, Humboldt alla au bureau d'Urquijo, trempa sa plume dans l'encre et rédigea une ordonnance. Quinquina des basses terres amazoniennes, extrait de pavot d'Afrique centrale, mousse de la toundra sibérienne, ainsi qu'une fleur mentionnée dans le récit de voyage de Marco Polo et entrée depuis dans la légende. En faire une forte décoction, utiliser la troisième infusion. A boire lentement, un jour sur deux. Il faudrait des années pour réunir tous ces ingrédients. Humboldt tendit la feuille à Urquijo d'une main hésitante.

Jamais des étrangers n'avaient obtenu de tels documents jusqu'à ce jour : ils stipulaient qu'il fallait accorder au baron von Humboldt et à son assistant toute l'aide nécessaire ; ils devaient être logés, bien traités, avoir accès aux endroits qui les intéressaient et ils pouvaient naviguer sur tous les bateaux de la couronne.

A présent, dit Humboldt, il ne leur restait plus qu'à passer le blocus anglais.

Bonpland demanda pourquoi on avait écrit “assistant”.

Je l'ignore, répondit Humboldt distraitement. Un malentendu.

Pouvait-on encore changer cela ?

Ce n'est pas une bonne idée, répliqua Humboldt. Ces passeports étaient un cadeau du ciel. On ne remettait pas en cause ce genre de documents, on les prenait et on se mettait en route.

A La Corogne, ils prirent la première frégate en partance pour les tropiques. Il y avait un âpre vent d'ouest et une forte houle. Humboldt était sur le pont, assis sur une chaise pliante. Il se sentait libre comme jamais. Heureusement, écrivit-il dans son journal, je n'ai jamais le mal de mer. Puis il alla vomir. Cela aussi, c'était une question de volonté ! Avec une concentration extrême, ne s'arrêtant que de temps à autre pour se pencher au-dessus de la rambarde, il rédigea trois pages sur le sentiment du départ, la nuit qui tombait sur la mer et les lumières de la côte disparaissant dans l'obscurité. Jusqu'au petit matin, il resta debout à côté du capitaine et l'observa dans ses manœuvres de navigation. Puis il sortit son propre sextant. Vers midi, il se mit à secouer la tête. A seize heures, il posa son instrument et demanda au capitaine pourquoi il procédait de façon aussi imprécise.

Je navigue ainsi depuis trente ans, dit le capitaine.

Sauf votre respect, répondit Humboldt, cela m'étonne.

Mais on ne fait pas ça pour les mathématiques, répliqua le capitaine, on veut traverser l'océan. On suit en gros la latitude, et un jour ou l'autre on arrive à destination.

Mais comment peut-on vivre, demanda Humboldt, rendu irritable par sa lutte contre le mal de mer, si on n'accorde aucune importance à l'exactitude ?

On y arrive très bien comme ça, dit le capitaine. D'ailleurs, chacun était libre sur ce bateau. Si quelque chose ne lui convenait pas, il pouvait quitter le navire à tout moment.

Peu avant Ténériffe, ils aperçurent un monstre marin. Au loin, presque transparent sur l'horizon, un corps de serpent surgit de l'eau, il forma comme deux circonvolutions et regarda dans leur direction de ses yeux en pierres précieuses, très reconnaissables à la longue-vue. Des filaments, fins comme les poils d'une moustache, pendaient tout autour de sa gueule. Quelques secondes seulement après qu'il eut replongé, tous crurent qu'ils avaient rêvé. Les brumes, sans doute, dit Humboldt, ou bien la mauvaise nourriture. Il décida de ne rien noter à ce sujet.

Le bateau jeta l'ancre pour deux jours afin que l'on puisse se réapprovisionner. Ils étaient tout juste arrivés au port lorsqu'ils furent entourés par un groupe de femmes vénales qui tentèrent de s'agripper à leurs vêtements et laissèrent en riant leurs mains errer sur le corps des hommes. Bonpland voulut se laisser entraîner par l'une d'elles, mais il fut sévèrement rappelé à l'ordre par Humboldt. L'une des femmes vint derrière lui, deux bras nus entourèrent son cou, ses cheveux retombèrent sur les épaules de Humboldt. Il voulut se dégager de force, mais l'une des larges boucles d'oreilles de la femme s'était prise dans un bouton de sa redingote. Toutes les femmes riaient, Humboldt ne savait que faire de ses mains. Elle finit par faire un bond en arrière, avec un petit ricanement, et Bonpland souriait lui aussi, mais lorsqu'il vit l'expression de Humboldt, il reprit son sérieux.

Il y avait là un volcan, dit Humboldt d'une voix tremblante, le temps pressait, pas de quoi lambiner !

Ils engagèrent deux guides et commencèrent la montée. Derrière une forêt de châtaigniers s'étendaient des fougères, puis une plaine sablonneuse couverte de genêts. Humboldt détermina sa hauteur grâce à la méthode de Pascal, en mesurant la pression atmosphérique. Ils passèrent la nuit dans une grotte encore remplie de neige. Transis de froid, ils se couchèrent à l'abri, dans l'entrée. La lune était petite et gelée dans le ciel, des chauves-souris les frôlaient de temps à autre, l'ombre du sommet de la montagne s'étalait, nettement découpée, sur la couche nuageuse au-dessous d'eux.

Tout Ténériffe, expliqua Humboldt à leurs guides, n'était qu'une seule montagne qui avait surgi de la mer. Cela ne les intéressait-il pas ?

Pour être honnête, répondit l'un d'eux, pas vraiment.

Le lendemain matin, ils constatèrent que leurs guides, eux non plus, ne connaissaient pas le chemin. N'étaient-ils donc jamais montés jusqu'ici ? leur demanda Humboldt.

Non, dit l'autre guide. Pour quoi faire ?

Le champ d'éboulis autour du sommet était quasi impraticable ; chaque fois que les hommes glissaient, des pierres tombaient avec fracas dans la vallée. L'un des guides perdit l'équilibre et brisa les bouteilles d'eau. Ils gravirent le sommet assoiffés et les mains en sang. Le cratère du volcan était éteint depuis des centaines d'années, le sol recouvert de lave pétrifiée. La vue portait jusqu'à Palma, Gomera et aux montagnes de Lanzarote enveloppées de brume. Tandis que Humboldt calculait la hauteur des sommets à l'aide du baromètre et du sextant, les guides étaient accroupis sur le sol, l'air hostile, et Bonpland, gelé, regardait fixement l'horizon.

En fin d'après-midi, ils arrivèrent presque morts de soif aux jardins de La Orotava. Humboldt vit tout étourdi les premières plantes du Nouveau Monde. Le spectacle d'une araignée velue qui prenait le soleil sur le tronc d'un palmier le remplit d'effroi et de joie. C'est alors seulement qu'il remarqua le dragonnier.

Il se retourna, mais Bonpland avait disparu. L'arbre était gigantesque et sans doute millénaire. Il existait déjà avant les Espagnols et les peuples primitifs. Il était là avant le Christ et le Bouddha, Platon et Tamerlan. Humboldt écouta sa montre. Avec son tic-tac, elle portait en elle le temps, et cet arbre, lui, l'arrêtait : il était l'écueil sur lequel venait se briser le cours du temps. Humboldt toucha le tronc crevassé. Beaucoup plus haut, les branches se ramifiaient, le gazouillement de centaines d'oiseaux traversait l'air. Il caressa tendrement l'écorce. Tout mourait, les hommes, les animaux, continuellement. Tout sauf une chose. Il appuya sa joue contre le bois, puis il recula et regarda, terrifié, autour de lui pour voir si quelqu'un l'avait observé. Il essuya rapidement ses larmes et partit à la recherche de Bonpland.

Le Français ? Un pêcheur qui travaillait au port désigna une cabane en bois.

Humboldt ouvrit la porte et vit le dos nu de Bonpland sur une femme nue à la peau mate. Il claqua la porte, se dirigea en hâte vers le bateau, ne s'arrêta pas lorsqu'il entendit derrière lui le pas de course de Bonpland et ne ralentit pas non plus quand ce dernier, la chemise jetée sur les épaules, le pantalon encore sur le bras, lui demanda, tout essoufflé, pardon.

Si ce genre de choses venait à se reproduire, déclara Humboldt, il considérerait leur collaboration comme terminée.

Je vous en prie, dit Bonpland d'une voix haletante, tandis qu'il revêtait sa chemise tout en courant. Parfois c'était plus fort que lui, était-ce si difficile à comprendre ? Humboldt était pourtant un homme, lui aussi !

Humboldt lui ordonna de penser à sa fiancée.

Il n'en avait pas, répondit Bonpland en enfilant son pantalon. Il n'avait personne !

L'homme n'est pas un animal, dit Humboldt.

Parfois si, répliqua Bonpland.

Humboldt lui demanda s'il n'avait donc jamais lu Kant.

Un Français ne lit pas les auteurs étrangers.

Je ne tiens pas à approfondir le sujet, répondit Humboldt. Encore une fois ce genre de choses, et leurs chemins se sépareraient. Etait-il prêt à accepter cela ?

Grand Dieu, dit Bonpland.

Etait-il prêt à accepter cela ?

Bonpland murmura quelque chose d'incompréhensible et referma son pantalon.

Quelques jours plus tard, le bateau passa le tropique du Cancer. Humboldt posa le poisson dont il disséquait la vessie natatoire, réduisit l'intensité lumineuse de sa lampe à huile et leva les yeux vers les points brillants de la Croix du Sud, gravés dans le ciel. Les constellations du nouvel hémisphère, recensées en partie seulement dans les atlas. L'autre moitié de la terre et du ciel.

Ils entrèrent soudain dans un banc de mollusques. Le contre-courant des méduses rouges était si violent que le bateau recula lentement. Bonpland en pêcha deux. Il se sentait tout bizarre, dit-il. Il ne savait pas pourquoi, mais il y avait quelque chose qui n'allait pas.

La fièvre se déclara le lendemain matin. Les cabines étaient envahies par une puanteur atroce, la nuit les malades gémissaient, même à l'air libre on sentait encore le vomi. Le médecin de bord n'avait pas emporté de quinquina : le nouveau produit à la mode ; les saignées, elles, étaient éprouvées et beaucoup plus efficaces ! Un jeune matelot originaire de Barcelone mourut d'hémorragie à la troisième saignée. Le délire d'un autre fut si violent qu'il essaya de s'envoler, tomba dans l'eau après quelques battements d'ailes et se serait noyé si l'on n'avait pas mis aussitôt un canot à la mer et réussi à le repêcher. Tandis que Bonpland, malade, buvait du rhum brûlant dans sa couchette, indisponible pour quelque travail que ce soit, Humboldt disséquait les deux mollusques au microscope, déterminait tous les quarts d'heure la pression atmosphérique, la couleur du ciel et la température de l'eau, faisait descendre une sonde toutes les trente minutes et consignait les résultats dans un épais journal de bord. C'était surtout maintenant, expliqua-t-il à un Bonpland presque agonisant, qu'il ne fallait pas céder à la faiblesse. Et le travail y contribuait. Les nombres bannissaient le désordre. Y compris celui de la fièvre.

Bonpland lui demanda s'il n'avait pas, ne serait-ce qu'un tout petit peu, le mal de mer.

Il ne le savait pas. Il avait décidé de l'ignorer, et donc il ne s'en apercevait pas. Bien sûr, il vomissait de temps à autre. Mais, à vrai dire, c'était à peine s'il s'en rendait encore compte.

Le soir, on dut envoyer par le fond le mort suivant.

Cela l'inquiétait, dit Humboldt au capitaine. La fièvre ne devait pas mettre en péril son expédition. Il avait décidé de ne pas aller avec eux jusqu'à Veracruz, mais de quitter le bateau dans quatre jours.

Le capitaine lui demanda s'il était bon nageur.

Ce n'était pas nécessaire, répondit Humboldt ; vers six heures du matin, dans trois jours, on apercevrait des îles, et, un jour plus tard, on atteindrait le continent. Il avait fait le calcul.

Le capitaine s'informa s'il n'avait plus rien à disséquer en ce moment.

Les sourcils froncés, Humboldt demanda si l'on voulait se moquer de lui.

Nullement, on voulait simplement rappeler l'écart entre la théorie et la pratique. Les calculs étaient tout à son honneur, mais il ne s'agissait pas d'un exercice scolaire, ici on avait affaire à l'océan. Personne ne pouvait prédire les courants et les vents. On ne pouvait tout simplement pas prévoir l'apparition d'une terre avec autant de précision.

Au petit matin du troisième jour, les contours d'une côte se dessinèrent lentement dans la brume.

Trinidad, dit tranquillement Humboldt.

Peu probable. Le capitaine montra la carte marine.

Elle n'est pas exacte, répondit Humboldt. Visiblement, la distance entre le vieux continent et le nouveau avait été mal évaluée. Personne n'avait encore mesuré consciencieusement les courants. Si cela convenait au capitaine, il rejoindrait la terre ferme le lendemain matin.

Ils descendirent du bateau devant l'embouchure d'un grand fleuve. Sa puissance était telle que la mer semblait faite d'eau douce écumante.

Tandis que trois chaloupes débarquaient les caisses contenant leur équipement, Humboldt, vêtu d'un uniforme prussien impeccable, prit congé du capitaine en faisant le salut militaire. A peine installé dans le canot les emmenant vers le continent qui tanguait paresseusement devant eux, Humboldt commença à décrire à son frère l'air lumineux, le vent chaud, les cocotiers et les flamants roses. Je ne sais pas quand cette lettre arrivera, mais veille à ce qu'elle paraisse dans le journal. Le monde doit entendre parler de moi. Je me tromperais grandement si je lui étais indifférent.

LE MAÎTRE D'ÉCOLE

Quiconque interrogeait le professeur sur ses souvenirs précoces recevait la réponse suivante : cela n'existait pas en tant que tel ; les souvenirs, contrairement aux gravures sur cuivre ou aux dépêches, n'étaient pas datés ; on trouvait des choses dans sa mémoire et parfois, en réfléchissant, on parvenait à les replacer dans le bon ordre.

Le souvenir de cet après-midi, par exemple, où il avait corrigé son père qui s'était trompé en recomptant son salaire, lui semblait terne et secondaire. Peut-être lui avait-on trop souvent raconté cette histoire, elle lui semblait arrangée et irréelle. Tous ses autres souvenirs étaient liés à sa mère. Il tombait, elle le consolait ; il pleurait, elle essuyait ses larmes ; il n'arrivait pas à dormir, elle lui chantait une chanson ; un jeune garçon du voisinage voulait le rouer de coups, elle s'en apercevait et lui courait après, réussissait à l'attraper, le coinçait entre ses genoux et le frappait au visage jusqu'à ce qu'il s'en allât à tâtons, abasourdi et en sang. Il aimait éperdument sa mère. S'il lui arrivait quelque chose, il en mourrait. Ce n'était pas seulement une façon de parler. Il savait qu'il n'y survivrait pas. C'était comme cela lorsqu'il avait trois ans et, trente ans plus tard, cela n'avait pas changé.

Son père était jardinier, il avait le plus souvent les mains sales, il ne gagnait pas beaucoup d'argent, et chaque fois qu'il ouvrait la bouche c'était pour se plaindre ou donner des ordres. Un Allemand, répétait-il l'air fatigué, tout en mangeant la soupe de pommes de terre du dîner, c'était quelqu'un qui n'était jamais affalé sur sa chaise. Un jour, Gauss demanda : Et c'est tout ? Cela suffit pour être allemand ? Son père réfléchit si longtemps que c'en était à peine croyable. Puis il fit oui de la tête.

Sa mère était rondelette et mélancolique, et à part cuisiner, s'occuper de la lessive, rêver et pleurer, il ne la voyait jamais rien faire. Elle ne savait ni lire ni écrire. Depuis longtemps déjà, il avait remarqué qu'elle vieillissait. Sa peau se relâchait, son corps se déformait, ses yeux perdaient leur éclat et, chaque année, de nouvelles rides apparaissaient sur son visage. Il savait qu'il en allait ainsi pour tout le monde, mais dans son cas à elle c'était insoutenable. Elle dépérissait sous ses yeux, et il ne pouvait rien faire.

Ses souvenirs ultérieurs tournaient généralement autour de l'inertie. Il avait longtemps pensé que les gens jouaient la comédie ou suivaient un rituel les obligeant à respecter une courte pause avant de parler ou d'agir. Parfois, il arrivait à s'adapter, puis de nouveau cela lui était insupportable. Il découvrit seulement peu à peu qu'ils avaient besoin de ces pauses. Pourquoi leur esprit était-il aussi lent, lourd et laborieux ? Comme si leurs pensées étaient produites par une machine qu'il fallait d'abord lancer en tournant la manivelle, comme si elles n'étaient pas vivantes et ne bougeaient pas d'elles-mêmes. Il remarqua que l'on s'énervait lorsqu'il ne respectait pas ces pauses. Il faisait de son mieux, mais souvent il n'y parvenait pas.

Il était tout aussi gêné, dans les livres, par les signes noirs qui parlaient à la plupart des adultes, mais ni à sa mère ni à lui. Un dimanche après-midi, son père – mais comment est-ce que tu te tiens, mon garçon – lui en expliqua quelques-uns : celui avec la grande barre, celui qui formait une large boucle en bas, le demi-cercle et le cercle complet. Puis il regarda la feuille jusqu'au moment où les signes encore inconnus se complétèrent d'eux-mêmes et où, brusquement, des mots apparurent. Il tourna la page, cette fois cela allait bien plus vite, quelques heures plus tard il savait lire et, le soir même, il terminait un livre, ennuyeux d'ailleurs, qui parlait sans arrêt des larmes du Christ et de contrition du cœur. Il apporta l'ouvrage à sa mère pour lui expliquer les signes à elle aussi, mais elle fit non de la tête en riant tristement. A cet instant, il comprit que personne ne voulait se servir de son entendement. Les êtres humains aspiraient au repos. Ils souhaitaient manger et dormir et aussi qu'on soit gentil avec eux. Ils ne voulaient pas penser.

Le maître d'école s'appelait Büttner et il aimait rosser ses élèves. Il feignait d'être sévère et ascétique, et, en quelques rares occasions, l'expression de son visage révélait le plaisir qu'il prenait à les rouer de coups. Ce qu'il aimait pardessus tout, c'était leur donner des problèmes qui demandaient beaucoup de temps et qui étaient malgré tout presque impossibles à résoudre sans faire d'erreur, si bien qu'à la fin il avait une raison valable pour sortir le bâton. Cela se passait dans le quartier le plus pauvre de Brunswick, aucun de ces enfants n'irait jamais à l'école secondaire, personne ici ne travaillerait autrement qu'avec ses mains. Gauss savait que Büttner ne pouvait pas le souffrir. Il avait beau se taire et s'évertuer à répondre aussi lentement que les autres, il percevait la méfiance du maître, il sentait que ce dernier n'attendait qu'une occasion de le frapper un peu plus fort que le reste du groupe.

Et un beau jour, il lui fournit une occasion.

Büttner leur avait demandé d'additionner tous les nombres de un à cent. Cela prendrait des heures et, même avec la meilleure volonté du monde, ce n'était pas possible sans faire à un moment ou à un autre une erreur de calcul, pour laquelle on pouvait alors être puni. Au travail, avait crié Büttner, qu'ils ne restent pas là à bayer aux corneilles, au travail, et plus vite que ça ! Par la suite, Gauss fut incapable de dire si, ce jour-là, il était plus fatigué que d'habitude, ou seulement étourdi. Toujours est-il qu'il n'avait pas réussi à se contrôler et qu'au bout de trois minutes il s'était retrouvé devant le pupitre du maître, avec son ardoise sur laquelle ne figurait qu'une seule et unique ligne.

Bon, dit Büttner, et il saisit le bâton. Son regard tomba sur le résultat et sa main se figea : Qu'est-ce que c'est que ça ?

Cinq mille cinquante.

Quoi ?

Gauss resta sans voix, il se racla la gorge, il transpirait. Il ne souhaitait qu'une chose, être encore assis à sa place et calculer comme les autres qui, la tête penchée, faisaient mine de ne pas écouter. C'était pourtant bien cela qu'il fallait faire, dit-il, additionner tous les nombres de un à cent. Cent plus un faisaient cent un. Quatre-vingt-dix-neuf plus deux faisaient cent un. Quatre-vingt-dix-huit plus trois faisaient cent un.

Toujours cent un. On pouvait répéter l'opération cinquante fois. Donc : cinquante fois cent un.

Büttner ne dit rien.

Cinq mille cinquante, répéta Gauss en espérant que, pour une fois, le maître comprendrait.

Cinquante fois cent un faisait cinq mille cinquante. Gauss se frotta le nez. Il était au bord des larmes.

Que Dieu me damne, dit Büttner. Sur quoi il se tut un long moment. Son visage travaillait : le maître rentra les joues, son menton s'allongea, il se frotta le front et se tapota le nez. Puis il renvoya Gauss à sa place : qu'il s'assoie, qu'il se taise et reste après les cours.

Gauss inspira profondément.

Une réplique, dit Büttner, et il tâterait du gourdin sur-le-champ.

Après la dernière leçon, donc, Gauss se présenta, tête baissée, devant le pupitre du maître. Büttner lui demanda sa parole d'honneur – devant Dieu qui voyait toutes choses – qu'il avait calculé cela tout seul. Gauss la lui donna, mais au moment où il voulut lui expliquer que ce n'était vraiment rien, qu'il suffisait de considérer un problème en laissant de côté les préjugés et l'habitude pour qu'il délivre lui-même sa solution, Büttner l'interrompit et lui tendit un gros livre : *Arithmétique supérieure* ; un de ses dadas. Que Gauss emporte l'ouvrage chez lui et le parcoure. Mais avec précaution. Une page écornée, une tache, l'empreinte d'un doigt, et il tâterait du gourdin jusqu'à ce que le Seigneur ait pitié de lui.

Le lendemain, Gauss rendit le livre.

Büttner demanda ce que cela signifiait. Bien sûr que c'était difficile, mais on n'abandonnait pas aussi vite !

Gauss secoua la tête, voulut s'expliquer, n'y arriva pas. Son nez coulait. Il renifla.

Et alors quoi !

J'ai terminé, bégaya-t-il. C'était intéressant, je vous remercie. Il regarda fixement Büttner et pria pour que les choses en restent là.

On ne mentait pas à son maître, dit Büttner. C'était le manuel le plus difficile de toute la langue allemande. Personne ne pouvait l'étudier en un jour, et certainement pas un petit renifleur âgé de huit ans.

Gauss ne savait que dire.

Büttner prit le livre d'un geste mal assuré : que Gauss se prépare, à présent il allait l'interroger !

Une demi-heure plus tard, Büttner se tenait en face de Gauss, le visage vide de toute expression. Il savait, dit-il, qu'il n'était pas un bon maître. Il n'avait pas la vocation, ni aucune aptitude particulière. Mais maintenant l'heure était venue : si Gauss n'entrait pas au lycée, sa vie à lui n'aurait servi à rien. Büttner le dévisagea, le regard brouillé, puis, sans doute pour combattre son émotion, il saisit le bâton et Gauss reçut la dernière volée de coups de son existence.

Au cours de ce même après-midi, un jeune homme frappa à la porte du domicile familial et dit qu'il avait dix-sept ans, s'appelait Martin Bartels, étudiait les mathématiques et était l'assistant de Büttner. Il souhaitait échanger quelques mots avec le fils de la maison.

Il n'en avait qu'un, répondit le père, et il avait huit ans.

Celui-là même, dit Bartels. Il demandait l'autorisation de s'adonner aux mathématiques avec le jeune homme trois fois par semaine. Il ne voulait pas parler de cours, car ce terme lui semblait inapproprié – il sourit nerveusement – pour une activité dans laquelle il en avait sans doute davantage à apprendre que l'élève.

Le père lui ordonna de se tenir droit. Balivernes que tout cela ! Il réfléchit un moment. D'un autre côté, rien ne s'y oppose.

Ils travaillèrent ensemble durant un an. Au début, ces après-midi qui avaient au moins le mérite de rompre la monotonie des semaines plaisaient à Gauss, même s'il n'aimait pas particulièrement les mathématiques, il aurait préféré faire du latin. Puis cela devint ennuyeux. Bartels n'avait certes pas l'esprit tout à fait aussi engourdi que les autres mais, même avec lui, c'était laborieux.

Bartels lui raconta qu'il avait parlé au proviseur du lycée : avec la permission de son père, Gauss y serait admis gratuitement.

Gauss soupira.

Il n'était pas convenable, dit Bartels d'un ton réprobateur, qu'un enfant fût toujours triste !

Gauss réfléchit : la remarque lui semblait intéressante. Pourquoi était-il triste ? Peut-être parce qu'il voyait sa mère mourir. Parce que le monde se révélait si décevant dès lors qu'on découvrait la ténuité de son étoffe, les mailles grossières de l'illusion, la couture fantaisiste de son revers. Parce que seuls le secret et l'oubli le rendaient supportable. Parce que l'homme ne tiendrait pas sans le sommeil qui l'arrachait quotidiennement à la réalité. Ne pas pouvoir détourner le regard, c'était ça, être triste. Etre éveillé, c'était ça, être triste. Connaître, pauvre Bartels, c'était désespérer. Pourquoi, Bartels ? Parce que le temps ne s'arrêtait jamais.

A eux deux, Bartels et Büttner persuadèrent le père de Gauss que celui-ci ne devait pas travailler à la filature, mais entrer au lycée. Le père donna son accord à contrecœur et fit à son fils la recommandation suivante : il devait toujours, quoi qu'il arrive, se tenir droit. Depuis longtemps déjà, Gauss avait observé des jardiniers au travail et compris que son père était préoccupé non par l'immoralité des hommes, mais par le mal de dos chronique dans sa profession. Gauss eut droit à deux chemises neuves et à son couvert chez le pasteur.

L'école secondaire le déçut. On n'y apprenait vraiment pas grand-chose : un peu de latin, de rhétorique, de grec, des mathématiques à un niveau ridicule, un brin de théologie. Ses nouveaux camarades de classe n'étaient guère plus intelligents que les précédents, les professeurs frappaient tout aussi souvent, certes, mais quand même moins fort. Au cours de leur premier repas de midi, le pasteur voulut savoir comment cela allait à l'école.

Passablement, répondit Gauss.

Le pasteur demanda s'il avait du mal à apprendre ses leçons.

Gauss renifla et fit non de la tête.

Prends garde, dit le pasteur.

Gauss leva les yeux, étonné.

Le pasteur le regarda sévèrement. L'orgueil est un péché mortel !

Gauss approuva de la tête.

Qu'il ne l'oublie jamais. De toute sa vie. Si brillant que l'on fût, il fallait rester humble.

Pourquoi ?

Pardon ? demanda le pasteur. Il avait dû mal comprendre.

Rien, répondit Gauss, rien du tout.

Mais si, répliqua le pasteur, qu'il dise ce qu'il avait à dire.

Il se plaçait sur un plan purement théologique, dit Gauss. Dieu avait fait l'homme tel qu'il était ; après quoi l'homme devait sans arrêt s'en excuser auprès de Dieu. Ce n'était pas logique.

Sans doute n'entendait-il pas très bien, rétorqua le pasteur.

Gauss sortit un mouchoir extrêmement sale et se moucha. Il était persuadé, dit-il, qu'il y avait là quelque chose qui lui échappait, mais cela lui apparaissait comme une inversion délibérée de la cause et de l'effet.

Désormais, Gauss eut son couvert chez Zimmermann, conseiller à la cour et professeur à l'université de Göttingen. Zimmermann était maigre et affable, il ne regardait jamais Gauss sans une certaine crainte respectueuse, et un jour il l'emmena avec lui à une audience auprès du duc de Brunswick.

Le duc, un homme aimable aux paupières palpitantes, les attendait dans une pièce ornée de dorures où brûlaient tant de bougies qu'il n'y avait pas d'ombre, seulement des reflets dans les miroirs du plafond qui faisaient flotter audessus de leurs têtes une deuxième pièce, comme pliée à l'envers. C'était donc lui, le petit génie ?

Gauss fit la révérence qu'on lui avait apprise. Il savait que, bientôt, il n'y aurait plus de ducs. Alors on n'entendrait plus parler de souverains absolus que dans les livres, et l'idée de se retrouver devant l'un d'eux, de s'incliner et d'attendre qu'il manifeste son bon plaisir semblerait tout droit sortie d'un conte de fées.

Calcule quelque chose, dit le duc.

Gauss toussa, il avait chaud, la tête lui tournait. Les bougies consommaient presque tout l'oxygène de la pièce. Il regardait les flammes, et soudain il comprit que le professeur Lichtenberg avait tort et que l'hypothèse du phlogistique était superflue. Ce n'était pas un fluide particulier qui permettait la combustion, c'était l'air lui-même.

Sauf son respect, dit Zimmermann, il y avait là un malentendu. Ce jeune homme n'était pas un champion de calcul mental. Au contraire, il n'était même pas très bon en calcul. Or les mathématiques, comme le savait évidemment Son Altesse, n'avaient rien à voir avec l'art de l'addition. Deux semaines plus tôt, le garçon avait démontré à lui tout seul la loi de Bode sur les distances des planètes par rapport au soleil, puis redécouvert deux théorèmes d'Euler qu'il ne connaissait pas. Il avait aussi apporté des contributions étonnantes dans le domaine de l'arithmétique calendaire : depuis, sa formule pour calculer la date de Pâques était utilisée dans toute l'Allemagne. Ses performances en géométrie étaient extraordinaires. On en avait déjà publié une partie, évidemment sous le nom de l'un ou l'autre professeur, car on ne voulait pas exposer l'enfant aux conséquences funestes d'une célébrité précoce.

Je m'intéresse davantage au latin, dit Gauss d'une voix enrouée. Je connais aussi des dizaines de ballades.

Quelqu'un avait-il pris la parole ? demanda le duc.

Zimmermann donna à Gauss un coup dans les côtes. Il priait le duc de l'excuser, le jeune homme était d'origine très modeste, ses manières laissaient encore à désirer. Mais il pouvait l'assurer que seule une bourse de la cour séparait Gauss de performances qui grandiraient la réputation de la patrie.

Alors on ne va rien calculer pour l'instant ? demanda le duc.

Hélas non, répondit Zimmermann.

Bon, tant pis, dit le duc, déçu. Eh bien dans ce cas, que Gauss obtienne quand même cette bourse. Et qu'il revienne lorsqu'il serait en mesure de lui présenter quelque chose. Lui-même était très favorable à la science. Son filleul préféré, le jeune Alexander, venait tout juste de partir en Amérique du Sud pour y chercher des fleurs. Peut-être ferait-on pousser ici un gaillard de la même espèce ! Le duc les congédia d'un geste de la main, sur quoi Zimmermann et Gauss, comme ils s'y étaient exercés, quittèrent la pièce à reculons, avec force révérences.

Quelque temps après, Pilâtre de Rozier arriva en ville. Avec le marquis d'Arlandes, il avait survolé Paris sur cinq milles et demi, dans un panier que les Montgolfier avaient fixé à un globe rempli d'air chaud. Après l'atterrissage, disait-on, deux hommes avaient dû soutenir le marquis et l'emmener, il avait divagué et prétendu que des créatures ailées et translucides à buste de femme et à bec d'oiseau avaient volé autour d'eux. Il ne s'était calmé qu'au bout de plusieurs heures et avait tout mis sur le compte d'une surexcitation des nerfs. Pilâtre, au contraire, était resté maître de lui et avait répondu à toutes les questions : cela n'avait rien d'extraordinaire ; on avait l'impression de rester au même endroit tandis que le sol, lui, s'enfonçait. Mais il fallait avoir vécu cette expérience pour la comprendre, sinon on la considérait forcément comme plus grandiose ou plus ordinaire qu'elle ne l'était.

Pilâtre était en route pour Stockholm avec son aérostat personnel et deux assistants. Il avait passé la nuit dans l'une des auberges bon marché de la ville et il était sur le point de repartir lorsque le duc lui fit savoir qu'il souhaitait une démonstration.

Pilâtre répliqua que c'était compliqué et que cela ne l'arrangeait pas.

Le messager lui fit remarquer que le duc n'avait pas l'habitude que l'on répondît grossièrement à son hospitalité.

Quelle hospitalité ? demanda Pilâtre. Il avait payé lui-même son logement, et la seule préparation du ballon allait lui coûter deux jours de voyage.

Sans doute pouvait-on, en France, parler ainsi aux autorités, dit le messager ; là-bas, toutes sortes de choses étaient possibles. Mais à Brunswick, qu'il réfléchisse à deux fois avant de le renvoyer avec une telle réponse.

Pilâtre se résigna. Il aurait dû s'en douter, dit-il d'un ton las, la même chose s'était produite à Hanovre, et aussi en Bavière. Eh bien soit, le lendemain après-midi, il s'élèverait donc dans les airs aux portes de cette ville crasseuse.

Le lendemain matin, quelqu'un frappa à sa porte. Un jeune garçon se tenait là, il leva vers lui des yeux attentifs et demanda s'il pouvait voler avec lui.

Voyager, répondit Pilâtre. On voyageait en ballon. On ne disait pas voler, mais voyager. C'était la coutume entre gens du ballon.

Quels gens du ballon ?

C'était lui le premier, dit Pilâtre, et il en avait décidé ainsi. Et non, évidemment, personne ne pouvait voyager avec lui. Il lui tapota la joue et s'apprêta à refermer la porte.

D'habitude, ce n'était pas son genre, dit le jeune garçon en s'essuyant le nez du revers de la main. Mais son nom était Gauss, il n'était pas inconnu, et il ferait sous peu des découvertes aussi importantes que celles d'Isaac Newton. Il ne disait pas cela par vanité, mais parce que le temps pressait et qu'il devait absolument participer à ce vol. On voyait bien mieux les étoiles de là-haut, n'est-ce pas ? Plus clairement et sans voile de brume ?

Il pouvait en faire le pari, répondit Pilâtre.

C'était pour cela qu'il devait venir, dit Gauss. Il en savait long sur les étoiles. On pouvait le soumettre à l'interrogatoire le plus rigoureux qui soit.

Pilâtre rit et demanda qui donc avait appris à ce petit bonhomme à s'exprimer aussi bien. Puis il réfléchit un moment. Ma foi, finit-il par dire, si c'est pour les étoiles !

L'après-midi, devant une foule nombreuse, devant le duc et son bataillon au garde-à-vous, un feu remplissait peu à peu de chaleur le globe en toile au moyen de deux tuyaux. Personne ne s'était attendu à ce que cela dure aussi longtemps. La moitié des spectateurs était déjà partie lorsque le ballon s'arrondit, et il n'en restait guère qu'un quart quand il commença à se soulever et que le panier quitta le sol avec hésitation. Les cordes se tendirent, les assistants de Pilâtre enlevèrent les tuyaux, le petit panier tressaillit et Gauss, accroupi sur la surface en osier, occupé à chuchoter quelque chose, se serait déjà relevé d'un bond si Pilâtre ne l'avait pas maintenu en bas.

Pas encore, dit-il d'une voix haletante. Tu pries ?

Non, murmura Gauss, je compte les nombres premiers, je fais toujours ça quand je suis nerveux.

Pilâtre leva le pouce pour vérifier la direction du vent. Le ballon monterait, il se déplacerait au gré du vent, puis il redescendrait lorsque l'air à l'intérieur se refroidirait. Une mouette cria tout près du panier. Pas encore, s'écria Pilâtre, pas encore. Pas encore. Maintenant ! Et il releva Gauss en le tirant à la fois par le col et par les cheveux.

Les terres incurvées au loin. L'horizon bas, le sommet des collines se fondant presque dans la brume. Les gens qui les fixaient, les yeux en l'air, de minuscules visages autour du feu encore brûlant, et à côté les toits de la ville. De petits nuages de fumée accrochés aux cheminées. Un chemin serpentant dans la verdure et, sur celui-ci, un âne de la taille d'un insecte. Gauss se cramponna au bord du panier, il referma la bouche et se rendit compte alors que durant tout ce temps il avait crié.

C'est ainsi que Dieu voit le monde, dit Pilâtre.

Gauss voulut répondre, mais il n'avait plus de voix. Avec quelle force l'air les secouait ! Et le soleil – pourquoi était-il tellement plus clair ici ? Il avait mal aux yeux, mais il ne pouvait les fermer. Et l'espace lui-même : une droite qui reliait chaque point à chaque autre, ce toit à ce nuage, au soleil, et de nouveau au toit. Ces points formaient des lignes, ces lignes des surfaces, ces surfaces des corps, et ce n'était pas tout. La légère courbure de l'espace : d'ici on pouvait presque la voir. Il sentit la main de Pilâtre sur son épaule. Ne plus jamais redescendre. Continuer à monter, toujours plus haut, jusqu'à ce qu'il n'y ait plus de terre en dessous d'eux. Un jour, les hommes vivraient cela. Alors tout le monde volerait comme si c'était normal, mais alors il serait mort. Tout excité, il scrutait le soleil, la lumière était en train de changer. Le crépuscule semblait monter comme un brouillard dans le ciel encore clair. Quelques flammes encore, le rouge à l'horizon, plus de soleil du tout, et puis les étoiles. En bas, cela n'allait jamais aussi vite.

Nous redescendons déjà, dit Pilâtre.

Non, supplia Gauss, pas encore ! Il y en avait tellement, et chaque minute davantage. Chaque étoile était un soleil en train de mourir. Chacune s'éteignait, toutes suivaient leur propre trajectoire, et de même qu'il existait une formule pour chaque planète qui tournait autour d'un soleil et pour chaque lune qui tournait autour d'une planète, il existait aussi une formule, infiniment compliquée sans doute, ou peut-être pas, probablement cachée dans sa propre simplicité, qui décrivait tous ces mouvements, chaque rotation des uns autour des autres ; peut-être suffisait-il de les regarder assez longtemps. Ses yeux lui faisaient mal. Il avait l'impression qu'ils étaient restés grands ouverts un long moment.

Nous serons en bas dans un instant, dit Pilâtre.

Pas encore ! Gauss se mit sur la pointe des pieds, comme si cela pouvait changer quelque chose, il regarda fixement en l'air, comprit pour la première fois ce qu'était le mouvement, un corps, et surtout l'espace que les corps délimitaient entre eux et qui les contenait tous, y compris lui, Pilâtre et ce panier. L'espace, qui…

Ils s'écrasèrent sur une clôture en bois qui entourait un tas de foin, une corde se rompit, le panier bascula, Gauss roula dans une flaque de boue, Pilâtre fit une mauvaise chute, se foula le bras et, voyant la déchirure dans la toile, il se mit à proférer des jurons si grossiers que le paysan qui était sorti en courant de sa maison s'immobilisa et brandit sa bêche d'un air menaçant. Les assistants arrivèrent tout essoufflés et replièrent le ballon en train de se froisser. Pilâtre se tint le bras, puis il donna à Gauss une tape douloureuse.

Je le sais maintenant, dit Gauss.

Quoi donc ?

Que toutes les lignes parallèles se touchent.

Parfait, dit Pilâtre.

Le cœur de Gauss battait la chamade. Il se demanda s'il devait expliquer à cet homme qu'il lui suffisait de fixer sur le panier un gouvernail incurvé pour dévier le courant d'air et obliger le ballon à aller dans une direction déterminée. Mais il décida de se taire. On ne lui avait rien demandé, et il n'était pas poli d'imposer ses idées aux gens. C'était si évident qu'un autre y penserait bientôt.

A présent, cet homme voulait voir un enfant reconnaissant. Avec peine, Gauss afficha un sourire sur son visage, ouvrit grands les bras et s'inclina comme une marionnette. Tout content, Pilâtre lui passa la main sur la tête en riant.

LA GROTTE

Après six mois passés en Nouvelle-Andalousie, Humboldt avait examiné tout ce qui n'avait pas assez de pattes ou pas assez peur pour se sauver. Il avait mesuré la couleur du ciel, la température des éclairs et le poids du givre nocturne, il avait goûté la fiente des oiseaux, étudié les vibrations de la terre et il était monté dans la grotte des Morts.

Il habitait avec Bonpland une maison blanche en bois aux abords de la ville récemment sinistrée par un tremblement de terre. La nuit, des secousses continuaient à tirer les gens de leur sommeil, et on entendait encore, lorsqu'on s'allongeait et retenait son souffle, des mouvements dans les profondeurs. Humboldt creusait des trous, faisait descendre dans des puits des thermomètres accrochés à de longs fils et posait des petits pois sur des membranes de tambours. Le tremblement de terre allait certainement revenir, disait-il joyeusement. Toute la ville serait bientôt en ruine.

Le soir, ils mangeaient chez le gouverneur, puis on se baignait. Des chaises étaient disposées dans l'eau du fleuve, on s'asseyait dans le courant en tenue légère. De petits crocodiles nageaient devant eux de temps à autre. Un jour, un poisson arracha trois orteils au neveu du vice-roi. L'homme – il s'appelait don Oriendo Casaules et avait une moustache imposante – tressaillit et regarda fixement devant lui pendant quelques secondes, immobile, avant de sortir, plus incrédule qu'effrayé, son pied désormais incomplet de l'eau teinte en rouge sombre. Il regarda autour de lui comme s'il cherchait quelque chose, puis il s'affaissa sur le côté et fut rattrapé par Humboldt. Il rentra en Espagne par le bateau suivant.

Des femmes leur rendaient fréquemment visite : Humboldt comptait les poux dans leurs cheveux tressés. Elles arrivaient en groupes, chuchotaient entre elles et se moquaient du petit homme en uniforme avec la loupe rivée à l'œil gauche. Leur beauté faisait souffrir Bonpland. Il demanda quel était l'intérêt d'une statistique sur les poux.

On voulait savoir, dit Humboldt, parce qu'on voulait savoir. Personne n'avait encore étudié la présence de ces animaux remarquablement résistants sur la tête des habitants des régions équinoxiales.

A proximité de leur maison, des êtres humains étaient vendus aux enchères. Des hommes et des femmes musculeux avec des chaînes autour des chevilles contemplaient, le regard vide, les propriétaires terriens qui enfonçaient les doigts dans leur bouche, observaient l'intérieur de leurs oreilles et se mettaient à genoux pour palper leur anus. Ils tâtaient leurs plantes des pieds, tiraient sur leur nez, examinaient leurs cheveux et tripotaient leur sexe. Puis ils s'en allaient généralement sans rien acheter, c'était un secteur économique en perte de vitesse. Humboldt acquit trois hommes et fit retirer leurs chaînes. Ils ne comprirent pas. Ils étaient libres désormais, fit traduire Humboldt, ils pouvaient partir. Ils le regardèrent fixement. Libres ! L'un d'eux demanda où ils devaient aller. Où vous voulez, répondit Humboldt. Il leur donna de l'argent. D'un air hésitant, ils vérifièrent les pièces avec leurs dents. L'un d'entre eux s'assit par terre, ferma les yeux et ne bougea plus, comme s'il n'y avait rien au monde qui pût l'intéresser. Humboldt et Bonpland s'éloignèrent sous les regards moqueurs de l'assistance. Ils se retournèrent deux ou trois fois, mais aucun des hommes affranchis ne les suivait des yeux. Le soir, il se mit à pleuvoir et, dans la nuit, un nouveau tremblement de terre ébranla la ville. Le lendemain matin, les trois hommes avaient disparu. Personne ne savait où ils étaient allés, et ils ne réapparurent plus jamais. Lors de la vente aux enchères suivante, Humboldt et Bonpland restèrent chez eux, ils travaillèrent volets fermés et ne sortirent que lorsque c'était fini.

La route pour se rendre à la mission des Chaymas traversait une épaisse forêt. A chaque pas, ils voyaient des plantes inconnues. Le sol semblait ne pas avoir assez de place pour tant de végétation : des troncs d'arbres se serraient les uns contre les autres, des plantes en recouvraient d'autres, des lianes leur effleuraient les épaules et la tête. Les moines de la mission les saluèrent amicalement tout en ne comprenant pas ce que les deux hommes attendaient d'eux. L'abbé hocha la tête. Il y avait autre chose là-dessous ! Personne ne parcourait la moitié de la planète pour mesurer des terres qui ne lui appartenaient pas.

A la mission vivaient des Indiens baptisés qui avaient leur propre administration. Il y avait un commandant indien, un chef de la police et même une milice, et tant qu'ils obéissaient en tout point on les laissait vivre comme s'ils étaient libres. Ils n'avaient rien sur eux si ce n'est quelques vêtements dépareillés qu'ils s'étaient procurés ici et là : un chapeau, un bas, une ceinture, une épaulette accrochée sur l'épaule. Il fallut un moment à Humboldt pour faire comme s'il s'y était habitué. Il lui déplaisait de découvrir que les femmes avaient des poils à autant d'endroits ; cela lui semblait incompatible avec leur dignité naturelle. Mais lorsqu'il fit à Bonpland une remarque sur le sujet, celui-ci le regarda d'un air si amusé qu'Humboldt rougit et se mit à bégayer.

Non loin de la mission, dans la grotte des oiseaux de nuit, vivaient les morts. A cause de vieilles légendes, les indigènes refusèrent de les accompagner. Ce n'est qu'après de longues exhortations que deux moines et un Indien vinrent avec eux. C'était l'une des plus grandes grottes du continent, un trou large de soixante pieds sur quatre-vingt-dix, baigné d'une telle lumière qu'à cent cinquante pieds à l'intérieur de la montagne, on marchait encore dans l'herbe et sous les cimes des arbres. Alors seulement, ils durent allumer des torches. Et c'est là que les cris commencèrent.

Dans l'obscurité vivaient des oiseaux. Des milliers de nids pendaient au plafond de la grotte comme des sacs, le bruit était assourdissant. Personne ne savait comment ces animaux s'orientaient. Bonpland tira trois coups de feu dont la résonance fut couverte par les cris, et il ramassa aussitôt deux corps encore frémissants. Humboldt préleva des échantillons de pierre sur la roche, mesura température, pression atmosphérique et humidité, gratta de la mousse sur la paroi. Un moine poussa un cri lorsqu'il écrasa sous sa sandale une gigantesque limace. Ils durent passer un ruisseau à gué, les oiseaux voletaient autour de leurs têtes, Humboldt pressa ses mains contre ses oreilles, les moines firent le signe de croix.

Là, dit le guide, commençait le royaume des morts. Lui-même n'allait pas plus loin.

Humboldt proposa de doubler son salaire.

Le guide refusa. Cet endroit n'était pas bon ! Et de toute façon, qu'est-ce qu'on fabriquait là, l'homme était fait pour vivre à la lumière.

Bien dit, hurla Bonpland.

La lumière, cria Humboldt, ce n'est pas la clarté, mais le savoir !

Il continua, Bonpland et les moines le suivirent.

Le couloir se ramifiait, sans guide ils ne savaient pas où aller. Humboldt proposa de se séparer. Bonpland et les moines firent non de la tête.

Eh bien dans ce cas, à gauche, dit Humboldt.

Pourquoi à gauche, demanda Bonpland.

Alors à droite, dit Humboldt.

Mais pourquoi à droite ?

Bon sang, s'écria Humboldt, cela commence à bien faire. Et, devançant les autres, il prit à gauche. Les cris d'oiseaux résonnaient encore davantage là en bas. Au bout d'un moment, on distingua dans ce bruit des sons aigus qui cliquetaient à intervalles rapprochés. Humboldt s'agenouilla et examina les plantes étiolées sur le sol. De la végétation boursouflée et incolore, presque informe. Intéressant, hurla-t-il à l'oreille de Bonpland, c'était précisément sur ce sujet que portait l'étude qu'il avait rédigée à Freiberg !

Lorsqu'ils levèrent les yeux, ils remarquèrent que les moines n'étaient plus là.

Des nigauds superstitieux, s'écria Humboldt. On continue !

Le chemin descendait abruptement. Des battements d'ailes claquaient autour d'eux, mais aucun des animaux ne les effleura jamais. Ils avancèrent à tâtons le long de la paroi, jusqu'à une salle. Les torches, trop faibles pour éclairer la voûte, projetaient leur ombre démesurée sur les parois. Humboldt regarda le thermomètre : il faisait de plus en plus chaud, il doutait que cela plût au professeur Werner ! C'est alors qu'il vit la silhouette de sa mère à côté de lui. Il cligna des yeux, mais elle resta visible plus longtemps qu'il ne convenait pour une hallucination. La cape nouée autour du cou, la tête inclinée, souriant distraitement, le menton et le nez aussi frêles qu'au dernier jour, un parapluie tordu dans les mains. Il ferma les yeux et compta lentement jusqu'à dix.

Pardon ? demanda Bonpland.

Rien, dit Humboldt tout en martelant la roche avec concentration pour en récupérer un éclat.

Le chemin continue là-derrière, dit Bonpland.

C'en est assez, répliqua Humboldt.

Bonpland fit remarquer qu'en s'enfonçant dans la montagne on trouverait sans doute d'autres plantes inconnues.

Mieux vaut faire demi-tour, dit Humboldt. Assez est assez.

Ils suivirent un ruisseau en direction de la lumière du jour. Progressivement, les oiseaux se firent moins nombreux, les cris moins forts, ils purent bientôt éteindre leurs torches.

Devant la grotte, le guide indien retournait leurs deux oiseaux au-dessus d'un feu pour en faire sortir la graisse. Les plumes, les becs et les griffes brûlaient déjà, du sang tombait goutte à goutte dans les flammes, la masse de suif grésillait, une fumée amère flottait au-dessus de la clairière. La graisse la plus précieuse qui soit, expliqua-t-il. Elle était inodore et se conservait plus d'un an !

Maintenant, il leur en fallait deux autres, dit Bonpland, furieux.

Humboldt demanda à Bonpland sa bouteille d'eau-de-vie, but une grande gorgée et prit le chemin du retour avec l'un des deux moines, tandis que Bonpland retournait abattre deux autres volatiles. Après quelques centaines de pas, Humboldt s'arrêta, renversa la tête et regarda les cimes des arbres qui soutenaient le ciel au-dessus de lui.

Le son !

Le son, répéta le moine.

Si ce n'était pas l'odorat, dit Humboldt, alors c'était le son. Ce cliquetis, renvoyé par les parois. Visiblement, les oiseaux s'orientaient ainsi.

En chemin, Humboldt prit des notes : un système que l'homme pouvait utiliser, pour les nuits sans lune ou bien sous l'eau. Et la graisse : inodore ; convenait parfaitement à la production de bougies. Il ouvrit avec entrain la porte de sa cellule dans laquelle l'attendait une femme nue. Il crut d'abord qu'elle était là à cause des poux, ou qu'elle avait un message. Puis il comprit que cette fois-ci c'était différent et qu'elle voulait exactement ce qu'il pensait qu'elle voulait, et qu'il n'y avait aucune échappatoire.

Elle était manifestement envoyée par le gouverneur, cela correspondait sans doute à l'idée qu'il se faisait d'une plaisanterie grivoise entre hommes. Durant une nuit et un jour, elle avait attendu seule dans la chambre et, parce qu'elle s'ennuyait, elle avait démonté le sextant, dérangé les plantes ramassées par Humboldt, bu de l'alcool prévu pour la conservation des échantillons, puis elle s'était endormie pour dissiper l'ivresse. A son réveil, elle avait colorié non sans un certain talent le portrait d'un joyeux nain à la bouche en cul-de-poule, dans lequel elle ne reconnut évidemment pas Frédéric le Grand. Maintenant que Humboldt était enfin là, elle voulait en finir au plus vite.

Pendant qu'il en était encore à lui demander d'où elle venait, ce qu'elle désirait et s'il pouvait faire quelque chose pour elle, elle ouvrait adroitement le pantalon de Humboldt. Elle était petite et ronde, et ne pouvait guère avoir plus de quinze ans. Il recula, elle avança vers lui, il heurta le mur, et lorsqu'il voulut la rappeler à l'ordre il avait oublié l'espagnol.

Je m'appelle Inés, dit-elle, faites-moi confiance.

Quand elle souleva la chemise de Humboldt, elle arracha un bouton qui roula sur le plancher. Humboldt le suivit des yeux jusqu'à ce qu'il touche le mur et retombe. Elle lui mit les bras autour du cou et l'entraîna vers le milieu de la pièce, tandis qu'il murmurait qu'elle devait le lâcher, qu'il était fonctionnaire de la couronne de Prusse.

Grand Dieu, dit-elle, comme ce cœur bat vite.

Elle l'emmena avec elle sur le tapis et, pour une raison ou une autre, il la laissa le rouler sur le dos et promener ses doigts le long de son corps jusqu'au moment où elle s'arrêta, interdite, et constata en riant qu'il ne se passait pas grand-chose là en bas. Il regarda son dos courbé, le plafond de la pièce, les feuilles de palmier devant la fenêtre qui frémissaient dans le vent.

Ça ne va pas tarder, dit-elle. Ayez confiance !

Les feuilles étaient courtes et pointues, il n'avait encore jamais examiné cet arbre. Il voulut se relever, mais elle posa la main sur son visage et le força à se rallonger, et il se demanda comment elle pouvait ne pas comprendre qu'il était en enfer. Par la suite, il fut incapable de dire combien de temps s'était écoulé avant qu'elle ne renonce, rejette ses cheveux en arrière et le regarde d'un air triste. Il ferma les yeux. Elle se releva.

Ça ne fait rien, dit-elle à voix basse, c'est ma faute.

Il avait mal à la tête et terriblement soif. Ce n'est que lorsqu'il entendit la porte se refermer derrière elle qu'il ouvrit les yeux.

Bonpland le trouva à son bureau, entre les chronomètres, l'hygromètre, le thermomètre et le sextant qu'il avait reconstruit. La loupe rivée à l'œil, il contemplait des feuilles de palmier. Une structure intéressante, remarquable ! Il était grand temps de se remettre en route.

Si vite ?

D'après d'anciens récits, dit Humboldt, il existait un canal entre les fleuves de l'Orénoque et de l'Amazone. Les géographes européens considéraient qu'il s'agissait d'une légende. Selon la doctrine dominante, seules les montagnes servaient de ligne de partage des eaux et les systèmes fluviaux à l'intérieur des terres ne pouvaient être reliés entre eux.

Etrangement, il n'avait jamais réfléchi au problème, dit Bonpland.

C'était une erreur, répondit Humboldt. Il allait trouver ce canal et résoudre l'énigme.

Ah ah, dit Bonpland. Un canal.

Cette attitude ne lui plaisait pas, répliqua Humboldt. Toujours des plaintes, des commentaires. Un peu d'enthousiasme, était-ce trop demander ?

Que s'était-il donc passé ? demanda Bonpland.

On attendait sous peu une éclipse de soleil ! Elle permettrait de déterminer la position astronomique exacte de la ville côtière. On pourrait alors établir un réseau de points de mesure d'un bout à l'autre du canal.

Mais celui-ci se trouvait au fin fond de la forêt vierge !

Un bien grand mot, dit Humboldt. Cela ne devait pas les effrayer. La forêt vierge, ce n'était, après tout, qu'une forêt. La nature parlait la même langue partout.

Il écrivit à son frère que le voyage était splendide, l'abondance des découvertes impressionnante. Tous les jours on trouvait de nouvelles plantes, plus que l'on n'en pouvait compter, et l'observation des tremblements de terre laissait entrevoir une nouvelle théorie de la croûte terrestre. Les connaissances sur la nature des poux s'étaient elles aussi considérablement élargies. Bien à toi, fais-le paraître dans le journal !

Il s'assura que sa main ne tremblait pas. Puis il écrivit à Emmanuel Kant : le concept d'une nouvelle science de la géographie physique s'imposait à lui. A des altitudes différentes, mais à des températures analogues, des plantes similaires poussaient sur toute la planète, si bien que les zones climatiques s'étendaient non seulement en largeur, mais aussi en hauteur : en un même point, la surface de la terre pouvait passer par tous les stades, du climat tropical au climat arctique. Si l'on reliait ces zones entre elles pour en faire des lignes, on obtenait une carte des grands courants climatiques. Avec ses remerciements pour toute suggestion de sa part, et en espérant sincèrement que le professeur fût en bonne santé, il le priait d'agréer… Humboldt ferma les yeux, inspira profondément et apposa la signature la plus imposante dont il fût capable.

La veille du jour où le ciel s'obscurcit, il se produisit une chose désagréable. Tandis qu'ils mesuraient la pression au bord de la mer, un Zambo, moitié Noir, moitié Indien, bondit hors des buissons avec une massue en bois. Il gronda, s'accroupit et les fixa. Puis il les attaqua. Un accident regrettable, comme le qualifia Humboldt lorsque, quelques jours plus tard, à bord du bateau à destination de Caracas, par une forte houle et à la lumière vacillante d'une bougie, vers trois heures du matin, il transcrivit la scène : lui-même avait évité le coup en se penchant à gauche, Bonpland à sa droite avait eu moins de chance. Mais alors que Bonpland gisait immobile par terre, le Zambo avait laissé passer sa chance ; au lieu de le frapper à nouveau, il avait couru vers le chapeau de Bonpland, qui s'était envolé, il l'avait mis sur sa tête et s'était enfui à grandes enjambées.

Les instruments au moins n'avaient rien, et Bonpland était même revenu à lui au bout de vingt heures : le visage enflé, une dent cassée, la forme du nez légèrement modifiée, du sang séché autour de la bouche et du menton. Humboldt, qui était resté à son chevet le soir, la nuit et durant les longues heures de la matinée, lui donna de l'eau. Bonpland se lava, cracha et se regarda dans le miroir d'un air méfiant.

L'éclipse de soleil, dit Humboldt. Est-ce que cela irait ?

Bonpland fit oui de la tête.

En était-il sûr ?

Bonpland cracha et dit en zézayant qu'il en était tout à fait sûr.

De grands jours arrivaient, dit Humboldt. De l'Orénoque à l'Amazone. Ils iraient en plein cœur du pays. Que Bonpland lui serre la main !

Péniblement, comme s'il luttait contre une résistance, Bonpland tendit le bras.

Dans l'après-midi, à l'heure annoncée, le soleil s'éteignit. La lumière blêmit, une nuée d'oiseaux s'éleva dans les airs en criant et s'envola dans le vent, les objets absorbèrent la clarté, une ombre vola vers eux, le globe solaire se changea en disque sombre. Bonpland, la tête bandée, tenait l'écran de projection de l'horizon artificiel. Humboldt orienta le sextant dans sa direction et, de l'autre œil, il lorgna vers le chronomètre. Le temps s'arrêta.

Et reprit son cours. La lumière revint : le globe solaire s'illumina, l'ombre se détacha des collines, de la terre, de l'horizon. Des oiseaux crièrent, quelqu'un tira un coup de feu quelque part. Bonpland reposa l'écran.

C'était comment ? demanda Humboldt.

Bonpland le regarda, incrédule.

Humboldt expliqua qu'il n'avait pas vu l'éclipse. Seulement sa projection. Il avait dû observer l'astre dans le sextant et aussi surveiller l'heure. Il n'avait pas eu le temps de lever les yeux.

Il n'y aurait pas de deuxième fois, dit Bonpland d'une voix rauque. Est-ce qu'il n'avait vraiment pas regardé en l'air ?

Cet endroit était désormais fixé à jamais sur les cartes du monde, répliqua Humboldt. Seuls quelques rares instants permettaient à l'homme de corriger le rythme des montres avec l'aide du ciel. Certains, justement, prenaient leur travail plus au sérieux que d'autres !

C'était bien possible, mais… Bonpland soupira.

Oui ? Humboldt feuilletait le catalogue des éphémérides, il sortit son crayon et se mit à faire des calculs. Mais quoi ?

Fallait-il toujours être aussi allemand ?

LES NOMBRES

En ce jour qui devait tout changer, une molaire lui faisait si mal qu'il crut devenir fou. Il avait passé la nuit allongé sur le dos à écouter les ronflements de sa logeuse dans la chambre voisine. Vers six heures et demie, tandis qu'il regardait, fatigué, la lumière matinale en plissant les yeux, il trouva la solution de l'un des plus vieux problèmes du monde.

Il traversa la pièce en titubant, comme un homme ivre. Il fallait noter cela sur-le-champ, il ne devait pas l'oublier. Les tiroirs refusèrent de s'ouvrir, soudain le papier se déroba à sa vue, la plume se cassa, fit des taches, et, pour couronner le tout, le pot de chambre plein se mit en travers de son chemin. Cependant, après une demi-heure de griffonnage, tout était noté sur quelques feuilles de papier froissées, dans la marge d'un manuel de grec et sur le dessus de la table. Il posa sa plume. Il respirait difficilement. Il remarqua qu'il était nu, s'étonna des saletés par terre, de la puanteur. Il était gelé. Son mal de dents devenait presque insoutenable.

Il lut. Il examina le tout, ligne par ligne, refit la démonstration, chercha des erreurs et n'en trouva aucune. Il lissa la dernière feuille et regarda son polygone à dix-sept côtés, penché et sale. Pendant plus de deux mille ans, on avait construit des triangles et des pentagones réguliers à la règle et au compas. Faire un carré ou doubler le nombre de côtés d'un polygone était un jeu d'enfant. Et si l'on combinait un triangle et un pentagone, on obtenait un polygone à quinze côtés. On n'avait pas réussi à faire mieux.

Et maintenant : dix-sept. Il pressentait même une méthode permettant d'aller plus loin. Encore lui fallait-il la trouver.

Il se rendit chez le barbier. Celui-ci lui attacha les mains, promit que ce ne serait pas bien terrible, et lui enfonça prestement ses tenailles dans la bouche. Le simple contact – un éclair de douleur irradiante – le fit presque s'évanouir. Il tenta encore de rassembler ses idées, mais à cet instant les tenailles se refermèrent, il y eut comme un claquement dans sa tête, et seuls le goût chaud du sang et les pulsations dans ses oreilles le ramenèrent dans la pièce, auprès de l'homme au tablier lui disant que cela n'avait pas été si terrible, n'est-ce pas ?

En rentrant chez lui, il dut s'appuyer aux murs des maisons, il avait les jambes molles, ses pieds ne lui obéissaient plus, il avait le vertige. D'ici quelques années, il y aurait des médecins pour les dents, et on serait alors en mesure de guérir ces douleurs sans être forcé d'arracher chaque dent dès la moindre inflammation. Bientôt, la terre ne serait plus peuplée d'individus édentés. Et la variole épargnerait au moins quelques visages, et plus personne ne perdrait ses cheveux. Il trouvait étonnant que personne à part lui ne pense jamais à tout cela. Aux yeux des gens, tout allait toujours de soi, il ne pouvait en être autrement. Les yeux vitreux, il se rendit au domicile de Zimmermann.

Il entra sans frapper et posa les feuilles sur la table de la salle à manger.

Ah, dit le professeur avec compassion, les dents ! Et ça lui faisait mal ? Lui-même avait eu de la chance, il lui en manquait seulement cinq, le professeur Lichtenberg n'en avait plus que deux en tout et pour tout ; quant à Kästner, il y avait belle lurette qu'il n'en avait plus une seule. Du bout des doigts, à cause d'une tache de sang, Zimmermann prit la première feuille. Il fronça les sourcils. Ses lèvres remuèrent. Cela dura si longtemps que Gauss crut rêver. Penser aussi lentement, ce n'était pas permis !

C'est un grand moment, finit par déclarer Zimmermann.

Gauss demanda un verre d'eau.

J'ai envie de prier, dit Zimmermann ; il fallait imprimer cela, de préférence sous le nom d'un professeur ; il n'était pas courant qu'un étudiant publie déjà.

Gauss voulut répondre, mais lorsque Zimmermann lui apporta le verre d'eau, il ne put ni parler ni boire. Il s'excusa d'un geste, rentra chez lui en chancelant, se mit au lit et songea à sa mère, là-bas à Brunswick. Cela avait été une erreur d'aller à Göttingen. Ici, l'université était meilleure, mais sa mère lui manquait, et tout particulièrement quand il était malade. Vers minuit, alors que sa joue avait encore enflé et que le moindre mouvement lui faisait mal partout, il comprit que le barbier s'était trompé de dent.

Par chance, à cette heure matinale, les rues étaient encore désertes. Ainsi, personne ne le vit s'arrêter sans cesse, appuyer sa tête contre les murs et sangloter. Il aurait donné son âme pour vivre dans cent ans, quand il y aurait des remèdes contre la douleur et des médecins dignes de ce nom. Pourtant, cela n'avait rien de difficile : il suffisait d'endormir les nerfs au bon endroit, de préférence avec de faibles doses de poison. Il fallait faire des recherches plus approfondies sur le curare ! Il y en avait un flacon au département de chimie, un jour il y jetterait un coup d'œil. Mais ses pensées lui échappèrent, et il n'entendit plus que ses propres gémissements.

Ce sont des choses qui arrivent, dit gaiement le barbier. La douleur irradiait loin, mais la nature était intelligente, et l'homme avait des dents en quantité. Au moment où il leva les tenailles, l'obscurité se fit autour de Gauss.

Comme si la douleur avait effacé l'événement de sa mémoire ou du temps, il se retrouva, des heures, voire des jours plus tard, comment aurait-il pu le savoir, dans son lit en désordre, avec une bouteille de schnaps à moitié vide sur sa table de nuit et, à ses pieds, la gazette scientifique de l'*Allgemeine Literatur-Zeitung*, dans laquelle le conseiller à la cour Zimmermann présentait la toute dernière méthode pour construire un polygone régulier à dix-sept côtés. Près du lit était assis Bartels, venu le féliciter.

Gauss se palpa la joue. Ah, Bartels. Il connaissait cela, lui aussi : il venait d'une famille pauvre, il avait été considéré comme un enfant prodige, s'était cru destiné à accomplir de grandes choses. Puis il l'avait rencontré lui, Gauss. Entretemps, ce dernier avait appris que Bartels était resté éveillé durant les deux nuits suivant leur rencontre, songeant à retourner dans son village pour y traire les vaches et sortir le fumier des étables. La troisième nuit, Bartels avait compris qu'il n'y avait qu'un seul moyen de sauver son âme : il lui fallait aimer Gauss. Il devait l'aider en toutes circonstances. A partir de ce moment, il avait mis toute son énergie dans leur collaboration, il avait parlé à Zimmermann, écrit des lettres au duc et au cours d'une pénible soirée, en usant de menaces dont personne ne souhaitait se souvenir, il avait amené le père de Gauss à laisser son fils entrer au lycée. Puis, l'été dernier, Bartels avait accompagné Gauss chez ses parents à Brunswick. Soudain, sa mère avait pris Bartels à part et, avec une petite mine soucieuse et timorée, elle lui avait posé une question : son fils, là-bas, à l'université, parmi tous ces hommes de science, est-ce que ça allait mener quelque part ? Bartels n'avait pas compris. Elle voulait dire, Carl, comme savant, est-ce que ça pouvait donner quelque chose ? Elle demandait cela de façon confidentielle et promettait de ne rien répéter. C'est qu'une mère se faisait toujours du souci, forcément. Bartels était resté un moment silencieux, avant de lui demander, avec un mépris dont il avait eu honte par la suite, si elle ne savait donc pas que son fils était le plus grand scientifique du monde. Elle avait beaucoup pleuré, cela avait été affreusement embarrassant. Gauss n'avait jamais tout à fait réussi à pardonner à Bartels.

Ma décision est prise, dit Gauss.

A quel sujet ? Bartels leva les yeux, l'air distrait.

Gauss soupira d'impatience. Il choisissait les mathématiques. Jusqu'à maintenant, il avait voulu se consacrer à la philologie classique, et l'idée de rédiger un commentaire de Virgile, notamment sur la descente d'Enée aux Enfers, lui plaisait toujours. Selon lui, personne n'avait saisi la véritable signification de cet épisode. Mais il avait encore le temps, après tout il n'avait que dix-neuf ans. Pour l'heure, il était conscient de pouvoir apporter davantage de contributions dans le domaine des mathématiques. Tant qu'à être sur cette terre – de toute façon, on n'avait pas le choix – autant essayer d'accomplir quelque chose. Trouver par exemple la réponse à la question : qu'est-ce qu'un nombre. Poser les fondements de l'arithmétique.

L'œuvre de toute une vie, dit Bartels.

Gauss approuva : avec un peu de chance, il aurait terminé dans cinq ans.

Mais il se rendit bientôt compte que cela irait plus vite. Une fois le travail commencé, les idées assaillirent Gauss avec une force jusque-là inconnue. Il dormait peu, n'allait plus à l'université, mangeait le strict nécessaire et ne rendait visite à sa mère que rarement. Lorsqu'il marchait dans la rue en parlant à mi-voix, il se sentait plus éveillé que jamais. Sans lever les yeux, il parvenait à éviter les gens, il ne trébuchait jamais, et le jour où il fit sans raison un bond de côté, il n'éprouva pas la moindre surprise lorsqu'à la même seconde une tuile s'écrasa à côté de lui. Les nombres ne soustrayaient pas l'homme à la réalité, ils la lui rendaient plus familière, plus transparente, et distincte comme jamais.

Désormais, les nombres accompagnaient Gauss partout. Il ne les oubliait même pas lorsqu'il rendait visite aux prostituées. Il n'y en avait pas beaucoup à Göttingen, elles le connaissaient toutes, le saluaient par son nom et lui faisaient parfois une ristourne parce qu'il était jeune, beau et qu'il avait des manières. Celle qui lui plaisait le plus s'appelait Nina, elle était originaire d'une lointaine ville de Sibérie. Elle habitait dans l'ancienne maison des accouchements, elle avait les cheveux foncés, de profondes fossettes sur les joues et de larges épaules qui sentaient bon la terre ; dans les moments où il l'enlaçait, levait les yeux vers le plafond et sentait son léger balancement sur lui, il lui promettait de l'épouser et d'apprendre sa langue. Elle se moquait de lui et, lorsqu'il jurait qu'il était sérieux, elle répondait simplement qu'il était encore très jeune.

Sa soutenance de thèse eut lieu sous la direction du professeur Pfaff. A la demande de ce dernier, griffonnée sur un papier, on fit grâce à Gauss de l'épreuve orale, cela aurait été parfaitement ridicule. Lorsqu'il alla chercher son diplôme, il dut attendre dans le couloir. Il mangea un morceau de gâteau desséché et lut dans les *Göttinger Gelehrten Anzeigen* le compte rendu d'un diplomate prussien sur le séjour de son frère en Nouvelle-Andalousie. Une maison blanche aux abords de la ville, le soir on se rafraîchissait dans le fleuve, des femmes passaient souvent pour que l'on compte leurs poux. Gauss tourna la page avec une vague excitation. Des Indiens nus dans la mission des Capucins, des oiseaux qui vivaient dans des grottes et voyaient avec leur voix comme d'autres êtres avec leurs yeux. La grande éclipse de soleil, puis le départ pour l'Orénoque. La lettre de cet homme avait voyagé pendant un an et demi, Dieu seul savait s'il était encore en vie. Gauss abaissa son journal, Zimmermann et Pfaff se tenaient devant lui. Ils n'avaient pas osé le déranger.

Cet homme, dit Gauss, impressionnant ! Mais absurde aussi, comme si la vérité se trouvait ailleurs et non pas ici. Ou comme si l'on pouvait se fuir soi-même.

Pfaff lui tendit le diplôme avec hésitation : reçu, *summa cum laude*. Evidemment. On avait entendu dire, déclara Zimmermann, qu'il travaillait à une œuvre de grande envergure. Il se réjouissait que Gauss eût fini par trouver quelque chose à même de susciter son intérêt et chasser sa mélancolie.

En effet, répondit Gauss, et lorsque ce serait fini, il s'en irait.

Les deux professeurs échangèrent un regard. Quitter l'électorat de Hanovre ? On espérait bien que non.

Non, dit Gauss, pas d'inquiétude. Il partirait très loin, mais il ne quitterait quand même pas l'électorat de Hanovre.

Le travail avançait vite. La loi de réciprocité quadratique était démontrée, l'énigme de la fréquence des nombres premiers en passe d'être résolue. Il avait fini les trois premières sections, il en était déjà à la partie principale. Mais, sans cesse, il posait sa plume, appuyait sa tête dans ses mains et se demandait si ce qu'il faisait était tout simplement autorisé. N'allait-il pas trop au fond des choses ? La physique reposait sur des règles, qui reposaient sur des lois, qui reposaient elles-mêmes sur des nombres ; lorsqu'on les examinait attentivement, on percevait entre eux des affinités, une répulsion ou une attraction. Quelques éléments de leur structure paraissaient incomplets, ils semblaient avoir été conçus avec une étrange négligence et, plus d'une fois, Gauss crut rencontrer des erreurs dissimulées tant bien que mal – comme si Dieu s'était permis une certaine désinvolture en espérant que personne ne s'en apercevrait.

Puis le jour vint où il se retrouva à court d'argent. Comme il n'allait plus à l'université, sa bourse ne lui était plus versée. Le duc n'avait jamais apprécié qu'il parte pour Göttingen, une reconduction était donc exclue.

On pouvait remédier à cela, dit Zimmermann. Il s'agissait d'une tâche occasionnelle : on avait besoin d'un vaillant jeune homme pour l'arpentage.

Gauss fit non de la tête.

Cela ne durerait pas longtemps, répliqua Zimmermann. Et l'air frais n'avait encore jamais fait de mal à personne.

C'est ainsi qu'il en vint à parcourir d'un pas mal assuré la campagne détrempée. Le ciel était bas et sombre, le sol boueux. Il escalada une haie et se trouva, haletant, transpirant et parsemé d'aiguilles de pin, devant deux jeunes filles. Interrogé sur ce qu'il faisait là, il expliqua nerveusement la technique de la triangulation : si l'on connaissait l'un des côtés et deux angles d'un triangle, on pouvait déterminer les autres côtés et l'angle inconnu. On choisissait donc quelque part, là, sur la terre de Dieu, un triangle, on en mesurait le côté le plus accessible, et, avec l'appareil que voilà, on déterminait les angles pour obtenir le troisième point. Il souleva le théodolite et le fit tourner – comme ça, comme ça et puis comme ça – d'un geste maladroit, comme si c'était la première fois. Puis, dit-il, on associait toute une série de triangles de ce type. Un chercheur prussien faisait exactement la même chose en ce moment parmi les créatures fabuleuses du Nouveau Monde.

Mais un paysage, répliqua la plus grande des deux jeunes filles, ce n'était pas une surface plane, pourtant ?

Il la regarda fixement. Il n'y avait pas eu de pause. Comme si elle n'avait pas éprouvé le besoin de réfléchir. En effet, répondit-il en souriant.

La somme des angles d'un triangle, dit-elle, n'était égale à cent quatre-vingts degrés que sur une surface plane, et non sur une sphère. C'était bien là le problème.

Il la contempla comme s'il ne la voyait que maintenant. Elle lui rendit son regard en levant les sourcils. Oui, dit-il. Donc : pour compenser cela, il faudrait, pour ainsi dire, faire rétrécir les triangles après la mesure, jusqu'à une grandeur infiniment petite. En principe, une simple opération différentielle. Sous cette forme, cependant... Il s'assit par terre et sortit son carnet. Sous cette forme, murmura-t-il tout en se mettant à prendre des notes, personne ne l'avait jamais réalisée. Lorsqu'il leva les yeux, il était seul.

Pendant quelques semaines encore, il parcourut le terrain avec l'outillage géodésique, enfonça des pieux dans le sol, mesura leur éloignement. Un jour, il roula le long d'un talus et se démit l'épaule, à plusieurs reprises il tomba dans les orties, et un après-midi, l'hiver approchait déjà, une horde d'enfants lui lança des boules de neige sale. Lorsqu'un chien de berger surgit de la forêt, le renversa, lui mordit presque tendrement le mollet et disparut tel un fantôme, Gauss décida d'arrêter ce travail. Il n'était pas taillé pour de tels dangers.

Mais il voyait souvent Johanna désormais. C'était comme si elle avait toujours été près de lui et que seuls un camouflage ou un manque d'attention de sa part la lui avaient cachée. Quand elle marchait devant lui dans la rue, il souhaitait qu'elle hésite et il lui semblait que cela suffisait à ralentir un peu son pas. Ou bien elle était assise à l'église, trois rangées derrière lui, l'air fatigué mais concentré, tandis que le pasteur leur promettait à tous la damnation éternelle pour le cas où ils ne considéreraient pas la passion du Christ comme la leur, les peines du Christ comme les leurs et le sang du Christ comme le leur à tous ; Gauss avait cessé depuis longtemps de se demander ce que cela pouvait bien signifier, et il savait avec quelle expression ironique elle le regarderait s'il se retournait maintenant.

Un jour, ils allèrent se promener aux portes de la ville avec Minna, son amie stupide qui gloussait sans arrêt. Ils parlèrent de nouveaux livres que Gauss ne connaissait pas, de la fréquence des pluies, de l'avenir du Directoire à Paris. Johanna répliquait souvent avant qu'il eût fini de parler. Il songeait à la prendre dans ses bras et à l'entraîner sur le sol, et il savait parfaitement qu'elle connaissait ses pensées. Toute cette mascarade était-elle vraiment nécessaire ? Mais bien sûr qu'elle l'était, et lorsqu'il effleura sa main par erreur il s'inclina profondément, comme le faisaient les nobles, et elle fit une révérence. Sur le chemin du retour, il se demanda si le jour viendrait où les hommes pourraient se fréquenter sans se mentir. Mais, avant qu'une idée lui vînt sur le sujet, il comprit que l'on pouvait représenter n'importe quel nombre comme la somme de trois nombres triangulaires. Les mains tremblantes, il tâtonna à la recherche de son carnet, mais il l'avait oublié à la maison et dut se répéter la formule à voix basse jusqu'à la prochaine auberge, où il arracha un crayon au serveur et la griffonna sur un morceau de nappe.

A partir de ce moment-là, il ne sortit plus de chez lui. Les jours laissaient place aux soirs, les soirs aux nuits qui s'imprégnaient de lumière pâle aux premières heures du matin, jusqu'à ce qu'une autre journée recommence, comme si cela allait de soi. Mais ce n'était pas le cas, on avait si vite fait de mourir, il devait se dépêcher. Parfois, Bartels lui rendait visite et lui apportait à manger. Parfois c'était sa mère qui venait. Elle lui passait la main sur la tête, le regardait, les yeux humides d'amour, et rougissait de joie lorsqu'il l'embrassait sur la joue. Puis c'était au tour de Zimmermann : il demandait à Gauss s'il avait besoin d'aide dans son travail, il rencontrait son regard et s'en allait de son côté en marmonnant, l'air gêné. Des lettres de Kästner, Lichtenberg, Büttner, du secrétaire du duc arrivaient, il n'en lisait aucune. Il eut deux fois la diarrhée, trois fois une rage de dents, et une nuit des coliques si violentes qu'il crut que son heure était venue, Dieu n'y consentait plus, il allait devoir s'arrêter là. Au cours d'une autre nuit, la science, son travail, sa vie entière lui parurent soudain étrangers et inutiles parce qu'il n'avait pas d'ami ni personne, en dehors de sa mère, qui tienne à lui. Mais cela aussi se dissipa, comme tout le reste.

Et, par une journée pluvieuse, il eut fini. Il posa sa plume, se moucha longuement et se frotta le front. Déjà, les souvenirs de ces derniers mois, ses luttes, ses décisions et ses réflexions s'éloignaient. Tout cela avait été vécu par quelqu'un qui n'était plus lui depuis quelques instants à peine. Devant lui se trouvait le manuscrit laissé par l'autre, des centaines de pages couvertes d'une écriture serrée. Il le feuilleta et se demanda comment il avait pu accomplir cela. Il n'avait pas le souvenir d'une inspiration ni d'une illumination quelconques. Uniquement du travail.

Pour financer l'impression, il dut emprunter de l'argent à Bartels, qui n'avait lui-même presque rien. Puis il y eut des difficultés lorsque Gauss voulut corriger les épreuves ; cet imbécile de libraire ne comprenait tout simplement pas que personne d'autre n'en fût capable. Zimmermann écrivit au duc, qui finit par donner encore un peu d'argent, et les *Disquisitiones arithmeticae* purent paraître. Gauss avait à peine plus de vingt ans, et l'œuvre de sa vie était achevée. Il le savait : peu importe le temps qu'il passerait encore sur terre, il ne pourrait plus rien réaliser de comparable.

Dans une lettre, il demanda la main de Johanna qui la lui refusa : cela n'avait rien à voir avec lui, écrivait-elle, elle doutait seulement que vivre avec lui fût bénéfique à quiconque. Elle le soupçonnait d'épuiser l'énergie vitale de son entourage comme la terre le faisait du soleil et la mer des fleuves, si bien qu'à ses côtés on était condamné à l'existence livide et à demi irréelle d'un fantôme.

Il approuva de la tête. Il s'attendait précisément à cette décision, mais pas à une aussi bonne justification. A présent, il ne lui manquait plus qu'une seule chose.

Le voyage fut effroyable. Sa mère pleura au moment des adieux comme s'il voulait partir en Chine, et, bien qu'il se fût juré de ne pas le faire, il pleura lui aussi. La diligence se mit en route, et au début elle était remplie de gens qui sentaient mauvais, une femme mangeait des œufs crus avec la coquille, un homme faisait, sans reprendre son souffle, des plaisanteries blasphématoires et pourtant mauvaises. Gauss tenta d'ignorer tout cela en lisant le dernier numéro de la *Correspondance mensuelle pour la promotion de la géographie et de l'astronomie.* Dans le télescope de l'astronome Piazzi était apparue, quelques nuits durant, une planète fantôme qui avait de nouveau disparu avant que l'on eût déterminé sa trajectoire. C'était peut-être une méprise, mais peut-être aussi un astre errant entre les planètes intérieures et extérieures. Cependant, Gauss dut bientôt ranger sa revue parce que le soleil se couchait, la diligence vacillait trop fortement et la dévoreuse d'œufs lorgnait pardessus son épaule. Il ferma les yeux. Pendant un moment, il vit des soldats qui défilaient, puis un firmament traversé de lignes magnétiques, puis Johanna, puis il se réveilla. La pluie tombait d'un ciel matinal gris, mais la nuit n'était pas encore terminée. On avait peine à s'imaginer que d'autres jours et d'autres nuits allaient suivre, onze de chaque, vingt-deux en tout. Quelle horreur que les voyages !

Lorsqu'il arriva à Königsberg, il faillit s'évanouir de fatigue et d'ennui, son mal de dos était atroce. Il n'avait pas d'argent pour une auberge, il se rendit donc directement à l'université où il se fit indiquer le chemin par un appariteur au regard hébété. Comme tout le monde ici, l'homme parlait un curieux dialecte. Les rues semblaient étrangères à Gauss, les boutiques avaient des enseignes incompréhensibles, et la nourriture des tavernes ne sentait pas la nourriture. Jamais il n'avait été aussi loin de chez lui.

Il avait enfin trouvé l'adresse. Il frappa à la porte, après une longue attente un vieil homme complètement poussiéreux lui ouvrit et dit, avant même que Gauss n'ait pu se présenter, que Monsieur ne recevait pas.

Gauss tenta d'expliquer qui il était et d'où il venait.

Monsieur ne reçoit pas, répéta le domestique. Lui-même travaillait ici depuis plus longtemps que quiconque ne voudrait bien le croire, et il n'avait encore jamais enfreint un ordre.

Gauss sortit des lettres de recommandation de Zimmermann, Kästner, Lichtenberg et Pfaff. Il insistait pour que ces documents soient présentés !

Le domestique ne répondit pas. Il tenait les papiers à l'envers, sans y jeter un regard.

J'insiste, répéta Gauss. Bien sûr, il y avait beaucoup de visiteurs et on devait se protéger. Mais, et que cela soit bien clair, il n'était pas n'importe qui.

Le domestique réfléchit. Ses lèvres remuèrent en silence, il semblait déconcerté. Ah, murmura-t-il ensuite, puis il rentra en laissant la porte ouverte.

Gauss le suivit d'un pas hésitant dans un petit couloir sombre, jusqu'à une pièce exiguë. Il lui fallut un moment pour que ses yeux s'habituent à la pénombre et distinguent une fenêtre aux rideaux tirés, une table, un fauteuil et, dans celui-ci, un nain immobile enveloppé dans des couvertures en laine : des lèvres épaisses, un front saillant, un nez fin et pointu. Ses yeux mi-clos ne se tournèrent pas vers Gauss. L'air était si vicié que l'on pouvait à peine respirer. Est-ce là le professeur ? demanda Gauss d'une voix rauque.

Qui d'autre, répondit le domestique.

Gauss se dirigea vers le fauteuil et sortit d'un geste mal assuré un exemplaire des *Disquisitiones arithmeticae* ; sur la première page, il avait écrit deux ou trois mots exprimant son admiration et sa gratitude. Il tendit le livre au petit homme, aucune main ne bougea. Le domestique lui demanda en chuchotant de poser le livre sur la table.

A voix basse, Gauss expliqua sa requête : il avait des idées dont il n'avait encore pu parler à personne. Il lui semblait en effet que l'espace euclidien n'était justement pas, comme le prétendait *La Critique de la raison pure*, la forme préexistante de notre intuition et, à partir de là, de toute expérience, mais au contraire une fiction, un beau rêve. La vérité était pour le moins angoissante : la proposition selon laquelle deux parallèles données ne se rejoignaient jamais n'avait pu être démontrée ni par Euclide, ni par quiconque. Or elle n'était en aucun cas, comme on l'avait toujours cru, évidente ! Lui, Gauss, supposait à présent qu'elle était fausse. Peut-être les parallèles n'existaient-elles tout simplement pas. Ou peut-être l'espace admettait-il qu'à partir d'une droite et d'un point extérieur à cette droite on puisse tracer une infinité de parallèles distinctes qui passeraient toutes par ce même point. Seule une chose était sûre : l'espace était plissé, courbe et extrêmement étrange.

Quel bonheur de parler de tout cela pour la première fois ! Déjà les mots lui venaient plus rapidement, les phrases se formaient d'elles-mêmes. Ce n'était pas là, dit-il, un simple jeu d'esprit ! Il affirmait par exemple… Il alla vers la fenêtre, mais un cri aigu et effrayé du petit homme le fit s'arrêter net. Il affirmait par exemple qu'un triangle suffisamment grand, tendu entre trois étoiles, là-haut dans le ciel, et mesuré avec précision, n'aurait pas une somme des angles égale aux cent quatre-vingts degrés attendus, et qu'il s'agirait donc en réalité d'un corps sphérique. Lorsqu'il leva les yeux tout en gesticulant, il remarqua les toiles d'araignée au plafond ; il y en avait plusieurs couches, emmêlées les unes dans les autres. Un jour, on pourrait effectuer de telles mesures ! Mais ce ne serait pas avant longtemps, et, pour l'heure, il avait besoin de l'avis de la seule personne susceptible de ne pas le prendre pour un fou, celle qui devait nécessairement le comprendre. L'opinion de l'homme qui, sur l'espace et le temps, en avait plus appris à l'humanité que quiconque. Il s'accroupit, si bien que son visage se retrouva à la même hauteur que celui du petit homme. Il attendit. Les petits yeux se fixèrent sur lui.

Saucisse, dit Kant.

Pardon ?

Le domestique doit acheter de la saucisse, dit Kant. De la saucisse et des étoiles. Qu'il en achète aussi.

Gauss se leva.

Je n'ai pas perdu toute forme de civilité, dit Kant. Messieurs ! Une goutte de salive coula sur son menton.

Monsieur est fatigué, dit le domestique.

Gauss acquiesça. Le domestique effleura la joue de Kant du revers de la main. Le petit homme esquissa un sourire. Ils sortirent, le domestique s'inclina silencieusement en guise d'adieu. Gauss lui aurait volontiers donné un peu d'argent, mais lui-même n'avait plus rien. De loin, il entendit des voix graves d'hommes qui chantaient. La chorale de la prison, dit le domestique ; elle avait toujours beaucoup dérangé Monsieur.

Dans la diligence, coincé entre un pasteur et un gros lieutenant qui essayait désespérément d'engager la conversation avec les autres voyageurs, Gauss lut pour la troisième fois l'article sur la mystérieuse planète. Bien sûr qu'on pouvait calculer sa trajectoire ! Il suffisait, dans le processus d'approximation, de partir d'une ellipse et non d'un cercle, et de s'y prendre un peu plus habilement que ces têtes de linotte ne l'avaient fait. Quelques jours de travail, et l'on pourrait prévoir où et quand elle réapparaîtrait. Lorsque le lieutenant lui demanda son avis sur l'alliance franco-espagnole, il ne sut que répondre.

Ne pensait-il donc pas, demanda le lieutenant, que ce serait la fin de l'Autriche ?

Gauss haussa les épaules.

Et ce Bonaparte !

Qui ça ? demanda Gauss.

De retour à Brunswick, il écrivit une deuxième demande en mariage à Johanna. Il sortit ensuite la fiole de curare de l'armoire aux poisons du département de chimie. Un quelconque chercheur l'avait récemment expédiée par-delà l'océan avec une collection de plantes, de pierres et de feuillets entièrement rédigés, un chimiste l'avait apportée de Berlin, depuis elle se trouvait là, et personne ne savait qu'en faire. On prétendait qu'une dose infime était déjà mortelle. On dirait à sa mère que c'était une crise cardiaque sans aucun signe avant-coureur, on n'avait rien pu faire, c'était la volonté divine. Il appela un messager dans la rue, cacheta la lettre et paya avec ses dernières pièces de monnaie. Puis il regarda fixement par la fenêtre et attendit.

Il déboucha le flacon. Le liquide ne sentait rien. Allait-il hésiter ? Probablement. C'était le genre de choses que l'on ne savait pas avant d'avoir essayé. Mais il fut surpris d'éprouver aussi peu d'angoisse. Le messager apporterait le refus, et sa mort serait alors un coup inattendu dans sa partie d'échecs contre le ciel. On l'avait envoyé ici-bas doté d'une intelligence qui rendait impossible presque toute activité humaine, à une époque où chaque entreprise était encore laborieuse, fatigante et salissante. On avait voulu se moquer de lui.

L'autre possibilité, maintenant que son œuvre était rédigée ? Des années dans la médiocrité, un gagne-pain dégradant, des compromis, des craintes et des contrariétés, de nouveaux compromis, des douleurs au corps et à l'âme, ainsi que la lente déchéance de toutes ses facultés jusqu'à la fragilité de la vieillesse. Non !

Avec une lucidité étonnante, il remarqua à quel point il tremblait. Il entendait le bourdonnement de ses oreilles, voyait le tressaillement de ses mains, écoutait sa respiration saccadée. C'en était presque amusant.

On frappa à la porte. Une voix ressemblant de loin à la sienne s'écria : Entrez !

Le messager entra, lui glissa un papier dans la main et attendit d'un air insolent son pourboire. Au fond du dernier tiroir, Gauss retrouva une dernière pièce de monnaie. Le messager la lança en l'air, exécuta un demi-tour et la rattrapa derrière son dos. Quelques secondes plus tard, Gauss le vit traverser la ruelle en courant.

Il pensa au Jugement dernier. Il ne croyait pas qu'un événement pareil aurait lieu un jour. Les accusés pourraient se défendre, certaines questions posées en retour ne plairaient pas beaucoup à Dieu. Les insectes, la saleté, la douleur. L'insuffisance en toutes choses. Même pour l'espace et le temps, le travail avait été bâclé. Si on l'assignait à comparaître, il comptait bien mentionner un certain nombre de points.

Les mains engourdies, il ouvrit la lettre de Johanna, la mit de côté et saisit la fiole. Soudain, il eut le sentiment que quelque chose lui avait échappé. Il réfléchit. Quelque chose d'inattendu s'était produit. Il reboucha le flacon, se concentra davantage, en vain. Alors seulement, il comprit qu'il venait de lire une réponse positive.

LE FLEUVE

Les jours passés à Caracas s'étaient vite écoulés. Ils durent entreprendre l'ascension de la Silla sans guide, car il s'avéra qu'aucun autochtone n'était jamais allé sur la montagne aux deux sommets. Bientôt, le nez de Bonpland n'arrêta plus de saigner, et leur baromètre le plus onéreux tomba et se brisa. Près des cimes, ils trouvèrent des coquillages fossilisés. Etrange, dit Humboldt, l'eau n'était certainement jamais montée jusque-là, voilà qui permettait de conclure à un plissement de terrain, à la présence de forces venant de l'intérieur de la terre.

Au sommet, ils furent harcelés par un essaim d'abeilles velues. Bonpland se jeta à plat ventre sur le sol, Humboldt resta debout, le sextant à la main, l'oculaire devant son visage recouvert d'insectes. Ils couraient sur son front, son nez, son menton et se glissaient dans le col de sa redingote. Le gouverneur l'avait prévenu : le plus important, c'était de ne pas bouger. Ne pas respirer. Attendre.

Bonpland demanda s'il pouvait relever la tête.

Il ne vaut mieux pas, répondit Humboldt sans remuer les lèvres. Au bout d'un quart d'heure, les abeilles lâchèrent prise et s'envolèrent, une nuée noire dans la lumière du soir. Humboldt avoua qu'il ne lui avait pas été facile de rester immobile. A une ou deux reprises, il avait bien failli hurler. Il s'assit et se massa le front : Autrefois, ses nerfs étaient beaucoup plus solides !

Pour leur départ, on donna un concert en plein air dans le théâtre de Caracas. Les accords de Gluck s'élevaient dans l'obscurité, la nuit, immense, était remplie d'étoiles, Bonpland avait les larmes aux yeux. Humboldt chuchota qu'il ne savait pas trop quoi en penser, la musique ne l'avait jamais vraiment attiré.

Ils partirent en direction de l'Orénoque avec des mulets. Autour de la capitale s'étendaient des plaines à cent lieues à la ronde, sans arbre, sans buisson ni colline. La clarté était si vive qu'ils avaient l'impression de marcher sur un miroir étincelant, avec leur ombre sous leurs pieds et le ciel vide au-dessus de leurs têtes, ou bien d'être eux-mêmes les reflets de deux créatures venues d'un autre monde. A un moment donné, Bonpland demanda s'ils étaient encore en vie.

Aucune idée, dit Humboldt, mais dans un cas comme dans l'autre que pouvait-on faire, si ce n'était avancer ?

Lorsque pour la première fois ils aperçurent à nouveau des arbres, des marécages et de l'herbe, ils ne savaient plus à quand remontait leur départ. Humboldt eut du mal à lire ses deux chronomètres, il n'était plus habitué au temps. Des huttes apparurent, des hommes vinrent vers eux, et ils durent leur demander plusieurs fois la date avant d'admettre qu'ils n'étaient en route que depuis deux semaines.

A Calabozo, ils rencontrèrent un vieil homme qui n'avait jamais quitté le village. Il possédait néanmoins un laboratoire : des verres et des bouteilles, des instruments de mesure en métal pour les tremblements de terre, l'humidité de l'air et le magnétisme. Et aussi une machine rudimentaire dont les aiguilles déviaient lorsqu'on mentait ou débitait des âneries à côté d'elle. Et un appareil cliquetant et ronronnant qui produisait des étincelles claires entre des dizaines de roulettes tournant en engrenage. C'est moi qui ai découvert cette force mystérieuse, s'écria le vieil homme. Cela faisait de lui un grand savant !

Sans aucun doute, répondit Humboldt, mais…

Bonpland lui donna un coup dans les côtes. Le vieil homme tourna la manivelle plus énergiquement, les étincelles crépitaient de plus en plus fort, la tension était si forte que leurs cheveux se dressèrent sur leurs têtes.

Impressionnant, dit Humboldt, mais ce phénomène s'appelait le galvanisme et il était connu dans le monde entier. Lui-même avait là quelque chose qui produisait des effets identiques, mais avec une intensité bien plus grande. Il lui montra la bouteille de Leyde et lui expliqua comment, en la frottant avec une fourrure, on faisait jaillir des éclairs ramifiés fins comme un cheveu.

Le vieil homme se gratta le menton en silence.

Humboldt lui tapa sur l'épaule en lui souhaitant bonne chance pour la suite. Bonpland voulut lui remettre discrètement un peu d'argent, mais le vieil homme refusa.

Je ne pouvais pas le savoir, dit-il. On est si loin de tout.

Bien sûr, répondit Bonpland.

Le vieil homme se moucha et répéta qu'il ne pouvait pas le savoir. Jusqu'à ce qu'ils fussent hors de vue, ils le virent les suivre du regard, penché en avant sur le seuil de sa maison.

Ils arrivèrent à un étang. Bonpland se déshabilla, entra dans l'eau, hésita, poussa un gémissement et tomba de tout son long. Dans l'étang vivaient des anguilles électriques.

Trois jours plus tard, Humboldt nota d'une main engourdie les résultats de leurs expériences. Ces animaux pouvaient donner des secousses électriques à distance. La décharge ne produisait pas d'étincelle, l'électromètre n'indiquait rien, l'aiguille aimantée ne déviait pas ; bref, la décharge était reconnaissable uniquement à la douleur qu'elle provoquait. Si l'on saisissait l'anguille des deux mains ou si on la tenait d'une main, et de l'autre un morceau de métal, l'effet s'en trouvait renforcé. C'était le cas également lorsque deux personnes se tenaient par la main et que l'une des deux seulement touchait l'animal. Elles ressentaient alors la décharge au même moment, avec la même intensité. Seule la partie antérieure de l'anguille était dangereuse, les anguilles quant à elles étaient immunisées contre leurs propres décharges. Et elle était monstrueuse, cette douleur ; si violente qu'on ne comprenait pas ce qui se passait. Elle prenait la forme d'un engourdissement, d'un malaise général accompagné de vertiges, on ne s'en rendait compte qu'avec un certain retard, et elle s'intensifiait encore dans le souvenir qu'on en avait ; on la percevait comme quelque chose appartenant davantage au monde extérieur qu'à son propre corps.

Satisfaits, ils se remirent en route. Quel coup de chance, répétait Humboldt, quel cadeau ! Bonpland boitait, ses mains étaient devenues insensibles. Plusieurs jours après, des étincelles dansaient encore dans le champ visuel de Humboldt lorsqu'il fermait les yeux. Longtemps, ses genoux restèrent aussi raides que ceux d'un vieillard.

Dans les hautes herbes, ils trouvèrent une jeune fille évanouie, âgée de treize ans environ, aux vêtements déchirés. Bonpland lui versa quelques gouttes d'un médicament dans la bouche, elle cracha, toussa et se mit à crier. Tandis que Bonpland tentait de la calmer à grand renfort de paroles, Humboldt faisait les cent pas avec impatience. Figée d'effroi, elle les regardait l'un, puis l'autre. Bonpland lui passa la main sur la tête, elle éclata en sanglots. Quelqu'un avait dû lui faire subir des atrocités !

Quoi donc, demanda Humboldt.

Bonpland lui lança un regard appuyé.

Peu importe, répliqua Humboldt, ils devaient poursuivre leur route.

Bonpland donna de l'eau à la jeune fille qui but avec précipitation. Elle ne voulut rien manger. Il l'aida à se remettre debout. Sans manifester aucune reconnaissance, elle se dégagea brusquement et s'enfuit en courant.

La chaleur, sans doute, dit Humboldt. Les enfants se perdaient et après ils s'évanouissaient.

Bonpland le dévisagea pendant un moment. Oui, finit-il par dire. Sans doute.

Dans la ville de San Fernando, ils vendirent leurs mulets et achetèrent un large bateau à voiles avec un appentis en bois, des vivres pour un mois et des fusils fiables. Humboldt se renseigna pour trouver des gens ayant l'expérience du fleuve. On lui indiqua quatre hommes assis devant une taverne. L'un d'eux portait un haut-de-forme, un autre serrait un bout de roseau au coin des lèvres, un autre encore était bardé de bijoux en laiton, et le quatrième était blême, arrogant et ne soufflait mot.

Humboldt leur demanda s'ils connaissaient le canal entre l'Orénoque et l'Amazone.

Evidemment, répondit l'homme au chapeau.

J'ai déjà navigué dessus, ajouta l'homme aux bijoux.

Moi aussi, fit l'homme au chapeau. Mais il n'existait pas. Une simple rumeur.

Humboldt, perplexe, se taisait. Peu importe, dit-il finalement, il voulait mesurer ce canal, il avait besoin de rameurs expérimentés.

L'homme au chapeau demanda ce qu'ils y gagneraient.

Argent et savoir.

Le troisième homme enleva avec deux doigts le roseau de sa bouche. L'argent, dit-il, c'est mieux que le savoir.

Bien mieux, ajouta l'homme au chapeau. D'ailleurs, la vie est diablement courte, pourquoi la mettre en jeu ?

Parce qu'elle est courte, répliqua Bonpland.

Les quatre hommes se dévisagèrent, puis ils tournèrent leurs regards vers Humboldt. Ils s'appelaient Carlos, Gabriel, Mario et Julio, dit l'homme au chapeau, et ils étaient bons, mais pas bon marché.

D'accord, dit Humboldt.

Sur le chemin de l'auberge, un chien de berger au poil hérissé le suivit. Humboldt s'arrêta, le chien se rapprocha et appuya son museau contre sa chaussure. Lorsque Humboldt le gratta doucement derrière les oreilles, le chien fit un rot, puis il poussa des couinements joyeux, recula et gronda contre Bonpland.

Ce chien me plaît, dit Humboldt. De toute évidence, il n'a pas de maître. Je l'emmène avec moi.

Le bateau était trop petit, répondit Bonpland. Le chien mordait et il sentait mauvais.

On parviendrait bien à s'entendre, répliqua Humboldt, et il laissa le chien dormir dans sa chambre à l'auberge. Lorsque tous deux arrivèrent au bateau le lendemain matin, ils étaient déjà habitués l'un à l'autre, comme s'ils avaient toujours vécu ensemble.

Il n'a jamais été question d'un chien, dit Julio.

Plus au sud, dit Mario en redressant son haut-de-forme, là où les gens sont fous et parlent à l'envers, on trouve des chiens nains avec des ailes. Il les avait vus de ses yeux.

Moi aussi, dit Julio. Mais maintenant ils sont tous morts. Dévorés par les poissons parlants.

En soupirant, Humboldt détermina la position de la ville à l'aide du sextant et du chronomètre ; une fois de plus, les cartes étaient inexactes. Puis ils appareillèrent.

Ils laissèrent bientôt derrière eux les dernières traces de la colonie. Partout, ils voyaient des crocodiles qui flottaient sur l'eau comme des troncs d'arbres, somnolaient sur la rive et ouvraient grande leur gueule ; de petits hérons trottinaient à même leur dos. Le chien sauta dans l'eau, un crocodile nagea immédiatement vers lui, et lorsque Bonpland le hissa à bord du bateau, une de ses pattes saignait : un piranha l'avait mordu. Des lianes effleuraient la surface de l'eau, des troncs penchaient au-dessus du fleuve.

Ils amarrèrent le bateau et, tandis que Bonpland ramassait des plantes, Humboldt fit une promenade. Il marcha sur des racines, se fraya un chemin entre les troncs, écarta de son visage les fils d'une toile d'araignée. Il préleva des fleurs sur les arbustes, brisa d'un geste habile le dos d'un papillon particulièrement beau qu'il déposa tendrement dans sa boîte à herboriser.

C'est alors seulement qu'il remarqua le jaguar en face de lui.

L'animal leva la tête et le regarda. Humboldt fit un pas de côté. Sans bouger, l'animal retroussa une de ses babines. Humboldt se figea. Après un très long moment, le jaguar posa sa tête sur ses pattes de devant. Humboldt fit un pas en arrière. Puis un autre. Le jaguar le regardait attentivement, sans lever la tête. Sa queue s'agitait pour écraser une mouche. Humboldt se retourna. Il prêta l'oreille, mais n'entendit rien derrière lui. En retenant son souffle, les bras le long du corps, la tête penchée sur la poitrine et le regard fixé sur ses pieds, il s'en alla. Lentement, pas à pas, puis de plus en plus vite. Il ne devait pas trébucher, ni regarder en arrière. Et puis, il ne put s'en empêcher, il se mit à courir. Des branches lui fouettaient le visage, un insecte s'écrasa contre son front, il fit un faux pas, se rattrapa à une liane, une manche resta accrochée et se déchira, il écartait les branches sur son passage. Il arriva au bateau en sueur, le souffle court.

On appareille immédiatement, dit-il d'une voix haletante.

Bonpland saisit le fusil, les rameurs se levèrent.

Non, dit Humboldt, on appareille !

Nous avons des armes de qualité, répliqua Bonpland. On pourrait abattre la bête et on aurait un joli trophée.

Humboldt fit non de la tête.

Mais pourquoi ?

Le jaguar m'a laissé partir, répondit Humboldt.

Bonpland murmura quelques mots au sujet de la superstition et largua les amarres. Les rameurs ricanèrent. A peine avaient-ils atteint le milieu du fleuve que Humboldt n'arrivait déjà plus à s'expliquer la peur qu'il avait ressentie. Il décida de consigner dans son journal de bord les événements tels qu'ils auraient dû se passer : il prétendrait qu'ils étaient retournés dans le sous-bois, prêts à tirer, mais qu'ils n'avaient pas trouvé l'animal.

Avant qu'il eût fini d'écrire, une pluie torrentielle s'abattit sur eux. Le bateau se remplit d'eau, ils le dirigèrent vers la rive en toute hâte. Là les attendait, nu, barbu et à peine reconnaissable sous la crasse, un homme : ceci était sa plantation et, moyennant rétribution, ils pourraient y passer la nuit.

Humboldt paya et demanda où était la maison.

L'homme répondit qu'il n'en avait pas. Il s'appelait don Ignacio, noble castillan, et le monde entier était sa maison. Voilà d'ailleurs son épouse et sa fille.

Humboldt s'inclina devant les deux femmes nues, sans savoir où porter son regard. Les rameurs fixèrent aux arbres des bâches en tissu et se blottirent dessous.

Don Ignacio demanda s'ils avaient encore besoin de quelque chose.

Pas pour le moment, répondit Humboldt, épuisé.

Aucun de ses hôtes, dit don Ignacio, ne manquerait jamais de quoi que ce soit. Avec dignité, il fit demi-tour et s'en alla. La pluie perlait sur sa tête et ses épaules. Il flottait dans l'air une odeur de fleur, de terre humide et de fumier.

Parfois, dit Bonpland d'un air songeur, il n'arrivait pas à comprendre ce qu'il faisait là. Infiniment loin de chez lui, sans mission aucune, tout cela à cause d'un Prussien qu'il avait rencontré dans une cage d'escalier.

Humboldt mit longtemps à trouver le sommeil. Les rameurs ne cessaient de se murmurer des histoires embrouillées qui s'enracinaient dans sa conscience. Et chaque fois qu'il parvenait, malgré tout, à faire abstraction des maisons volantes, des femmes-serpents menaçantes et des combats à mort, il voyait les yeux du jaguar. Attentifs, intelligents, sans pitié. Puis il se réveillait et entendait de nouveau la pluie, le bruit des hommes et les grondements inquiets du chien. A un moment donné, Bonpland arriva, s'enroula dans sa couverture et s'endormit aussitôt. Humboldt ne l'avait pas entendu partir.

Le lendemain matin, le soleil était haut dans le ciel et il semblait ne jamais avoir plu, don Ignacio leur fit ses adieux à la manière d'un châtelain. Ils seraient toujours les bienvenus ! Sa femme fit une révérence, sa fille caressa le bras de Bonpland. Celui-ci lui posa la main sur l'épaule et écarta une mèche de cheveux de son visage.

Le vent était chaud comme s'il sortait d'un four. Sur la rive, la végétation se faisait plus dense. Sous les arbres se trouvaient des œufs blancs de tortue ; des lézards s'accrochaient à la coque du bateau, tels des ornements en bois. Des reflets d'oiseaux passaient sans cesse au-dessus de l'eau, même lorsque le ciel était vide.

Un étrange phénomène optique, dit Humboldt.

Cela n'avait rien à voir avec l'optique, répliqua Mario. Les oiseaux mouraient sans arrêt, à chaque instant, à vrai dire ils ne faisaient pas grand-chose d'autre. Leurs esprits continuaient à vivre dans les reflets. Il fallait bien qu'ils aillent quelque part, puisque le ciel n'en voulait pas.

Et les insectes ? demanda Bonpland.

Eux, ils ne mouraient jamais. C'était bien ça le problème.

Et, en effet, il y avait de plus en plus de moustiques. Ils surgissaient des arbres, du ciel et de l'eau. Ils arrivaient de toutes parts, ils remplissaient l'air de leur bourdonnement, ils piquaient, suçaient, et pour chaque moustique que l'on tuait il en venait des centaines d'autres. Le visage des hommes saignait sans arrêt. Même d'épais tissus jetés sur leurs têtes n'apportaient aucun soulagement, les insectes les piquaient tout simplement à travers.

Le fleuve, dit Julio, ne tolérait pas la présence des hommes. Aguirre, avant qu'il ne vienne jusque-là, était sain d'esprit. C'était là seulement qu'il avait eu l'idée de se déclarer empereur.

Un meurtrier fou à lier, ce premier explorateur de l'Orénoque ! C'était logique, dit Bonpland.

Ce triste sire n'avait rien exploré du tout, répliqua Humboldt. Pas plus qu'un oiseau n'explorait l'air ou un poisson, l'eau.

Ou un Allemand, l'humour, dit Bonpland.

Humboldt le regarda en fronçant les sourcils.

C'est juste une plaisanterie, dit Bonpland.

Mais une plaisanterie injuste. Un Prussien pouvait très bien rire, lui aussi. On riait beaucoup en Prusse. Il suffisait de penser aux romans de Wieland ou aux excellentes comédies de Gryphius. Herder aussi savait bien placer un mot d'esprit.

Je n'en doute pas, dit Bonpland par lassitude.

Alors tout va bien, fit Humboldt en grattant doucement le pelage du chien qui saignait à cause des piqûres d'insectes.

Ils arrivèrent sur l'Orénoque. Le fleuve était si large que l'on croyait naviguer sur la mer : au loin se dessinaient, tel un mirage, les forêts de l'autre rive. Il n'y avait presque plus d'oiseaux aquatiques. Le ciel semblait vibrer de chaleur.

Au bout de quelques heures, Humboldt découvrit que des puces s'étaient enfoncées dans la peau de ses orteils. Ils durent interrompre leur traversée ; tandis que Bonpland classait les plantes, Humboldt, assis sur une chaise pliante, les pieds dans une cuvette remplie de vinaigre, traçait des cartes reproduisant le cours du fleuve. *Pulex penetrans*, la chique de son nom usuel. Il la décrirait, dit-il, mais sans faire aucune allusion, pas même dans son journal, au fait qu'elle l'avait attaqué, lui.

Cela n'a pourtant rien de grave, dit Bonpland.

Il avait beaucoup réfléchi aux principes de la renommée, répondit Humboldt. Un homme dont on savait que des puces avaient logé sous ses ongles de pied n'était plus pris au sérieux par personne. Quoi qu'il ait accompli par ailleurs.

Le lendemain survint une fâcheuse aventure. A un endroit particulièrement large, où l'on ne voyait plus aucune des deux rives, le vent retourna la voile, le bateau pencha, une vague entra, des dizaines de feuilles de papier flottaient déjà dans le fleuve. Le bateau pencha davantage, si bien que l'eau leur monta jusqu'aux genoux, le chien glapissait, les hommes voulaient sauter par-dessus bord. Humboldt se leva d'un bond, détacha en un éclair sa ceinture avec le chronomètre et s'écria d'une voix d'officier : Que personne ne bouge ! Le courant faisait tournoyer le bateau, la voile claquait inutilement d'un côté puis de l'autre, les dos gris de plusieurs crocodiles se rapprochaient.

Bonpland s'offrit à nager jusqu'à la rive pour chercher de l'aide.

Il n'y avait aucun secours possible, répliqua Humboldt tout en tenant la ceinture au-dessus de sa tête. Au cas où quelqu'un ne l'avait pas remarqué, c'était la forêt vierge. On ne pouvait rien faire d'autre qu'attendre.

Et en effet, au dernier moment, le vent s'engouffra dans la voile et le bateau se redressa lentement.

On écope, hurla Humboldt.

En pestant les uns contre les autres, les rameurs se mirent au travail avec des pots, des bonnets et des gobelets. Peu de temps après, le bateau était de nouveau droit. Des feuilles de papier, des plantes séchées, des plumes pour écrire et des livres flottaient sur le fleuve. Au loin, comme pressé de partir, un haut-de-forme s'en allait à la dérive.

Parfois, dit Bonpland, il doutait de pouvoir un jour rentrer chez lui.

C'était on ne peut plus réaliste, répondit Humboldt tout en s'assurant que les chronomètres n'étaient pas abîmés.

Ils arrivèrent aux cataractes de sinistre réputation. Le fleuve était jonché de rochers, l'eau écumait tellement qu'elle semblait bouillir. Il était impossible de continuer avec le bateau et tout son chargement. Les jésuites de la mission locale, lourdement armés, carrés d'épaules et ressemblant davantage à des soldats qu'à des prêtres, les accueillirent avec méfiance. Humboldt alla vers le responsable de la mission, un homme maigre au teint jaune et fiévreux, et il lui montra son passeport.

Bien, dit le père Zea. Il cria un ordre par la fenêtre, peu après six ecclésiastiques amenèrent deux indigènes. Ces hommes méritants, dit le père Zea, et qui connaissaient les cataractes mieux que personne, s'étaient portés volontaires pour faire passer à travers les rapides un canot adapté. Ses hôtes devaient attendre qu'il soit à leur disposition en aval du fleuve, puis ils pourraient se remettre en route. Il fit un geste de la main, ses hommes emmenèrent les deux indigènes et les mirent aux fers.

Il lui en était très reconnaissant, dit prudemment Humboldt. Mais il ne pouvait accepter cela.

Comment ça, s'écria le père Zea, cela ne signifiait rien, ces gens étaient imprévisibles, voilà tout. Ils se portaient volontaires, et soudain on ne les trouvait plus nulle part. Il faut dire qu'ils se ressemblaient tous tellement !

On apporta le canot en question. Il était si étroit qu'ils seraient obligés de s'asseoir les uns derrière les autres, sur les caisses contenant leurs instruments.

Plutôt un mois en enfer, dit Bonpland, que cela !

Il aurait les deux, promit le père Zea. L'enfer et le canot.

Le soir, on leur servit leur premier bon repas depuis des semaines, et même du vin espagnol. A travers la fenêtre, ils entendaient les voix des rameurs qui parlaient tous en même temps, sans pouvoir s'accorder sur le déroulement d'une histoire.

Il avait l'impression, dit Humboldt, qu'ici on racontait sans arrêt toutes sortes de choses. Quel était l'intérêt de débiter continuellement des biographies inventées dont on ne pouvait même pas tirer de leçon ?

On a tout essayé, répondit le père Zea. Dans l'ensemble des colonies, il était interdit de mettre par écrit des histoires inventées. Mais les gens étaient têtus, et le pouvoir sacré de l'Eglise avait lui aussi ses limites. Cela tenait au pays. Le baron avait-il encore connu le célèbre La Condamine ?

Humboldt fit non de la tête.

Moi oui, répliqua Bonpland. Un vieil homme, qui s'était disputé avec les serveurs du Palais-Royal.

Celui-là même, dit le père. Ici, il y avait encore tel ou tel vieillard qui se souvenait de lui. Et aussi une femme qui, à cause d'une poudre donnée par un sorcier, vieillissait sans pouvoir mourir ; un spectacle effroyable au demeurant. Leurs histoires valaient la peine d'être entendues. Pouvait-il en raconter une ?

Humboldt soupira.

A l'époque, dit le père Zea, l'Académie avait envoyé ses trois meilleurs arpenteurs, La Condamine, Bouguer et Godin, pour déterminer la longitude du méridien à l'équateur. Pour des raisons d'ordre esthétique, principalement, on avait voulu réfuter la laide théorie de Newton selon laquelle la Terre s'aplatissait par rotation. Le père Zea fixa la table durant quelques secondes, l'air concentré. Un insecte gigantesque atterrit sur son front. D'instinct, Bonpland leva la main, puis il s'arrêta et la reposa.

Mesurer l'équateur, reprit le père Zea. Autrement dit, tracer une ligne là où il n'y en avait jamais eu. Avaient-ils regardé autour d'eux, à l'extérieur ? Des lignes, il y en avait ailleurs. De son bras maigre, il montra la fenêtre, les buissons, les plantes assaillies par les insectes. Mais pas ici !

Des lignes, il y en avait partout, dit Humboldt. C'était une abstraction. Là où existait l'espace en soi, il existait des lignes.

L'espace en soi était ailleurs, répliqua le père Zea.

L'espace était partout !

Partout, c'était un mot inventé. Et l'espace en soi existait là où les arpenteurs l'amenaient. Le père Zea ferma les yeux, leva son verre de vin et le reposa sans y avoir touché. Ces trois hommes avaient travaillé avec une précision inimaginable, mais leurs données n'avaient jamais concordé. Deux minutes d'angle sur l'instrument de La Condamine en faisaient trois sur celui de Bouguer, un demi-degré dans la lunette de Godin en faisait un et demi dans celle de La Condamine. Pour tracer leur ligne, ils avaient dû recourir aux mesures astronomiques, car à l'époque ce genre de montre transportable, bien pratique – le père regarda d'un air moqueur le chronomètre fixé à la ceinture de Humboldt –, n'existait pas. Les choses n'avaient pas encore l'habitude d'être mesurées. Trois pierres et trois feuilles ne représentaient pas la même quantité, quinze grammes de petits pois et quinze grammes de terre n'avaient pas le même poids. A cela s'ajoutaient la chaleur, l'humidité, les moustiques, le bruit incessant des affrontements entre animaux. Une rage aveugle s'était emparée des hommes. La Condamine, pourtant si bien élevé, avait déréglé les instruments de mesure de Bouguer qui avait à son tour cassé les crayons de Godin. Ils s'étaient disputés quotidiennement, jusqu'au jour où Godin avait sorti son épée et s'était enfui dans la forêt vierge. La même chose s'était produite quelques semaines plus tard entre Bouguer et La Condamine. Le père Zea joignit les mains. Qu'ils s'imaginent un peu : des messieurs si raffinés, portant perruque carrée, lorgnon et mouchoirs parfumés ! C'était La Condamine qui avait tenu le plus longtemps. Huit ans dans la forêt, protégé seulement par une poignée de soldats atteints de la fièvre. Il avait ouvert des percées dans la végétation – qui avait repoussé dès qu'il s'était retourné –, abattu des arbres qui, la nuit suivante, se dressaient à nouveau dans le ciel, et malgré tout, avec obstination, il avait peu à peu tendu un réseau de nombres sur la nature récalcitrante. Il avait tracé des triangles dont la somme des angles se rapprochait progressivement des cent quatre-vingts degrés, et il avait mesuré par triangulation des arcs dont la courbure avait même fini par résister à la vibration de l'air. C'est alors qu'il avait reçu une lettre de l'Académie. La bataille était perdue, les preuves allaient dans le sens de Newton, la Terre était aplatie, et tout son travail inutile.

Bonpland but au goulot une grande gorgée de vin. Il semblait avoir oublié qu'il y avait des verres et que cela ne se faisait pas. Humboldt lui lança un regard réprobateur.

Ainsi, dit le père Zea, cet homme brisé était tout simplement rentré chez lui. Il avait voyagé pendant quatre mois, le long d'un fleuve qui n'avait pas encore de nom et qu'il avait baptisé seulement plus tard Amazone. En chemin, il avait dessiné des cartes, donné des noms aux montagnes, noté la température, recensé les espèces de poissons, d'insectes, de serpents et d'hommes. Non que cela l'eût intéressé, mais pour ne pas perdre la raison. Plus tard, à Paris, il n'avait jamais parlé de ces choses dont se souvenait encore l'un ou l'autre de ses soldats : les sons gutturaux et les tirs parfaitement ciblés de flèches empoisonnées en provenance du sous-bois, les apparitions lumineuses la nuit, et surtout ces décalages infimes dans la réalité, lorsque le monde faisait, par instants, un pas dans l'irréel. Alors les arbres ressemblaient encore à des arbres, l'eau tourbillonnant paresseusement à de l'eau, mais derrière ces apparences trompeuses on avait reconnu, en frissonnant d'horreur, une autre réalité. Durant cette période, La Condamine avait également trouvé le canal dont parlait le dément Aguirre. La liaison des deux plus grands fleuves du continent.

Je prouverai qu'elle existe, dit Humboldt. Tous les grands fleuves sont reliés. La nature est un tout.

Ah oui ? Le père Zea dodelina de la tête d'un air sceptique : Des années plus tard, lorsque La Condamine, devenu depuis longtemps membre de l'Académie, âgé et célèbre, se réveillait moins souvent en criant et était même parvenu, disait-on, à croire de nouveau en Dieu, il avait déclaré que le canal était une illusion. Il n'existait pas, avait-il dit, de liaison entre les grands fleuves à l'intérieur des terres ; ce genre de choses aurait jeté le continent dans un chaos qu'il ne méritait pas. Le père Zea se tut un moment, puis il se leva et s'inclina. Faites de beaux rêves, baron. Et réveillez-vous bien !

Au petit matin, des cris de douleur les tirèrent de leur sommeil. L'un des hommes enchaînés dans la cour était fouetté par deux prêtres avec des lanières de cuir. Humboldt accourut et demanda ce qui se passait.

Rien, répondit l'un des prêtres. Pourquoi ?

Une très vieille affaire, dit l'autre prêtre. Cela n'avait rien à voir avec la poursuite de leur voyage. Il donna un coup de pied à l'Indien qui mit un moment à comprendre, puis confirma en mauvais espagnol que c'était une très vieille affaire qui n'avait rien à voir avec leur voyage.

Humboldt hésita. Bonpland, qui les avait rejoints, le regarda d'un air de reproche. Mais il fallait bien qu'ils poursuivent leur route, dit Humboldt à voix basse. Qu'est-ce qu'il devait donc faire ?

Le père Zea les appela et leur montra son bien le plus précieux : un perroquet ébouriffé qui disait quelques phrases dans l'idiome d'une tribu disparue. Vingt ans plus tôt, ces gens existaient encore, mais à présent il n'en restait plus un seul et personne ne comprenait ce que l'oiseau baragouinait.

Humboldt tendit la main, le perroquet alla y picorer, regarda par terre comme s'il devait réfléchir, secoua ses ailes et dit quelque chose d'incompréhensible.

Bonpland voulut savoir pourquoi cette tribu avait disparu.

Cela arrive, répondit le père Zea.

Comment ça ?

Le père Zea le scruta en plissant les yeux. Pour eux c'était facile, évidemment. Ils venaient ici et s'apitoyaient sur tous ceux qui avaient l'air triste, et, de retour chez eux, ils pouvaient raconter des histoires horribles. Mais quand on devait tout à coup gouverner dix mille sauvages avec cinquante hommes, quand on se demandait chaque nuit ce que signifiaient les voix dans la forêt, et que chaque matin on s'étonnait d'être encore en vie, on voyait peut-être les choses autrement.

Un malentendu, dit Humboldt. Personne n'avait voulu critiquer quoi que ce soit.

Peut-être bien que si, répliqua Bonpland. Il y avait quand même deux ou trois choses qu'il aimerait bien savoir. Il s'arrêta, il n'arrivait pas à croire que Humboldt venait de lui donner un coup de pied. L'oiseau les contemplait l'un et l'autre tour à tour, puis il se remit à parler et les regarda, plein d'espoir.

Exact, répondit Humboldt qui ne voulait pas être impoli.

L'oiseau sembla réfléchir, puis il ajouta une longue phrase.

Humboldt tendit la main, l'oiseau lui donna des coups de bec et se détourna, vexé.

Tandis que les deux Indiens faisaient passer le canot à travers les cataractes, Humboldt et Bonpland escaladaient les falaises de granit au-dessus de la mission. Au sommet se trouvait, paraît-il, une vieille grotte funéraire. On ne savait pas où poser les pieds, seuls des cristaux de feldspath en saillie offraient une prise. Lorsqu'ils furent arrivés en haut, Humboldt, avec une concentration qui faiblissait seulement lorsqu'il devait à nouveau tuer des moustiques, rédigea un morceau de prose parfaite sur le spectacle des rapides, l'arc-en-ciel qui s'élevait au-dessus du fleuve, les reflets argentés et humides des lointains. Puis ils marchèrent en équilibre sur l'arête rocheuse jusqu'au sommet voisin et à l'entrée de la caverne.

Il devait y avoir des centaines de cadavres, chacun dans sa corbeille en feuilles de palmier, les mains osseuses entourant les genoux, la tête appuyée contre le thorax. Les plus vieux s'étaient déjà complètement transformés en squelettes, les autres se trouvaient à divers stades de décomposition : lambeaux de peau parcheminée, masses d'entrailles desséchées, yeux noirs et petits comme des noyaux de fruit. Sur beaucoup de corps, on avait raclé la chair qui restait sur les os. Le bruit du fleuve ne montait pas jusque-là ; c'était si calme qu'ils entendaient leur propre respiration.

C'est paisible ici, dit Bonpland, pas comme dans l'autre grotte. Là-bas, il y avait des morts, ici juste des corps. Ici, on se sentait en sécurité.

Humboldt tira plusieurs cadavres de leur corbeille, il détacha le crâne de la colonne vertébrale, arracha des dents de la mâchoire inférieure et retira les bagues des doigts. Il enveloppa un cadavre d'enfant et ceux de deux adultes dans des draps et les ficela si solidement ensemble que l'on pouvait porter le paquet à deux.

Bonpland lui demanda s'il était sérieux.

Qu'il vienne donc l'aider, dit Humboldt avec impatience, il n'arriverait pas à les transporter seul jusqu'aux mulets !

Ils atteignirent la mission à une heure tardive. La nuit était claire, les étoiles particulièrement brillantes, des nuées d'insectes répandaient une lumière rougeâtre, l'air sentait la vanille. Les Indiens reculèrent silencieusement. De vieilles femmes à leurs fenêtres ouvraient de grands yeux, des enfants s'enfuyaient en courant. Un homme au visage peint leur barra le chemin et demanda ce qu'il y avait dans les draps.

Différentes choses, dit Humboldt. De ceci et de cela.

Des prélèvements de roches, dit Bonpland. Des plantes.

L'homme croisa les bras.

Des os, dit Humboldt.

Bonpland tressaillit.

Des os ?

De crocodile et de vache marine, ajouta Bonpland.

De vache marine, répéta l'homme.

Humboldt lui demanda s'il voulait les voir.

Il ne valait mieux pas. L'homme fit un pas de côté, l'air hésitant. Il aimait autant les croire.

Les deux jours suivants, ils n'eurent pas la tâche facile. Ils ne trouvèrent aucun guide indien qui veuille bien leur montrer la région, et même les jésuites étaient toujours pressés lorsque Humboldt leur adressait la parole. Ces gens sont tellement superstitieux, écrivit-il à son frère ; on voyait quel long chemin il restait à parcourir pour accéder à la liberté et à la raison. Pour sa part au moins, il avait réussi à capturer quelques petits singes qu'aucun biologiste n'avait encore décrits.

Le troisième jour, les deux volontaires avaient conduit sans dommages le bateau à travers les rapides en ne se blessant que légèrement. Humboldt leur donna un peu d'argent et quelques billes de verre, puis il fit charger les caisses contenant leurs instruments, les cages avec les singes ainsi que les cadavres, et il prit congé du père Zea en l'assurant de toute sa reconnaissance, aussi longtemps qu'il vivrait.

Qu'il soit prudent, dit le père. Faute de quoi cela ne signifierait pas grand-chose.

Les quatre rameurs se joignirent à eux, et il y eut une violente discussion au sujet du chargement. D'abord le chien, et maintenant ça ! Julio montra du doigt le paquet en tissu avec les cadavres.

Humboldt leur demanda s'ils avaient peur.

Evidemment, dit Julio.

Mais de quoi, demanda Bonpland. Que tout d'un coup ils se réveillent ?

Précisément, répondit Julio.

En tout cas, dit Carlos, cela allait leur revenir cher.

Au-delà des cataractes, le fleuve était encore très étroit et des rapides projetaient le bateau en tous sens. L'écume imbibait l'air, des rochers passaient dangereusement près, à toute vitesse. Les moustiques étaient sans pitié : on aurait dit que le ciel n'existait plus et qu'il avait été remplacé par des insectes. Bientôt, les hommes renoncèrent à les tuer. Ils s'étaient habitués à saigner continuellement.

A la mission suivante, on leur donna à manger du pâté de fourmi. Bonpland refusa, Humboldt en goûta un peu. Puis il s'excusa et disparut un moment dans le sous-bois. Ce n'était pas inintéressant, dit-il à son retour. On avait là, malgré tout, un moyen de résoudre de futurs problèmes alimentaires.

Ici, il n'y avait pas âme qui vive, dit Bonpland. La seule chose qui existait en quantité suffisante, c'était la nourriture !

Le chef du village demanda ce que les ballots de tissu contenaient. Il avait un terrible pressentiment.

Des os de vache marine, répondit Bonpland.

Cela n'en avait pas l'odeur, dit le chef du village.

Bon d'accord, s'écria Humboldt, je l'admets. Mais ces morts étaient déjà si vieux que l'on ne pouvait plus, à vrai dire, parler de cadavres. Après tout, la planète entière était composée de corps sans vie ! Chaque poignée de terre avait été un homme autrefois, et un autre encore auparavant, chaque once d'air avait été respirée des milliers de fois par des personnes mortes depuis. Qu'est-ce qu'ils avaient donc tous, où était le problème ?

C'était juste une question, répondit timidement le chef de village.

Pour lutter contre les attaques de moustiques, les habitants du village avaient construit des huttes en torchis avec une entrée que l'on pouvait refermer. A l'intérieur, on allumait un feu qui chassait les insectes, puis on se glissait dans la hutte, on calfeutrait l'entrée, on éteignait le feu et on pouvait rester quelques heures dans l'air chaud sans se faire piquer. Dans l'une de ces huttes, Bonpland classa si longuement les plantes ramassées qu'il s'évanouit sous l'effet de la fumée. Juste à côté, Humboldt, toussant et à moitié aveugle, le chien râlant près de lui, écrivait à son frère. Lorsqu'ils ressortirent en plissant les yeux, la puanteur collée à leurs vêtements, reprenant péniblement leur souffle, un homme accourut vers eux ; il voulait lire dans les lignes de leurs mains. Il était nu, le corps bariolé, et il portait des plumes sur la tête. Humboldt refusa, Bonpland était intéressé. Le voyant saisit ses doigts, leva les sourcils et regarda sa paume d'un air amusé.

Ah, dit-il comme s'il se parlait à lui-même, ah ah.

Oui ?

Le voyant dodelina de la tête. Evidemment, on n'était sûr de rien. Les choses pouvaient évoluer dans un sens ou dans un autre. Chacun était l'artisan de son bonheur. Qui pouvait connaître l'avenir !

Bonpland lui demanda nerveusement ce qu'il voyait.

Une longue vie. Le voyant haussa les épaules. Aucun doute là-dessus.

Et la santé ?

Bonne, dans l'ensemble.

Diable, s'écria Bonpland. Je veux savoir immédiatement ce que ce regard signifie.

Quel regard ? Une longue vie et la santé. C'était inscrit là, c'était ce qu'il avait dit. Est-ce que ce continent plaisait à Monsieur ?

Pourquoi ?

Il y resterait très longtemps.

Bonpland se mit à rire. Il en doutait. Une longue vie, et justement ici ? Certainement pas. A moins que quelqu'un ne l'y oblige.

Le voyant soupira et garda sa main encore un moment, comme pour lui donner du courage. Puis il se tourna vers Humboldt.

Celui-ci secoua la tête.

Cela ne coûtait presque rien !

Non, répliqua Humboldt.

D'un geste rapide, le voyant saisit la main de Humboldt. Il voulut la retirer, mais l'autre était plus fort que lui ; Humboldt, sous la contrainte, se prêta au jeu avec un sourire amer. Le voyant fronça les sourcils et tira sa main vers lui. Il se pencha en avant, puis se redressa. Plissa les yeux. Gonfla les joues.

Allez-y, dites-moi, s'écria Humboldt. Il n'avait pas que cela à faire. S'il y avait quelque chose de grave, cela lui était égal, de toute façon, il n'en croirait pas un mot.

Je ne vois rien de grave.

Alors quoi ?

Rien. Le voyant lâcha la main de Humboldt. Il était désolé, il ne voulait pas d'argent. Il avait échoué.

Je ne comprends pas, dit Humboldt.

Lui non plus. Il n'y avait rien de marqué. Pas de passé, pas de présent ni d'avenir. On ne voyait, pour ainsi dire, rien du tout. Le voyant contempla le visage de Humboldt. Personne !

Humboldt regarda fixement sa main.

Mais c'était absurde, évidemment. C'était sûrement sa faute. Peut-être qu'il perdait le don. Le voyant écrasa un moustique sur son ventre. Peut-être qu'il ne l'avait jamais eu.

Le soir, Humboldt et Bonpland laissèrent aux rameurs le chien de berger attaché et s'apprêtèrent à passer une nuit sans insectes dans les huttes enfumées. Aux premières heures du matin, Humboldt, trempé de sueur, les yeux brûlants et les pensées embrouillées par la fumée, réussit enfin à s'assoupir.

Un bruit le réveilla. Quelqu'un était entré dans sa hutte et s'était allongé à côté de lui. Encore, murmura-t-il en allumant d'un geste incertain la mèche de la bougie, et il vit que c'était un jeune garçon. Qu'est-ce que tu veux, demanda-t-il, qu'est-ce qu'il y a, qu'est-ce que cela signifie ?

L'enfant le dévisageait, de ses petits yeux d'animal.

Mais qu'est-ce qu'il y a, demanda Humboldt, quoi ?

Le garçon continuait à le fixer du regard. Il était complètement nu. Malgré la flamme qui dansait devant son visage, il ne clignait pas des yeux.

Mais qu'y a-t-il, chuchota Humboldt. Qu'est-ce que tu as, mon enfant ?

Le garçon se mit à rire.

La main de Humboldt tremblait tellement qu'il laissa tomber la bougie. Dans l'obscurité, il entendait leurs deux respirations. Il tendit la main pour chasser le garçon, mais lorsqu'il sentit sa peau humide il recula en tressaillant, comme s'il avait reçu une décharge électrique. Va-t'en, murmura-t-il.

Le garçon ne bougea pas.

Humboldt se leva d'un bond, se cogna la tête contre le plafond et donna un coup de pied au garçon, qui poussa un cri – depuis l'affaire des chiques, Humboldt gardait ses bottes pour dormir – et se recroquevilla. Humboldt lui redonna un coup qui l'atteignit à la tête, le garçon gémit doucement et se tut. Humboldt s'entendait haleter. Il voyait vaguement le corps inerte devant lui. Il le saisit par les épaules et le traîna au-dehors.

L'air de la nuit faisait du bien ; après l'épaisse fumée dans la hutte, il lui paraissait agréablement frais. D'un pas mal assuré, il alla jusqu'à la hutte voisine, où se trouvait Bonpland. Mais lorsqu'il entendit la voix d'une femme il s'arrêta. Il écouta attentivement, voilà qu'il l'entendait de nouveau. Il fit demi-tour, se glissa dans sa hutte, referma l'entrée. Des moustiques étaient entrés par le rideau resté ouvert un bref instant ; une chauve-souris affolée voletait au-dessus de sa tête. Mon Dieu, murmura-t-il. Puis, totalement épuisé, il sombra dans un sommeil agité.

A son réveil, il faisait grand jour, la chaleur était encore plus intense, la chauve-souris avait disparu. Dans une tenue impeccable, l'épée sur le côté et le chapeau sous le bras, il sortit à l'air libre. L'emplacement devant la hutte était vide. Son visage saignait en plusieurs endroits.

Bonpland demanda ce qu'il lui était arrivé.

Il avait tenté de se raser, dit Humboldt. Ce n'était pas parce qu'il y avait des moustiques que l'on devait se négliger, on était civilisé, tout de même. Il mit son chapeau et demanda à Bonpland s'il avait entendu quelque chose durant la nuit.

Rien de particulier, répondit prudemment Bonpland. Il faut dire qu'on entendait beaucoup de bruits dans l'obscurité.

Humboldt acquiesça. On rêvait les choses les plus étranges.

On ne pouvait pas écouter tout ce que l'on entendait, dit Bonpland.

Il fallait bien dormir, ajouta Humboldt.

Le lendemain, ils arrivèrent sur le río Negro ; sur ses eaux sombres, les moustiques se faisaient moins nombreux. L'air aussi y était meilleur. Mais la présence des cadavres gênait les rameurs, et

Humboldt lui-même était blême et silencieux. Bonpland gardait les yeux fermés. Il craignait, dit-il, que sa fièvre ne soit en train de revenir. Les singes criaient dans leurs cages, ils secouaient les barreaux et échangeaient des grimaces. L'un d'eux réussit même à ouvrir la porte, il fit des culbutes, importuna les rameurs, longea le bord du bateau, sauta sur l'épaule de Humboldt et cracha sur le chien qui grondait.

Mario demanda à Humboldt de raconter à son tour quelque chose.

Je ne connais aucune histoire, dit Humboldt en replaçant son chapeau que le singe avait retourné. Et puis il n'aimait pas en raconter. Mais il pouvait réciter le plus beau poème allemand, traduit librement en espagnol : Au-dessus des montagnes, c'était le silence, et dans les arbres aucun vent ne soufflait, les oiseaux aussi étaient calmes, et bientôt on serait mort*.

Tous regardèrent Humboldt.

C'est tout, dit-il.

Comment ça, c'est tout ? demanda Bonpland.

Humboldt saisit le sextant.

Désolé, dit Julio. Ça ne peut quand même pas s'arrêter là.

Bien sûr, ce n'était pas une histoire de sang, de guerres et de métamorphoses, répliqua Humboldt d'un air irrité. Il n'y avait pas de magie, personne ne se transformait en plante, personne ne volait dans les airs ou ne dévorait son prochain. D'un geste rapide, il empoigna le singe qui venait tout juste d'essayer de défaire ses chaussures, et le flanqua

* Le lecteur aura probablement reconnu le célèbre *Chant de nuit du voyageur* de Goethe, dans une version quelque peu simplifiée… Aucun doute, Goethe était plus doué. *(N.d.T.)*

dans sa cage. Le petit animal se mit à crier, tenta de le mordre, tira la langue, fit des grimaces et lui montra son arrière-train. Et sauf erreur de sa part, dit Humboldt, chacun d'eux avait assez à faire sur ce bateau !

A proximité de San Carlos, ils traversèrent l'équateur magnétique. Humboldt regarda les instruments avec recueillement. Enfant, il avait rêvé de cet endroit.

Vers le soir, ils atteignirent l'embouchure du canal légendaire. Des nuées de moustiques s'abattirent aussitôt sur eux. Mais avec la chaleur la brume se dissipa, le ciel s'éclaircit, et Humboldt put déterminer la longitude. Il travailla toute la nuit. Il mesura l'angle de l'orbite lunaire devant la Croix du Sud, puis, à titre de vérification, il fixa durant des heures au télescope les taches fantômes des lunes de Jupiter. Rien n'est fiable, dit-il au chien qui l'observait avec attention. Ni les éphémérides, ni les instruments, ni même le ciel. On devait être soi-même suffisamment précis pour ne donner aucune prise au désordre.

Ce n'est que dans les premières heures de la matinée qu'il eut terminé. Il frappa dans ses mains. Debout, pas de temps à perdre ! Une extrémité du canal était localisée, il fallait vite se rendre à l'autre.

Craignait-il que quelqu'un ne le devance ? demanda Bonpland, tout endormi. Au bout du monde, après des centaines d'années durant lesquelles ce satané fleuve n'avait intéressé personne ?

On ne sait jamais, répondit Humboldt.

La région ne figurait sur aucune carte, ils ne pouvaient que deviner dans quelle direction l'eau les entraînait. Sur la rive, les troncs d'arbres s'élevaient en rangs si serrés que l'on ne pouvait accoster, et toutes les deux ou trois heures une légère bruine humectait l'air sans apporter de fraîcheur ni chasser les insectes. La respiration de Bonpland produisait un sifflement.

Ce n'est rien, dit-il en toussant, il ignorait simplement si la fièvre était en lui ou dans l'air. En sa qualité de médecin, il recommandait de ne pas inspirer à fond. Il supposait que les forêts exhalaient des vapeurs nocives. Ou peut-être était-ce dû aux cadavres.

Exclu, dit Humboldt. Ce n'était pas dû aux cadavres.

Ils trouvèrent enfin un endroit où aborder. A l'aide de machettes et de haches, ils dégagèrent un petit emplacement pour y passer la nuit. Au-dessus des flammes de leur feu de camp crépitaient des moustiques en train d'éclater. Une chauve-souris mordit le nez du chien qui se mit à saigner abondamment, il tourna sur lui-même en grognant, il n'y avait pas moyen de le calmer. Il se réfugia sous le hamac de Humboldt et ses grondements les empêchèrent longtemps de s'endormir.

Le lendemain matin, Humboldt et Bonpland ne réussirent pas à se raser, leurs visages étant trop enflés à cause des piqûres. Lorsqu'ils voulurent rafraîchir leurs cloques dans le fleuve, ils remarquèrent que le chien n'était plus là. Humboldt chargea son fusil en hâte.

Ce n'était pas une bonne idée, dit Carlos. La forêt vierge n'était nulle part plus épaisse qu'ici, l'air trop humide pour les armes. Le chien avait été emporté par un jaguar, il n'y avait plus rien à faire.

Sans répondre, Humboldt disparut entre les arbres.

Neuf heures plus tard, ils étaient toujours là. Pour la dix-septième fois, Humboldt revint, but de l'eau, se lava dans le fleuve et voulut de nouveau repartir. Bonpland le retint.

Cela ne servait à rien, le chien était perdu.

Jamais de la vie, dit Humboldt. Il s'y opposait.

Bonpland lui posa la main sur l'épaule. Le chien était mort, bon sang !

Complètement mort, ajouta Julio.

Claqué pour de bon, dit Mario.

C'était en quelque sorte, dit Carlos, le chien le plus mort de tous les temps.

Humboldt les regarda tous, l'un après l'autre. Il ouvrit la bouche et la referma, puis il posa son fusil par terre.

Des jours entiers s'écoulèrent avant qu'ils n'aperçoivent une nouvelle colonie. Un missionnaire que le silence avait rendu idiot les salua en bégayant. Les hommes étaient nus et bariolés : certains s'étaient peint des fracs sur le corps, d'autres des uniformes qu'ils n'avaient jamais pu voir de leurs propres yeux. Le visage de Humboldt s'éclaira lorsqu'il apprit qu'à cet endroit on fabriquait du curare.

Le maître du curare était un personnage hiératique d'une maigreur sacerdotale. Voilà comment, expliqua-t-il, on grattait les branches, on broyait l'écorce sur une pierre, on faisait couler le jus – attention – dans un entonnoir en feuilles de bananier. Le plus important, c'était l'entonnoir. Il doutait que l'Europe ait jamais produit quelque chose d'aussi élaboré.

Certes, dit Humboldt. C'était incontestablement un entonnoir des plus respectables.

Et voilà comment, dit le maître, on faisait s'évaporer le liquide dans un récipient en argile – qu'ils soient prudents, de grâce, le simple fait de regarder présentait un danger – puis on y ajoutait une infusion concentrée à base de feuilles. Et ceci, il présenta le petit récipient en argile à Humboldt, était à présent le poison le plus violent de ce monde-ci et de tous les autres. Avec ça, on pouvait tuer des anges !

Humboldt demanda si on pouvait le boire.

On l'étalait sur des flèches, répondit le maître. Personne n'avait jamais essayé de le boire, on n'était pas fou.

Mais on pouvait manger aussitôt les animaux ainsi tués ?

En effet, dit le maître. C'était tout l'intérêt de la chose.

Humboldt regarda son index. Puis il le trempa dans le vase et le lécha.

Le maître poussa un cri.

Pas d'inquiétude, dit Humboldt. Son doigt était sain, sa cavité buccale également. Si l'on n'avait pas de plaie, le produit ne devait pas être toxique. Il fallait absolument étudier cette substance, il devait donc courir le risque. Il le priait d'ailleurs de l'excuser, il se sentait un peu faible. Il tomba à genoux et resta un moment assis par terre. Il se frotta le front et fredonna doucement. Puis il se leva avec précaution et il acheta au maître toutes ses réserves de curare.

Leur départ fut retardé d'une journée. Humboldt et Bonpland étaient assis l'un à côté de l'autre sur un tronc d'arbre renversé. Le regard de Humboldt était dirigé vers ses chaussures, et Bonpland répétait sans cesse la première strophe d'une comptine française. Ils savaient désormais comment on fabriquait le curare, à eux deux ils avaient prouvé que l'on pouvait en absorber une quantité étonnante sans rien ressentir d'autre qu'un léger vertige et des illusions d'optique, mais qu'on perdait connaissance dès lors qu'une infime quantité était injectée dans le sang, et qu'un cinquième de gramme suffisait à tuer un petit singe que l'on pouvait néanmoins sauver en soufflant avec force de l'air dans sa gueule tant que le poison paralysait ses muscles. Au bout d'une heure, l'effet s'atténuait, la capacité de bouger revenait progressivement et, hormis une légère mélancolie, tout avait disparu. C'est pourquoi ils crurent également à une hallucination lorsque les buissons s'ouvrirent brusquement et qu'un homme moustachu en chemise de lin et pourpoint de cuir, ruisselant de sueur mais maître de lui, se présenta devant eux. Il devait avoir une trentaine d'années, s'appelait Brombacher et était originaire de Saxe. Il n'avait, dit-il, aucun projet ni aucun but, il voulait simplement voir le monde.

Humboldt lui proposa de venir avec eux.

Brombacher refusa. Seul, on apprenait davantage de choses, et des Allemands, on en rencontrait de toute façon des quantités chez soi.

Humboldt, balbutiant, n'ayant plus l'habitude de sa langue maternelle, demanda à Brombacher le nom de sa ville natale, la hauteur du clocher de l'église et le nombre d'habitants.

Brombacher répondit avec calme et courtoisie : Bad Kürthing, cinquante-quatre pieds, huit cent trente-deux âmes. Il leur proposa des galettes de pâte sales qu'ils refusèrent. Il parla des sauvages, des animaux et des nuits solitaires dans la forêt vierge. Peu après, il se leva, souleva son chapeau, s'en alla à pas lourds et le feuillage se referma derrière lui. De toutes les histoires insensées qu'il avait vécues, écrivit Humboldt le lendemain à son frère, cette rencontre avait été la plus étrange. Il se demanderait toujours si elle avait réellement eu lieu ou s'il s'agissait d'un dernier effet du poison sur leur imagination.

Vers le soir, le curare avait perdu de son intensité, si bien qu'ils purent de nouveau se déplacer et qu'ils commencèrent même à avoir faim. Au-dessus d'un feu, les habitants de la mission retournaient sur des broches une tête d'enfant, trois mains minuscules et quatre petits pieds aux orteils clairement reconnaissables.

Ce n'étaient pas des êtres humains, expliqua le missionnaire ; on empêchait cela quand on le pouvait. Seulement des petits singes de la forêt.

Bonpland refusa d'en goûter. Humboldt prit une main avec hésitation et mordit dedans. Ce n'était pas mauvais, mais il était mal à l'aise. Cela vexerait-il les gens s'il ne finissait pas ?

Le missionnaire, la bouche pleine, fit non de la tête. Ça n'intéressait personne !

Dans la nuit, le bruit des voix d'animaux les empêcha de dormir. Les singes, enfermés dans leurs cages, martelaient les grilles et ne cessaient de crier. Humboldt rédigea le début d'une réflexion sur les sons nocturnes de la forêt et la vie animale, qu'il fallait considérer comme une lutte permanente et donc comme l'inverse du paradis.

Je soupçonne le missionnaire d'avoir menti, dit Bonpland.

Humboldt leva les yeux.

Cet homme vivait ici depuis longtemps, dit Bonpland. La forêt vierge était puissante ; il avait sans doute eu honte, d'où ses protestations. Les gens d'ici mangeaient de la chair humaine, c'était ce qu'avait dit le père Zea, et tout le monde le savait. Qu'est-ce qu'un missionnaire pouvait faire, à lui tout seul, contre ça ?

C'est ridicule, dit Humboldt.

Mais si, répliqua Julio. Ça semble logique.

Humboldt se tut un moment. Il les priait de l'excuser. Ils étaient tous déjà très éprouvés. Il le comprenait parfaitement. Mais si quelqu'un laissait entendre une fois encore que le filleul du duc de Brunswick avait mangé de la chair humaine, il se servirait de son fusil.

Bonpland se mit à rire.

Je suis sérieux, répliqua Humboldt.

Quand même pas, dit Bonpland.

Absolument.

Il y eut un silence oppressant. Bonpland inspira profondément, mais il ne dit rien. L'un après l'autre, ils se tournèrent vers le feu et firent semblant de dormir.

A partir de là, la fièvre de Bonpland s'aggrava. De plus en plus souvent, il se levait la nuit et s'affaissait en gloussant après quelques pas. Un jour, Humboldt eut l'impression que quelqu'un se penchait au-dessus de lui. Il reconnut vaguement le visage de Bonpland, qui montrait les dents, une machette à la main. Il réfléchit en toute hâte. On rêvait ici des choses étranges, il ne le savait que trop bien. Il avait besoin de Bonpland, il devait lui faire confiance. C'était donc un rêve. Il ferma les yeux et se força à rester couché sans bouger, jusqu'au moment où il entendit un bruit de pas. Lorsqu'il battit à nouveau des paupières, Bonpland était allongé à côté de lui, les yeux fermés.

Durant la journée, les heures se fondaient les unes dans les autres ; le soleil en feu semblait suspendu au-dessus du fleuve, on avait mal aux yeux en le regardant, les moustiques attaquaient de toutes parts, même les rameurs étaient trop épuisés pour parler. Pendant un moment, une sphère métallique les suivit, vola devant eux puis à nouveau derrière en glissant silencieusement dans le ciel, disparut, réapparut et, durant quelques minutes, vint si près d'eux que Humboldt put distinguer à la longue-vue le reflet courbe du fleuve, de leur embarcation et sa propre image sur la surface étincelante. Puis la sphère s'éloigna à toute vitesse et ne revint plus jamais.

Par un temps clair, ils atteignirent le bout du canal. Au nord s'élevaient des montagnes de granit blanc, de l'autre côté s'étendaient des plaines recouvertes d'herbe. Humboldt fixa le soleil couchant avec le sextant et mesura l'angle entre la trajectoire de Jupiter et celle de la lune qui passait devant eux.

A présent, dit-il, le canal existait pour de bon.

En aval, dit Mario, on naviguerait plus vite. On n'aurait plus à craindre les tourbillons, et on pourrait se maintenir au milieu du fleuve. On échapperait ainsi aux moustiques.

Bonpland en doutait. Il ne croyait plus qu'il existe un endroit sans eux. Ils pénétraient jusque dans ses souvenirs. Quand il pensait à La Rochelle, il voyait une ville grouillante d'insectes.

Le fait que le canal fût maintenant indiqué sur les cartes, expliqua Humboldt, favoriserait la prospérité du continent tout entier. On pourrait désormais transporter des marchandises à travers le pays, de nouvelles capitales commerciales verraient le jour, des entreprises insoupçonnées deviendraient réalisables.

Bonpland eut une quinte de toux. Des larmes coulaient sur son visage, il cracha du sang. Il n'y avait rien ici, dit-il d'une voix haletante. Il faisait plus chaud qu'en enfer, ce n'était que puanteur, moustiques et serpents. Il n'y aurait jamais rien ici, et ce canal crasseux n'y changerait rien. Pouvaient-ils enfin faire demi-tour ?

Humboldt le regarda fixement pendant quelques secondes. Il n'avait pas encore pris sa décision. La mission de l'Esmeralda était la dernière colonie chrétienne avant les plaines. A partir de là, on pouvait, en quelques semaines, traverser des terres encore inexplorées et atteindre l'Amazone – dont personne n'avait encore découvert les sources.

Mario fit le signe de croix.

D'un autre côté, dit Humboldt, l'air songeur, ce n'était peut-être pas raisonnable. La chose n'était pas sans danger. S'il faisait naufrage maintenant, toutes ses collections et ses découvertes disparaîtraient avec lui. Personne n'en saurait jamais rien.

On ne pouvait pas courir ce risque, dit Bonpland.

Ce serait téméraire, ajouta Julio.

Sans parler de ceux-là ! Mario montra les cadavres du doigt. Personne n'aurait l'occasion de les voir !

Humboldt acquiesça. Parfois, il fallait savoir renoncer.

La mission de l'Esmeralda se composait de six cabanes entourées d'immenses bananiers. Il n'y avait même pas de missionnaire, seulement un vieux soldat espagnol à la tête de quinze familles d'Indiens. Humboldt engagea quelques hommes pour gratter le bois de leur canot et en chasser les termites.

La décision de ne pas poursuivre leur route était la bonne, dit le soldat. Dans les plaines qui s'étendaient derrière la mission, les hommes tuaient sans scrupules. Ils avaient plusieurs têtes, étaient immortels et parlaient entre eux dans la langue des chats.

Humboldt soupira, contrarié ; l'idée qu'un autre trouverait désormais les sources de l'Amazone l'agaçait. Pour se distraire, il étudia les motifs de soleils, de lunes et de serpents étrangement enlacés qui avaient été gravés dans la roche, à presque cent mètres au-dessus du fleuve.

Autrefois, l'eau avait dû monter plus haut, dit le soldat.

Mais pas aussi haut que ça, répondit Humboldt. De toute évidence, les roches étaient plus basses à l'époque. Il avait un professeur en Allemagne auquel il osait à peine annoncer la nouvelle.

Ou alors, c'étaient des hommes volants, dit le soldat.

Humboldt sourit.

Beaucoup de créatures volaient, répliqua le soldat, et personne n'y trouvait rien à redire. Par contre, personne n'avait jamais vu une montagne s'élever.

Les hommes ne volaient pas, dit Humboldt. Même s'il le voyait, il ne le croirait pas.

Et c'était ça, la science ?

Oui, répondit Humboldt, c'était exactement cela, la science.

Lorsque l'embarcation fut remise en état et que la fièvre de Bonpland eut baissé, ils prirent le chemin du retour. Au moment du départ, le soldat demanda à Humboldt d'intervenir en sa faveur dans la capitale pour qu'on le nomme ailleurs. Ici, c'était insupportable. Tout récemment, il avait trouvé une araignée dans sa nourriture – il tenait ses paumes l'une à côté de l'autre – grande comme ça ! Douze ans : personne ne pouvait exiger cela d'un homme. Plein d'espoir, il offrit à Humboldt deux perroquets et leur fit longtemps encore des signes d'adieu.

Mario avait raison : en aval, on avançait plus vite, et les insectes étaient moins agressifs au milieu du fleuve. En peu de temps, ils arrivèrent à la mission des jésuites, où le père Zea les salua d'un air étonné.

Il ne s'attendait pas à les revoir de sitôt. Quelle robustesse remarquable ! Comment ça s'était passé avec les cannibales ?

Il n'en avait rencontré aucun, dit Humboldt.

Bizarre, répondit le père Zea. Presque toutes les tribus là en bas étaient des mangeurs d'hommes.

Il ne pouvait pas le confirmer, dit Humboldt en fronçant les sourcils.

Les habitants de sa mission n'avaient plus trouvé le repos depuis leur départ, dit le père Zea. Cela les avait beaucoup perturbés que l'on ait sorti leurs ancêtres de leurs tombes. Peut-être valait-il mieux qu'ils reprennent tout de suite leur ancien bateau et se remettent en route.

Humboldt objecta qu'un orage se préparait.

Il ne fallait pas attendre qu'il soit passé, répliqua le père Zea. La situation était grave, et il ne pouvait rien leur garantir.

Humboldt réfléchit un moment. On devait obéissance aux autorités, dit-il enfin.

Dans l'après-midi, les nuages s'accumulèrent, le tonnerre roula au loin sur la plaine et ils furent soudain pris dans l'orage le plus violent qu'ils aient jamais connu. Humboldt fit amener la voile et décharger les caisses, les cadavres et les cages avec les animaux sur une île rocheuse.

Voilà ce qu'on y gagnait, dit Julio.

La pluie n'avait encore jamais fait de mal à personne, répondit Mario.

La pluie faisait du mal à tout le monde, dit Carlos. Elle pouvait tuer. Elle en avait déjà tué plus d'un.

Ils ne rentreraient plus jamais chez eux, ajouta Julio.

Et alors ? dit Mario. Ça ne lui plaisait pas, chez lui.

Chez nous, dit Carlos, c'est la mort.

Humboldt leur ordonna d'amarrer le bateau sur l'autre rive. Ils appareillèrent, et à ce moment un mascaret gonfla le fleuve et emporta le canot. Bonpland et Humboldt eurent juste le temps de voir l'un des hommes projeté dans les airs, puis l'eau écumante leur boucha la vue. Quelques secondes plus tard, l'embarcation étincela une fois encore dans le lointain, puis c'en fut terminé des quatre rameurs.

Et maintenant ? demanda Humboldt.

Puisqu'ils étaient là, répondit Bonpland, ils pouvaient aussi bien explorer les rochers.

Une grotte conduisait sous l'une des cataractes. Au-dessus de leurs têtes, l'eau faisait un bruit de tonnerre, elle tombait à travers les trous du plafond en larges colonnes, entre lesquelles on était au sec. La voix rauque, Bonpland proposa de mesurer la température.

Humboldt paraissait épuisé. Il ne pouvait l'expliquer, mais à certains moments il était sur le point de tout abandonner. Il manipulait les instruments avec des gestes lents. A présent, dehors ! La grotte risquait d'être inondée à tout instant !

Ils se précipitèrent à l'air libre.

La pluie avait redoublé d'intensité. Des seaux d'eau se déversaient sur eux, elle imbibait leurs vêtements, remplissait leurs chaussures et rendait le sol si glissant qu'ils avaient du mal à garder leur équilibre. Ils s'assirent et attendirent. Des crocodiles glissaient à travers l'écume. Dans les cages, les singes hurlaient, ils tambourinaient aux portes et tiraient violemment sur les grilles.

Les deux perroquets étaient accrochés sur leur perchoir comme des serviettes détrempées. L'un regardait devant lui, l'air affligé, l'autre se lamentait à mi-voix en mauvais espagnol.

Et qu'allait-on faire, demanda Humboldt, si le bateau ne revenait pas ?

Il allait revenir, dit Bonpland. Il fallait juste garder son calme.

La pluie s'intensifia encore, comme si le ciel voulait les balayer de l'île. L'horizon scintillait sous les éclairs, la foudre tombait sur les rochers de la rive, de l'autre côté du fleuve, si bien que l'écho de chaque coup de tonnerre se confondait avec le suivant.

Voilà qui ne présageait rien de bon, dit Humboldt. Ils étaient entourés d'eau et se trouvaient à l'endroit le plus élevé. Il fallait espérer que M. Franklin avait tort avec sa théorie sur la foudre.

Bonpland sortit sa flasque sans mot dire et se mit à boire.

Et je m'étonne, reprit Humboldt, qu'il y ait autant de sauriens dans les rapides. Cela contredisait les hypothèses de la zoologie.

Bonpland but encore une gorgée.

D'un autre côté, on connaissait des exemples de poissons qui pouvaient même remonter des chutes d'eau.

Bonpland haussa les sourcils. Le tonnerre s'était transformé en un grondement continu. A l'autre bout de l'île, à moins de cinquante pas d'eux, quelque chose de grand et de sombre se traînait lourdement sur la roche.

S'ils mouraient, dit Humboldt, personne n'entendrait parler d'eux.

Et quand bien même, dit Bonpland en jetant sa flasque vide. Mort, c'est mort.

Humboldt regarda avec méfiance en direction du crocodile. S'ils revenaient sur la côte, il enverrait tout à son frère : les plantes, les cartes, les journaux de bord et les collections. Sur deux bateaux séparés. Alors seulement il partirait pour les Cordillères.

Les Cordillères ?

Humboldt acquiesça. Il voulait voir les grands volcans. La question du neptunisme devait être réglée une fois pour toutes.

Depuis combien de temps attendaient-ils ? Une fois, une vache morte était passée devant eux, puis le couvercle d'un piano, puis un échiquier et un fauteuil à bascule cassé. Humboldt sortit sa montre avec précaution, écouta attentivement son léger tic-tac parisien et chercha à entrevoir les aiguilles à travers la pochette en toile cirée. Ou bien le début de l'orage ne remontait qu'à quelques minutes, ou bien ils étaient bloqués là depuis plus de douze heures, ou encore la pluie n'avait pas seulement mis sens dessus dessous le fleuve, la forêt et le ciel, mais le temps lui-même ; elle avait tout simplement emporté quelques heures, si bien que l'heure de midi fusionnait avec la nuit et le matin suivant. Humboldt enlaça ses genoux.

Parfois, il se posait des questions. Normalement, il aurait dû inspecter des mines. Il aurait habité dans un château allemand, engendré des enfants, chassé le cerf le dimanche et séjourné une fois par mois à Weimar. Et voilà qu'il était assis là, au milieu d'un déluge, sous d'autres cieux, à attendre un bateau qui ne viendrait pas.

Bonpland demanda si cela lui apparaissait comme une erreur. Un château, des enfants, Weimar. Ce n'était pas rien !

Humboldt enleva son chapeau, transformé par l'eau en une masse inutilisable. Une chauve-souris s'éleva de la forêt, fut prise dans la tempête, rabattue par la pluie et, après quelques battements d'ailes, emportée par les flots.

L'idée ne lui avait jamais traversé l'esprit.

Pas même l'espace d'une seconde ?

Humboldt se pencha en avant pour observer le crocodile. Il réfléchit. Puis il fit non de la tête.

LES ÉTOILES

Après qu'il eut annoncé où et quand la planète réapparaîtrait, que bien entendu personne ne l'eut cru et que cette misérable masse de pierre fut sortie de la nuit au jour et à l'heure prévus, il était donc célèbre. L'astronomie devenait une science populaire. Les rois s'y intéressaient, les généraux suivaient son évolution, les princes mettaient au concours des prix pour les découvertes et les journaux parlaient de Maskelyne, Mason, Dixon et Piazzi comme de héros. Celui qui avait élargi à tout jamais l'horizon des mathématiques faisait figure de curiosité. Mais celui qui découvrait une étoile était un homme accompli.

Eh bien, dit le duc, voilà le travail ! Il avait fini par y arriver.

Gauss, ne sachant pas ce qu'il devait répondre, s'inclina en silence.

Et à part cela, demanda le duc après sa pause habituelle pour réfléchir. Sur le plan privé ? Il s'était laissé dire qu'on avait l'intention de se marier ?

Oui, oui, en effet, dit Gauss.

La salle d'audience avait subi des modifications. Les miroirs du plafond, visiblement passés de mode, avaient été remplacés par un feuillage doré, et moins de bougies brûlaient. Le duc n'était plus le même, lui non plus : il avait vieilli. Une de ses paupières pendait mollement, ses joues étaient boursouflées, son corps lourd semblait peser douloureusement sur ses genoux.

Une fille de tanneur, d'après ce qu'il avait entendu dire ?

Exact, répondit Gauss. Il ajouta en souriant : Votre Altesse. Quel titre ! Quel endroit. Il devait se maîtriser pour ne pas paraître irrespectueux. Pourtant il aimait bien ce duc. Ce n'était pas un mauvais homme, il s'efforçait de faire les choses correctement et, comparé à la plupart des autres, il n'était même pas idiot.

Une famille, dit le duc, devait être nourrie.

C'était incontestable, répliqua Gauss. C'est pourquoi il s'était consacré à l'étude de Cérès.

Le duc le regarda en fronçant les sourcils.

Gauss soupira. Cérès, dit-il avec une lenteur appuyée, était le nom donné au planétoïde que Piazzi avait aperçu en premier et dont lui, Gauss, avait déterminé l'orbite. Il s'était penché sur le problème uniquement à cause de ses projets de mariage. Il s'était rendu compte qu'il lui fallait à présent accomplir quelque chose de concret pouvant aussi être compris par des gens moins… Il hésita. Pouvant aussi être compris par des gens qui ne s'intéressaient pas aux mathématiques.

Le duc acquiesça. Gauss se rappela qu'il ne devait pas le regarder en face, et il baissa les yeux. Il se demanda quand la proposition allait enfin venir. Toujours ces hésitations pénibles, ces longs détours. Tout ce temps perdu en bavardages !

Il avait une idée qui allait dans ce sens, dit le duc.

Gauss haussa les sourcils pour mimer l'étonnement. Il savait que cette idée venait de

Zimmermann, qui avait tenté de persuader le duc pendant des heures.

Il avait sans doute remarqué que Brunswick ne possédait pas encore d'observatoire astronomique.

Il était temps, dit Gauss.

Quoi ?

Il l'avait remarqué.

A présent, il se demandait si la ville ne devrait pas en être dotée. Et monsieur Gauss, en dépit de son jeune âge, allait devenir son premier directeur. Le duc mit les mains sur ses hanches. Son visage se crispa et arbora un large sourire. Cela le surprenait, n'est-ce pas ?

Je veux également un titre de professeur, répondit Gauss.

Le duc ne dit rien.

Un titre de professeur, répéta Gauss en martelant chaque syllabe. Un poste à l'université de Helmstedt. Un traitement mensuel multiplié par deux.

Le duc fit un pas en avant puis en arrière, émit un grognement et regarda le plafond orné de feuilles dorées. Gauss utilisa ce temps pour compter quelques nombres premiers. Il en avait déjà plusieurs milliers. Il était à peu près sûr qu'on ne trouverait jamais de formule permettant de les calculer. Mais si on en comptait plusieurs centaines de milliers, on pourrait déterminer de façon asymptotique leur probabilité d'occurrence. Pendant un moment, il fut si concentré qu'il tressaillit en entendant le duc déclarer que l'on ne marchandait pas avec son souverain.

Loin de lui cette idée, dit Gauss. En revanche, il jugeait nécessaire de l'informer qu'il avait reçu une offre de Berlin et de l'académie de Saint-Pétersbourg. La Russie l'intéressait depuis toujours.

Il avait souvent eu l'intention d'apprendre le russe.

Saint-Pétersbourg, dit le duc, c'était loin. Berlin non plus n'était pas à côté. Quand on y réfléchissait bien, l'endroit le plus proche, c'était ici. Tous les autres se trouvaient ailleurs. Y compris Göttingen. Lui-même n'était pas un scientifique, que Gauss le reprenne s'il faisait erreur.

Non, dit Gauss, les yeux rivés sur le sol. C'était exact, en effet.

Et celui que l'amour de la patrie ne retenait pas pouvait néanmoins considérer les fatigues du voyage. Il fallait déjà commencer par s'installer ailleurs, on subissait des tracasseries, le déménagement coûtait cher et représentait un travail infernal. Et on avait peut-être aussi une vieille mère restée au pays.

Gauss sentit qu'il rougissait. Cela se produisait toujours lorsque quelqu'un faisait allusion à sa mère ; non qu'il eût honte, mais il l'aimait infiniment. Cependant – il se racla la gorge et répéta : cependant, on ne pouvait pas toujours faire ce qu'on voulait. Quand on avait une famille, on avait besoin d'argent et on devait aller là où on en trouvait.

On arriverait bien à s'entendre, dit le duc. Un titre de professeur, c'était possible. Sans toutefois un traitement multiplié par deux.

Mais si on voulait le titre uniquement pour le traitement ?

Dans ce cas, on ne faisait pas honneur à sa profession, répliqua froidement le duc.

Gauss comprit qu'il était allé trop loin. Il s'inclina, le duc le congédia d'un geste de la main et un serviteur ouvrit aussitôt la porte derrière lui.

En attendant la proposition écrite de la cour, il se consacra à l'art du calcul orbital. La trajectoire d'une étoile, dit-il à Johanna, n'était pas juste un mouvement parmi d'autres, c'était le résultat nécessaire des influences que tous les corps exerçaient sur un corps unique : autrement dit, cette ligne qui prenait forme sur le papier et dans l'espace avec la même courbure exactement, lorsqu'on projetait un objet dans le vide. L'énigme de la gravitation. L'irrésistible attraction de tous les corps.

L'attraction des corps, répéta-t-elle en frappant l'épaule de Gauss avec son éventail. Il voulut l'embrasser mais elle recula en riant. Il n'avait jamais réussi à savoir pourquoi elle avait changé d'avis. Depuis sa deuxième lettre, elle avait fait comme si c'était la chose la plus naturelle au monde. Et il aimait l'idée qu'il existât des choses qu'il ne comprenait pas.

Deux jours avant le mariage, il se rendit à cheval à Göttingen pour faire une dernière visite à Nina.

Tu vas te marier, dit-elle, et pas avec moi, bien sûr.

Non, dit Gauss, bien sûr que non.

Ne m'as-tu pas aimée du tout ? demanda-t-elle.

Un peu, répondit-il en défaisant les lacets de sa robe, sans arriver à croire qu'il ferait la même chose avec Johanna le surlendemain. Mais il allait tenir son autre promesse, il apprendrait le russe. Et elle eut beau jurer que cela ne signifiait rien, que son métier rendait les femmes sentimentales, il fut stupéfait et agacé de voir qu'elle pleurait.

Le cheval renâcla lorsque, sur le chemin du retour, Gauss le fit s'arrêter en rase campagne. Il venait de comprendre comment on pouvait calculer la masse de Jupiter à partir des perturbations de la trajectoire de Cérès. Il regarda le ciel nocturne jusqu'à en avoir mal à la nuque. Récemment encore, il n'y avait là-haut que des points brillants. A présent, il distinguait leurs formations, il savait lesquels marquaient les degrés de latitude et servaient ainsi à s'orienter en mer, il connaissait leur itinéraire, l'heure de leur disparition et de leur réapparition. Tout naturellement, et pour la seule raison qu'il avait besoin d'argent, les étoiles étaient devenues son métier et lui leur interprète.

Il y eut peu d'invités à la noce : son vieux père, déjà très voûté ; sa mère, qui sanglotait comme une enfant ; Martin Bartels et le professeur Zimmermann ; et aussi la famille de Johanna, sa laide amie Minna ainsi qu'un secrétaire de la cour qui semblait ignorer pourquoi on l'avait envoyé là. Au cours du banquet préparé avec parcimonie, le père de Gauss déclara qu'on ne devait pas s'incliner, jamais, devant personne, puis Zimmermann se leva, ouvrit la bouche, sourit aimablement à l'assemblée et se rassit. Bartels poussa Gauss du coude.

Celui-ci se mit debout, déglutit et dit qu'il ne s'était pas attendu à trouver quelque chose comme le bonheur, et qu'au fond il n'y croyait toujours pas. Le bonheur lui apparaissait comme une faute de calcul, une erreur dont il espérait seulement que personne ne la découvre. Il reprit sa place et s'étonna des regards médusés. Avait-il dit quelque chose qu'il ne fallait pas ? demanda-t-il à voix basse à Johanna.

Allons donc, répondit-elle. C'était exactement le discours dont elle avait toujours rêvé pour son mariage.

Une heure plus tard, les derniers invités étaient partis, lui et Johanna se trouvaient sur le chemin du retour. Ils parlaient peu. Ils étaient soudain devenus étrangers l'un à l'autre.

Dans la chambre à coucher, il tira les rideaux, s'avança vers elle, sentit qu'elle s'apprêtait à reculer, la retint doucement et commença à défaire les lacets de sa robe. Sans lumière, ce n'était pas facile ; Nina avait toujours porté des vêtements qui posaient moins de problèmes. Cela dura longtemps, le tissu était récalcitrant, les lacets très nombreux et il ne comprenait pas qu'il n'ait pas encore réussi à les dénouer. Mais il avait fini par y arriver, la robe glissa et la nudité de ses épaules blanches se dessina dans l'obscurité. Il lui entoura les épaules de son bras, instinctivement elle protégea ses seins avec les mains, et lorsqu'il la conduisit vers le lit il perçut sa réticence. Il se demanda comment il allait procéder avec son jupon ; il avait déjà eu tellement de mal avec la robe. Pourquoi les femmes ne portaient-elles pas des vêtements qu'on arrivait à défaire ? N'aie pas peur, murmura-t-il et il fut quand même très surpris lorsqu'elle répondit qu'elle n'en éprouvait aucune, et qu'avec un geste d'une précision que rien ne laissait prévoir elle ouvrit sa ceinture. Tu as déjà fait cela ? Que pensait-il donc d'elle, demanda-t-elle en riant ; un instant plus tard son jupon gisait, bouffant, sur le sol, et, comme elle hésitait, il l'entraîna et ils se retrouvèrent allongés côte à côte, le souffle court, chacun attendant que les battements de cœur de l'autre se ralentissent. Tandis qu'il laissait errer sa main sur sa poitrine jusqu'à son ventre puis – il décida de tenter la chose, même s'il avait l'impression qu'il devait s'en excuser – plus bas encore, le disque lunaire, blême et embué, apparut entre les rideaux, et il eut honte de comprendre à ce moment précis comment on pouvait corriger de façon approximative les erreurs de mesure de la trajectoire des planètes. Il aurait voulu le noter mais la main de Johanna glissait maintenant le long de son dos. Elle ne se l'était pas imaginé ainsi, dit-elle dans un mélange de peur et de curiosité, aussi vivant, comme si un troisième être se trouvait avec eux. Gauss se vautra sur elle et, se rendant compte qu'elle était terrifiée, il attendit un peu ; elle enroula ensuite ses jambes autour de son corps mais il s'excusa, se leva, avança en trébuchant jusqu'à la table, trempa sa plume dans l'encre et écrivit, sans allumer la lumière : *somme d. carrés de la diff. entre les observ. et les calc. —> min.*, c'était trop important, il n'avait pas le droit de l'oublier. Il l'entendit dire qu'elle n'arrivait pas à le croire, et qu'elle n'y croyait pas, d'ailleurs ; même maintenant, en le voyant. Mais il avait déjà terminé. Au retour, son pied heurta le montant du lit, puis il la sentit à nouveau sous lui, et c'est seulement lorsqu'elle l'attira à elle qu'il remarqua à quel point il était nerveux ; l'espace d'une seconde, il s'étonna beaucoup que tous deux, qui ne savaient presque rien l'un de l'autre, aient pu se retrouver dans cette situation. Mais à ce moment-là quelque chose changea, il n'éprouvait plus aucune crainte, et vers le matin ils se connaissaient déjà si bien que c'était comme s'ils l'avaient toujours pratiqué, et toujours l'un avec l'autre.

Le bonheur rendait-il idiot ? Quand, au cours des semaines suivantes, il feuilleta les *Disquisitiones*, il trouva étrange que cela soit censé être de lui. Il dut faire un effort pour comprendre toutes les déductions. Il se demanda si son intelligence ne sombrait pas dans la médiocrité. L'astronomie était plus fruste que les mathématiques. On ne pouvait pas résoudre les problèmes par la seule réflexion, quelqu'un devait regarder fixement à travers un oculaire jusqu'à en avoir mal aux yeux, tandis qu'un autre devait consigner les résultats de mesure dans des éphémérides d'une longueur épuisante. Un certain M. Bessel faisait cela pour lui à Brême, et son unique talent résidait dans le fait qu'il ne se trompait jamais. En tant que directeur d'un observatoire, Gauss avait le droit de recourir à des assistants – même si la première pierre de l'observatoire attendait encore d'être posée.

A plusieurs reprises, il avait demandé une audience, mais le duc était tout le temps occupé. Il écrivit une lettre furieuse et ne reçut aucune réponse. Il en écrivit une deuxième et, comme on ne réagissait toujours pas, il attendit devant la salle d'audience jusqu'à ce qu'un secrétaire aux cheveux en bataille et à la livrée en désordre le renvoie chez lui. Dans la rue, il rencontra Zimmermann et se plaignit amèrement.

Le professeur le regarda comme une apparition avant de lui demander s'il ignorait réellement que c'était la guerre.

Gauss regarda autour de lui. La rue baignait dans la lumière du soleil, un boulanger passa avec une corbeille à pain sous le bras, sur le toit de l'église étincelait paresseusement la plaque de tôle de la girouette. L'air sentait bon le lilas. La guerre ?

De fait, il n'avait pas lu le journal depuis des semaines. Chez Bartels, qui gardait tout, il s'assit devant un tas de vieilles gazettes. Il feuilleta rageusement un récit d'Alexander von Humboldt sur les hauts plateaux de Caxamarca. Où diable cet individu n'était-il pas allé ? Mais, juste au moment où il arrivait aux comptes rendus sur la guerre, il fut interrompu par le grincement des roues d'une file de chariots. Baïonnettes, casques de cavaliers et lances défilèrent devant la fenêtre pendant une demi-heure. Bartels rentra hors d'haleine et raconta que dans l'une des voitures gisait le duc, touché à Iéna, saignant comme un bœuf, mourant. Tout était perdu.

Gauss replia le journal : Dans ce cas, je peux rentrer chez moi.

Il n'avait pas le droit d'en parler à qui que ce soit, mais ce Bonaparte l'intéressait. A ce qu'on disait, il dictait jusqu'à six lettres en même temps. Un jour, il avait rédigé une étude remarquable sur le problème du découpage d'un cercle avec un compas à écartement fixe. Il gagnait les batailles en prétendant le premier et avec plus de conviction que quiconque qu'il avait gagné. Il réfléchissait plus vite et de façon plus approfondie que les autres, voilà son secret. Gauss se demanda si Napoléon avait entendu parler de lui.

L'observatoire n'était pas pour tout de suite, dit-il à Johanna au repas du soir. Il en était encore à scruter le ciel depuis son salon, ça ne pouvait plus durer ! Il avait reçu une proposition de Göttingen. Là-bas, on voulait également construire un observatoire ; ce n'était pas loin, il serait en mesure de rendre visite à sa mère chaque semaine. On pourrait finir de déménager avant l'arrivée de l'enfant.

Mais Göttingen, répliqua Johanna, appartenait désormais à la France.

Göttingen, à la France ?

Pourquoi était-il justement aveugle pour les choses que tous les autres voyaient ? s'écria-t-elle. Göttingen appartenait à Hanovre, dont l'union personnelle avec la couronne d'Angleterre avait été rompue par les victoires françaises, et que Napoléon avait rattachée au nouveau royaume de Westphalie, gouverné par Jérôme Bonaparte. A qui un fonctionnaire de Westphalie prêtait-il donc le serment de fidélité ? à Napoléon !

Gauss se frotta le front. La Westphalie, répéta-t-il, comme si cela devenait plus clair en le redisant. Jérôme. En quoi cela les concernait-il ?

Cela concernait l'Allemagne, et là où on se situait.

Il la regarda d'un air désemparé.

Elle savait bien ce qu'il allait dire, qu'avec le recul des années les deux camps se ressembleraient, que bientôt plus personne ne se soucierait de ce pour quoi on mourait aujourd'hui. Mais qu'est-ce que ça changeait ? La soumission à l'avenir était une forme de lâcheté. Croyait-il vraiment qu'on serait plus intelligent dans le futur ?

Un peu quand même, dit-il. Par la force des choses.

Mais c'était maintenant qu'on vivait !

Hélas, dit-il, puis il éteignit les bougies, alla à son télescope et le dirigea sur la surface nébuleuse de Jupiter. Dans la nuit claire, il vit ses lunes minuscules plus distinctement que jamais.

Il offrit peu après sa lunette astronomique au professeur Pfaff et ils s'installèrent à Göttingen. Là aussi régnait le désordre. La nuit, les soldats français faisaient du vacarme, et, à l'endroit où l'observatoire devait être installé, on n'avait même pas creusé les fondations, seuls quelques moutons arrachaient des brins d'herbe çà et là. Pour observer les étoiles, Gauss devait se rendre dans la pièce vétuste du professeur Lichtenberg, située dans une tour sur les remparts. Et le pire : on obligeait Gauss à donner des cours magistraux. Des jeunes gens venaient chez lui, se balançaient sur ses chaises et graissaient les coussins du canapé pendant qu'il s'épuisait en explications sans parvenir au moindre résultat.

De toutes les personnes qu'il avait rencontrées dans sa vie, ses étudiants étaient les plus bêtes. Il devait parler si lentement qu'il avait oublié le début de sa phrase avant d'être arrivé à la fin. Cela ne servait à rien. Il laissait de côté tout ce qui était difficile et s'en tenait aux notions élémentaires. Ils ne comprenaient pas. Il n'avait qu'une envie, c'était de pleurer. Il se demandait si les esprits bornés avaient un idiome spécifique que l'on pouvait apprendre comme une langue étrangère. Il gesticulait des deux mains, désignait sa bouche et articulait exagérément les sons, comme s'il avait affaire à des sourds-muets. Un jeune homme au regard délavé fut l'unique élève à réussir l'examen. Son nom était Moebius, et lui seul semblait ne pas être un crétin. Lorsque, au deuxième examen, celui-ci fut de nouveau le seul à être reçu, le doyen prit Gauss à part et lui demanda d'être un peu moins sévère. Quand Gauss arriva chez lui, au bord des larmes, il n'y trouva que des intrus : un médecin, une sage-femme et ses beaux-parents.

Il avait tout manqué, dit sa belle-mère. Encore la tête dans les étoiles, j'imagine !

Il n'avait même pas une lunette astronomique digne de ce nom, répondit-il d'un air affligé. Que s'était-il donc passé ?

C'était un garçon.

Mais de quel garçon parlait-elle ? C'est seulement en croisant son regard qu'il comprit. Et il sut immédiatement qu'elle ne lui pardonnerait jamais.

Il était navré d'avoir autant de mal à aimer l'enfant. On lui avait dit que cela venait tout seul. Mais plusieurs semaines encore après la naissance, lorsqu'il tenait dans ses mains le petit être sans défense – qui, Dieu sait pourquoi, s'appelait Joseph – et regardait son nez minuscule et ses orteils en s'étonnant qu'ils soient au complet, il n'éprouvait rien d'autre que de la pitié et de l'appréhension. Johanna le lui prenait des mains et lui demandait avec une légère inquiétude s'il était heureux. Mais bien sûr, répondait-il, puis il allait à son télescope.

Depuis qu'ils habitaient à Göttingen, il rendait de nouveau visite à Nina. Elle n'était plus très jeune et elle l'accueillait avec la familiarité d'une épouse. Il n'avait toujours pas appris le russe, lui dit-elle d'un ton réprobateur, et il s'excusa en promettant de le faire bientôt. Ces visites, il se l'était juré, Johanna n'en saurait jamais rien, même sous la torture il avait l'intention de mentir. Il s'était engagé à lui éviter toute souffrance. Il ne s'était pas engagé à lui dire la vérité. Le savoir engendrait la souffrance. Pas un jour ne s'écoulait sans qu'il ne regrette lui-même d'en savoir autant.

Il avait commencé un ouvrage sur l'astronomie. Rien de bien important, pas un livre pour l'éternité comme les *Disquisitiones*, il ne survivrait pas au temps. Mais il s'annonçait comme la méthode la plus précise qui ait jamais existé pour le calcul orbital. Et Gauss devait se dépêcher. Bien qu'il eût tout juste trente ans, il remarquait que sa capacité à se concentrer diminuait ; en outre, les pauses que les personnes semblaient faire avant de répondre étaient de plus en plus courtes. Il avait encore perdu des dents et, semaine après semaine, des coliques le tourmentaient. Le médecin lui recommanda de fumer une pipe chaque matin et de prendre un bain tiède avant d'aller dormir. Gauss était persuadé qu'il ne vivrait pas vieux. Lorsque Johanna lui annonça qu'un deuxième bébé était en route, il n'aurait pas pu dire s'il s'en réjouissait ou pas. L'enfant devrait grandir sans lui, c'était certain. Mais cette fois-ci il fit tout comme il fallait : il fut nerveux pendant l'accouchement et soulagé après, et en l'honneur de Minna, la stupide amie de Johanna, ils appelèrent la petite fille Wilhelmine. Lorsque, quelques mois plus tard, il essaya de lui apprendre à compter, Johanna lui dit que c'était vraiment trop tôt.

A contrecœur, Johanna étant à nouveau enceinte, il se rendit à Brême pour examiner les éphémérides de Jupiter avec Bessel. Avant le départ, il eut du mal à dormir pendant une semaine, il fit des cauchemars, durant la journée il était furieux et abattu. Ce fut encore pire que le voyage à Königsberg, la diligence était plus exiguë, les autres passagers encore plus mal lavés, et, lorsqu'une roue se cassa, ils durent attendre debout pendant quatre heures dans une contrée boueuse tandis que le cocher la réparait en ronchonnant. A peine Gauss, mort de fatigue, la tête lourde et le dos douloureux, était-il sorti de voiture que Bessel lui demanda où en étaient ses calculs sur la masse de Jupiter à partir des perturbations de Cérès. Avait-il déjà trouvé une orbite complète ?

Gauss s'empourpra. Il n'y arrivait pas ; qu'est-ce qu'il devait faire ! Il y avait consacré des centaines d'heures. La chose était incroyablement complexe. Une vraie torture, et il n'était plus tout jeune, nom d'un chien, on devait le ménager, de toute façon il n'en avait plus pour très longtemps ; quelle erreur de s'être embarqué là-dedans.

Tout penaud, Bessel lui demanda s'il voulait voir la mer.

Pas d'expédition, dit Gauss.

C'était vraiment à côté, répondit Bessel. Une simple promenade !

En réalité, c'était encore un long et pénible trajet et la voiture vacillait si violemment que Gauss eut à nouveau des coliques. Il pleuvait, la fenêtre n'était pas étanche, et ils furent trempés jusqu'aux os.

Mais cela en valait la peine, répétait sans cesse Bessel. Il fallait avoir vu la mer au moins une fois dans sa vie.

Il fallait ? Gauss demanda où c'était écrit.

La plage était dégoûtante et l'eau laissait elle aussi à désirer. L'horizon était étroit, le ciel bas, la mer semblable à une soupe sous un brouillard sale. Un vent froid soufflait. Quelque chose brûlait non loin d'eux et la fumée rendait la respiration difficile. Sur les vagues montait et descendait un corps de poulet sans tête.

Bien, d'accord. Gauss regardait la brume en plissant les yeux. On pouvait rentrer, à présent, non ?

Mais l'entrain de Bessel était sans bornes. Voir la mer ne suffisait pas, il fallait aussi avoir été au théâtre !

Le théâtre, ça coûtait cher, dit Gauss.

Bessel se mit à rire. Que monsieur le professeur se considère en toutes choses comme son invité, c'était un honneur pour lui. Ils allaient prendre une voiture de louage, on y serait en un tour de main !

Le voyage dura quatre atroces journées, et son lit à l'auberge de Weimar était si dur que son mal de dos devint intolérable. Et puis, les arbustes au bord de l'Ilm le faisaient éternuer. Au Hoftheater, il faisait chaud et c'était un supplice que de rester assis pendant des heures. On donnait une pièce de Voltaire. Un individu en tuait un autre. Une femme pleurait. Un homme se lamentait. Une autre femme tombait à genoux. On récitait des monologues. La traduction était belle et mélodieuse, mais Gauss aurait préféré la lire. A force de bâiller, des larmes lui coulaient sur les joues.

N'est-ce pas, chuchota Bessel, comme c'est émouvant !

Les acteurs jetaient leurs mains en l'air, avançaient et reculaient sans cesse, roulaient les yeux en parlant.

Je crois, chuchota Bessel, que Goethe est aujourd'hui dans sa loge.

Gauss demanda si c'était l'âne qui se permettait de corriger la théorie de Newton sur la lumière.

On se retourna vers eux, Bessel sembla rétrécir dans son siège et ne souffla mot jusqu'à ce que le rideau tombe.

En sortant, ils furent abordés par un monsieur maigre. Avait-il l'honneur de parler à Gauss, l'astronome ?

L'astronome et le mathématicien, dit Gauss.

L'homme se présenta, il était diplomate prussien, il vivait actuellement à Rome et était en route pour Berlin, où il allait occuper le poste de directeur du département de l'éducation au ministère de l'Intérieur. Il y avait beaucoup à faire, le système scolaire allemand devait être réformé de fond en comble. Lui-même avait bénéficié de la meilleure éducation qui fût, et il trouvait à présent l'occasion d'en transmettre une partie. Il se tenait très droit, sans s'appuyer sur sa canne en argent. D'ailleurs, ils étaient tous deux anciens élèves de la même université et ils avaient des amis en commun. Il ignorait que monsieur Gauss travaillait également dans le domaine des mathématiques Exaltant, n'est-ce pas ?

Gauss ne comprit pas.

La représentation.

Oui, bon, dit Gauss.

Je comprends. Ce n'était pas ce qui convenait le mieux en ce moment. Une pièce allemande aurait été plus appropriée. Mais c'était le genre de choses dont on pouvait difficilement s'entretenir avec Goethe.

Gauss, qui n'avait pas écouté le début de leur conversation, demanda au diplomate de répéter son nom.

Le diplomate le fit en s'inclinant. D'ailleurs, lui aussi, il était un savant !

Intrigué, Gauss se pencha en avant.

Il étudiait les langues anciennes.

Ah bon, dit Gauss.

Il avait l'air déçu, dit le diplomate.

La linguistique. Gauss dodelina de la tête. Il ne voulait froisser personne.

Non, non. Qu'il donne son avis, au contraire.

Gauss haussa les épaules. C'était bon pour ceux qui avaient la pédanterie nécessaire pour faire des mathématiques sans en avoir l'intelligence. Ceux qui s'inventaient leur propre logique de fortune.

Le diplomate ne dit rien.

Gauss l'interrogea au sujet de ses voyages. Il avait dû aller vraiment partout !

Cela, dit aigrement le diplomate, c'était son frère. Une confusion qui ne se produisait pas pour la première fois. Il prit congé et s'en alla à petits pas.

Dans la nuit, ses douleurs au dos et au ventre empêchèrent Gauss de dormir. Il se tournait et se retournait, maudissant tout bas son destin,

Weimar et surtout Bessel. Dès les premières heures de la matinée, alors que Bessel n'était pas encore levé, Gauss fit atteler les chevaux et ordonna au cocher de le conduire immédiatement à Göttingen.

Enfin arrivé, le sac de voyage encore à la main, alternativement penché en avant à cause de ses douleurs au ventre et en arrière à cause de son dos courbaturé, il s'informa à l'université de la mise en chantier de l'observatoire.

En ce moment, on n'avait pas beaucoup de nouvelles du ministère, dit un fonctionnaire. On était loin de Hanovre. On ne savait rien de précis. Au cas où il l'avait oublié, c'était la guerre.

L'armée avait des bateaux, répliqua Gauss, et il fallait bien naviguer ; à cette fin, on avait besoin de cartes célestes, et on ne les élaborait pas facilement chez soi depuis sa cuisine.

Le fonctionnaire promit des nouvelles prochainement. On projetait d'ailleurs un nouvel arpentage approfondi du royaume de Westphalie. Monsieur le professeur avait déjà travaillé comme géomètre. On cherchait encore une personne douée en calcul pour diriger l'opération.

Gauss ouvrit la bouche. Avec toute la force de sa volonté, il parvint à ne pas couvrir l'autre d'insultes. Il referma la bouche et s'en alla sans le saluer.

Il ouvrit la porte de leur logement avec vivacité et s'écria qu'il était de retour et ne repartirait pas de sitôt. Tandis qu'il enlevait ses bottes dans le couloir, le médecin, la sage-femme et sa belle-mère sortirent de la chambre à coucher. Très bien, cette fois il n'allait pas se rendre ridicule. Avec un large sourire et une exaltation un peu forcée, il demanda s'il était déjà là, si c'était un garçon ou une fille et surtout combien il pesait.

Un garçon, dit le médecin. Il est mourant. Comme la mère.

On a tout essayé, dit la sage-femme.

Ce qui se passa ensuite, sa mémoire ne put en faire un tout que beaucoup plus tard. Il lui semblait que le temps avait fait un bond en avant puis en arrière, que plusieurs possibilités s'étaient présentées puis effacées mutuellement. Dans l'un de ses souvenirs, il se voyait au chevet de Johanna, tandis qu'elle ouvrait brièvement les yeux et lui jetait un regard qui ne le reconnaissait pas. Les cheveux lui collaient au visage, sa main était moite et sans force, la corbeille avec le nouveau-né se trouvait à côté de la chaise de Gauss. Ce souvenir était contredit par un autre, dans lequel elle avait déjà perdu connaissance quand il s'était précipité dans la chambre, et par un troisième dans lequel elle était déjà morte, le corps blême et cireux, ainsi que par un quatrième, dans lequel il avait avec elle une conversation d'une clarté effrayante : elle lui demandait si elle allait mourir, après un instant d'hésitation il lui faisait signe que oui, après quoi elle le priait de ne pas être triste trop longtemps ; on vivait et puis on mourait, c'était comme ça. C'est seulement à six heures de l'après-midi que tout rentra dans l'ordre. Il était assis à son chevet. Des gens parlaient à voix basse dans le couloir. Johanna était morte.

Il repoussa sa chaise et tenta de se faire à l'idée qu'il devait se remarier. Il avait des enfants. Il ne savait pas comment les élever. Il était incapable de tenir un ménage. Les domestiques coûtaient cher.

Il ouvrit doucement la porte. Voilà ce que c'est, pensa-t-il. Etre obligé de vivre alors que tout est fini. Prendre des dispositions, s'organiser : chaque jour, chaque heure, chaque minute. Comment si cela avait encore un sens.

Il s'apaisa un peu en entendant sa mère arriver. Il pensa aux étoiles. La brève formule qui réunissait en une ligne tous leurs mouvements. Pour la première fois, il comprit qu'il ne la trouverait pas. Peu à peu, l'obscurité se fit. Avec hésitation, il alla vers son télescope.

LA MONTAGNE

A la lumière d'une petite lampe à huile, tandis que le vent faisait voler de plus en plus de flocons de neige, Aimé Bonpland essayait d'écrire une lettre à sa famille : lorsqu'il songeait aux mois écoulés, il lui semblait qu'il avait derrière lui des dizaines de vies se ressemblant toutes et dont aucune ne valait la peine d'être revécue. La navigation sur l'Orénoque lui apparaissait comme quelque chose qu'il avait lu dans les livres, la Nouvelle-Andalousie était une légende venue de la nuit des temps, l'Espagne un simple mot. A présent, il allait mieux ; certains jours, il n'avait déjà plus de fièvre, et les rêves dans lesquels il étranglait, hachait, fusillait, brûlait, empoisonnait ou enterrait sous des cailloux le baron von Humboldt se faisaient également plus rares.

Bonpland réfléchit en mordillant sa plume. Un peu plus haut sur la montagne, entouré de mulets endormis, les cheveux couverts de givre et d'un peu de neige, Humboldt faisait des calculs pour déterminer leur position à l'aide des lunes de Jupiter. A genoux, il tenait en équilibre le tube de verre du baromètre. A côté de lui dormaient, enveloppés dans des couvertures en laine, leurs trois guides de montagne.

Le lendemain, poursuivit Bonpland, ils avaient l'intention de venir à bout du Chimborazo. Pour le cas où ils n'y survivraient pas, le baron von Humboldt lui avait vivement conseillé d'écrire une lettre d'adieu, car, disait-il, il était indigne de mourir ainsi, sans la moindre conclusion. Sur la montagne, ils ramasseraient des cailloux et des plantes ; même à cette altitude, on trouvait des végétaux inconnus : ces derniers mois, il en avait disséqué beaucoup trop. Le baron prétendait qu'il existait seulement seize espèces de base, mais il faut dire aussi qu'il arrivait bien à reconnaître les espèces ; à lui, Bonpland, elles semblaient innombrables. Une grande partie de leurs échantillons, parmi lesquels trois cadavres très anciens, avaient été embarqués à La Havane sur un bateau à destination de la France, et ils avaient expédié par un deuxième bateau les herbiers et tous leurs croquis au frère du baron von Humboldt. Trois semaines plus tôt, ou peut-être six, les jours passaient si vite, il ne s'y retrouvait plus, ils avaient appris que l'un des bateaux avait coulé à pic. Le baron von Humboldt avait vécu quelques journées difficiles, mais il avait ensuite déclaré qu'on n'en était encore qu'au début. Quant à lui, Bonpland, cette perte l'avait moins touché, car sa fièvre était alors si forte qu'il avait seulement une vague idée de l'endroit où il se trouvait, et de qui faisait quoi. Il avait passé le plus clair de son temps à combattre des mouches et des araignées mécaniques dans ses cauchemars. Il s'efforçait de ne pas repenser à tout cela et espérait juste que le bateau qui avait sombré n'était pas celui qui transportait les cadavres. Il avait passé tellement d'heures avec eux que vers la fin de leur navigation sur le fleuve il voyait en eux non plus une simple cargaison, mais des compagnons silencieux.

Bonpland s'essuya le front et but une grande gorgée à sa flasque en laiton. Auparavant, il en avait possédé une en argent, mais elle avait disparu dans des circonstances dont il ne se souvenait plus. On n'en est encore qu'au début, écrivit-il. Il remarqua que cette phrase apparaissait maintenant deux fois, et il la raya. On n'en est encore qu'au début ! Il cligna des yeux et la raya pour la deuxième fois. Malheureusement, il lui était impossible de décrire leur itinéraire en détail, tout devenait flou dans sa tête, il n'apercevait que quelques images entre lesquelles il avait du mal à établir un lien. A La Havane, par exemple, le baron avait capturé deux crocodiles qu'il avait fait enfermer avec une meute de chiens afin d'étudier leur comportement de chasse. Les hurlements des chiens étaient difficilement supportables, cela ressemblait à des gémissements d'enfants. Après, les murs étaient si ensanglantés qu'il avait fallu repeindre entièrement la salle aux frais du baron von Humboldt.

Bonpland ferma les yeux, les rouvrit tout grands et regarda autour de lui avec étonnement, comme si, l'espace d'un instant, il avait oublié où il se trouvait. Il toussa et but une grande gorgée. Au large de Cartagena, leur bateau avait failli chavirer ; sur le fleuve Magdalena, les moustiques les avaient harcelés avec plus d'acharnement encore que sur l'Orénoque, et pour finir ils avaient atteint les hauteurs glacées des cordillères en gravissant des milliers de marches aménagées par le peuple inca disparu. D'habitude, on montait à dos de porteur, mais le baron von Humboldt s'y était refusé. Au nom de la dignité humaine. Les porteurs étaient horriblement vexés, pour un peu ils les auraient roués de coups. Bonpland prit une grande inspiration ;

puis, malgré lui, il soupira doucement. A proximité de Santa Fe de Bogotá les attendaient les notables de la ville ; leur réputation les avait visiblement précédés, même si, étrangement, tout le monde avait entendu parler du baron et personne d'Aimé Bonpland. C'était peut-être dû à la fièvre. Il s'arrêta, la dernière phrase lui semblait illogique. Il songea à la barrer, mais finalement il décida de ne pas le faire. Il poursuivit : C'étaient de nobles âmes, ils avaient éclaté de rire lorsque le baron avait rechigné à lâcher son baromètre ; on s'était également étonné qu'un homme aussi célèbre soit aussi petit. Ils avaient logé chez le biologiste Mutis. Le baron avait sans cesse voulu parler de plantes mais Mutis lui avait chaque fois répondu que ce genre de sujet était malvenu en société. Toujours est-il que lui, Bonpland, avait fait tomber sa fièvre grâce aux herbes de Mutis. Mutis employait une jeune femme de chambre, une Indienne originaire des hauts plateaux, avec laquelle – il s'arrêta, but une grande gorgée et observa en fronçant les sourcils la silhouette de Humboldt, presque invisible dans le crépuscule – on pouvait engager des conversations passionnantes sur ceci, cela, et bien d'autres choses encore. Pendant ce temps, le baron avait visité des mines et tracé des cartes. D'excellentes cartes. Aucun doute là-dessus.

Sans le vouloir, il fit oui de la tête plusieurs fois, puis il reprit : Avec onze mulets, ils avaient poursuivi leur route en traversant le fleuve et en longeant le col. Il avait beaucoup plu ; le sol, bourbeux, était recouvert d'épines, et, comme le baron von Humboldt n'était toujours pas disposé à se faire porter, ils avaient dû marcher pieds nus pour ménager leurs bottes. Ils avaient eu les pieds en sang. Et les mulets s'étaient montrés têtus ! Ils avaient abandonné l'ascension du Pichincha lorsque les nausées et les vertiges l'avaient terrassé lui, Bonpland. Au début, le baron von Humboldt avait voulu continuer seul, puis il s'était évanoui lui aussi. Ils avaient réussi tant bien que mal à redescendre dans la vallée. Le baron avait retenté l'expérience avec un guide qui n'était évidemment jamais allé jusqu'au sommet ; dans ces pays, les gens n'escaladaient pas les montagnes si personne ne les y forçait. Seule la troisième tentative avait réussi, et ils connaissaient à présent la hauteur exacte de la montagne, la température de ses fumées, le type de lichen présent sur ses roches. Le baron von Humboldt s'intéressait particulièrement aux volcans, plus qu'à tout le reste, cela avait un lien avec ses professeurs en Allemagne et avec un homme à Weimar qu'il vénérait comme Dieu. Maintenant, on se préparait pour l'entreprise qui allait couronner le tout : l'ascension du Chimborazo. Bonpland but une dernière gorgée, resserra la couverture autour de lui et leva les yeux vers Humboldt qui – c'est ce qu'il eut tout juste le temps de distinguer – écoutait attentivement le sol avec un entonnoir en laiton.

J'ai entendu un grondement, s'écria Humboldt. Des déplacements dans l'écorce terrestre ! Avec un peu de chance, on pouvait espérer une éruption.

Formidable, répliqua Bonpland, puis il plia la lettre, la mit dans sa poche et s'étendit par terre. Il sentait le froid du sol gelé sur sa joue. Il avait l'impression que cela calmait sa fièvre.

Comme toujours, il s'endormit aussitôt et, comme souvent, il rêva qu'il était à Paris, par une matinée d'automne, la pluie tambourinant doucement contre la vitre. Une femme qu'il avait du mal à discerner lui demandait s'il avait réellement cru qu'il parcourait les tropiques, et il répondait : Pas vraiment, ou alors un instant tout au plus. Puis il se réveilla parce que Humboldt lui secouait les épaules en lui demandant ce qu'il attendait, il était déjà quatre heures passées. Bonpland se leva, et quand Humboldt se détourna, il l'empoigna, le poussa vers l'abîme et le précipita de toutes ses forces du haut de la falaise. Quelqu'un lui secoua les épaules en lui demandant ce qu'il attendait, il était quatre heures, on devait partir. Bonpland se frotta les yeux, tapota ses cheveux pour en faire tomber la neige et se leva.

Les guides indiens le contemplaient d'un air endormi. Humboldt leur tendit une enveloppe cachetée : La lettre d'adieu à son frère, dit-il. Il l'avait longuement retravaillée. Au cas où il ne reviendrait pas, il les priait de la remettre sans faute à la prochaine mission de jésuites.

Les guides le lui promirent en bâillant.

Et voilà la sienne, dit Bonpland. Elle n'était pas fermée, ils pouvaient tranquillement la lire, et s'ils ne la remettaient à personne il s'en fichait.

Humboldt ordonna aux guides de les attendre au moins trois jours. Ils firent oui de la tête d'un air las et rajustèrent leurs ponchos en laine. Il vérifia consciencieusement le chronomètre et le télescope. Il croisa les bras et regarda dans le vide pendant un moment. Puis, tout à coup, il partit. En toute hâte, Bonpland saisit sa boîte à herboriser, sa canne, et il lui courut après.

D'humeur joyeuse comme il ne l'avait pas été depuis longtemps, Humboldt évoquait son enfance, la réalisation du paratonnerre, les randonnées solitaires en forêt au retour desquelles il avait classé ses premiers insectes, le salon d'Henriette Herz. Il plaignait tous ceux qui n'avaient pas bénéficié d'une telle éducation sentimentale.

Son éducation sentimentale à lui, répliqua Bonpland, s'était faite avec une jeune paysanne du voisinage. Cette fille lui avait presque tout permis. Il avait juste fallu se méfier de ses frères.

Le chien ne lui sortait pas de la tête, dit brusquement Humboldt. Il n'arrivait toujours pas à se libérer de son sentiment de culpabilité. Il était quand même responsable de cet animal !

Cette jeune paysanne était étonnante. Elle n'avait pas quatorze ans, et elle maîtrisait de ces choses, c'était à ne pas y croire.

Dans le cas des chiens de La Havane, c'était différent. Bien sûr, ils lui avaient fait pitié. Mais la science l'exigeait, et à présent on en savait davantage sur le comportement de chasse des crocodiles. En outre, il s'agissait de bâtards quelconques et plutôt galeux.

Là où ils se trouvaient maintenant, il n'y avait plus de plantes, seulement du lichen jaune-brun sur les pierres qui émergeaient de la neige. Bonpland entendait son cœur battre très fort et le vent siffler sur la couche de neige. Lorsqu'un petit papillon s'envola devant lui, il sursauta de frayeur.

Le souffle court, Humboldt en vint à parler de la chute d'Urquijo. Une affaire grave. Ce n'était encore qu'une rumeur, mais peu à peu les indices se multipliaient, tendant à prouver que le ministre avait perdu les faveurs de la reine. Ce qui signifiait encore des dizaines d'années d'esclavage. A leur retour, il écrirait deux ou trois choses qui n'allaient pas plaire à ces gens.

La neige devint plus profonde. Bonpland dérapa et dévala la montagne en glissant ; peu après, la même chose arriva à Humboldt. Pour protéger du froid leurs mains écorchées, ils les enroulèrent dans des écharpes. Humboldt regarda la semelle en cuir de ses chaussures. Des clous, dit-il d'un air songeur. Enfoncés dans les semelles et ressortant à l'extérieur. Voilà ce qu'il leur faudrait.

Bientôt, la neige leur arriva jusqu'aux genoux. Soudain, ils furent enveloppés par le brouillard. Humboldt mesura l'inclinaison de l'aiguille aimantée et détermina l'altitude avec le baromètre. Sauf erreur de sa part, le chemin le plus court vers le sommet passait par le versant nord-est, qui devenait plat, puis il allait légèrement à gauche et, pour finir, il montait à pic.

Au nord-est, répéta Bonpland. Dans le brouillard, on ne savait même pas où était le sommet et où la vallée !

Là-bas, dit Humboldt en montrant avec détermination une direction quelconque.

Penchés en avant, ils avançaient à pas lourds le long de parois rocheuses fissurées en colonnes. Au-dessus d'eux, visible par moments puis disparaissant de nouveau, une arête enneigée conduisait au sommet. Instinctivement, ils se penchaient vers la gauche en marchant, là où le versant était incliné et vitrifié de gel. A leur droite s'ouvrait verticalement le précipice. Au début, Bonpland n'avait pas remarqué l'homme à l'air triste, habillé de couleurs sombres, qui marchait à côté d'eux. C'est seulement lorsque celui-ci se métamorphosa en figure géométrique, une sorte de gâteau de cire avec de légères pulsations, que les choses prirent une tournure désagréable.

Là-bas, à gauche, demanda Bonpland. Est-ce qu'il y avait quelque chose ?

Humboldt jeta un bref coup d'œil de côté. Non.

Bien, dit Bonpland.

Ils firent une pause sur une étroite plateforme parce que le nez de Bonpland saignait. D'un air inquiet, il observait de biais le gâteau de cire flottant qui se déplaçait très lentement vers eux. Il toussa et but une gorgée de sa flasque en laiton. Lorsque les saignements diminuèrent et qu'ils purent repartir, il se sentit soulagé. Le chronomètre de Humboldt indiquait qu'ils ne marchaient que depuis quelques heures. Le brouillard était si épais qu'il n'y avait pas de différence entre le haut et le bas : où que l'on regardât, c'était la même blancheur continue.

Ils avaient à présent de la neige jusqu'aux hanches. Humboldt poussa un cri et disparut dans une congère. Bonpland creusa avec ses mains, réussit à saisir sa redingote et le remonta. Humboldt tapota ses vêtements pour en faire tomber la neige et s'assura qu'aucun instrument n'était abîmé. Ils attendirent sur une avancée rocheuse, jusqu'à ce que le brouillard s'effile et se gorge de clarté. Le soleil allait bientôt percer.

Mon vieil ami, dit Humboldt. Il ne souhaitait pas devenir sentimental, mais après le long chemin qu'ils avaient derrière eux, dans ce grand moment, il fallait quand même qu'il lui dise la chose suivante.

Bonpland prêta l'oreille. Mais plus rien ne vint. Humboldt semblait avoir déjà oublié ce qu'il voulait dire.

Il ne tenait pas à jouer les trouble-fêtes, dit Bonpland, mais il y avait quelque chose qui n'allait pas. Là-bas, à leur droite, non, un peu plus loin, non, à gauche, voilà, là-bas. La chose qui ressemblait à une étoile en coton. Ou à une maison. Il avait sans doute raison de supposer qu'elle n'existait que pour lui ?

Humboldt acquiesça.

Bonpland demanda s'il devait s'inquiéter.

Question de point de vue, dit Humboldt. C'était probablement dû à la baisse de pression et aux modifications dans la composition de l'air. On pouvait exclure des miasmes néfastes. D'ailleurs, ce n'était pas lui le médecin, ici.

C'était qui, alors ?

Fascinant, dit Humboldt, de voir avec quelle régularité la densité de la mer aérienne diminuait avec l'altitude. Si on faisait une estimation, on pourrait en déduire à quel niveau commençait le néant. Ou encore, grâce au point d'ébullition qui baissait, à quelle hauteur le sang commençait à bouillir dans les veines. En ce qui le concernait, il voyait par exemple depuis un bon moment le chien qu'ils avaient perdu. Il était ébouriffé, il lui manquait une patte et une oreille. De plus, il ne s'enfonçait pas dans la neige, et ses yeux étaient très noirs et éteints. Ce n'était pas un beau spectacle, il devait faire un grand effort sur lui-même pour ne pas crier. Et il était constamment préoccupé par le fait qu'ils avaient oublié de donner un nom à l'animal. Mais ce n'était pas nécessaire, ils n'avaient eu que celui-là, n'est-ce pas ?

Il n'avait connaissance d'aucun autre, dit Bonpland.

Humboldt approuva de la tête, rassuré, et ils repartirent. Ils devaient marcher lentement à cause des crevasses sous la neige. Une fois, le brouillard s'éclaircit durant quelques secondes, il dévoila un précipice à côté d'eux et le dissimula de nouveau. Ce saignement des gencives, se dit Humboldt à lui-même d'un ton de reproche, cela ne peut plus durer, on devrait avoir honte !

Le nez de Bonpland s'était remis à saigner lui aussi et, malgré les écharpes, ses mains étaient devenues insensibles. Il s'excusa, tomba à genoux et vomit.

Avec prudence, ils se mirent à escalader une paroi. Bonpland se souvint du jour où ils étaient restés bloqués sous la pluie sur une île de l'Orénoque. Comment s'en étaient-ils sortis ? Il n'arrivait pas à se le rappeler. Au moment précis où il voulut poser la question à Humboldt, une pierre se détacha sous la chaussure de celui-ci et l'atteignit à l'épaule. Il eut si mal qu'il faillit tomber de la paroi. Il plissa les yeux et se frotta le visage avec de la neige. Ensuite il se sentit mieux, même si le gâteau de cire était toujours suspendu à côté de lui et que, chose plus désagréable encore, la paroi reculait légèrement chaque fois qu'il y cherchait un point d'appui. Des visages rongés par le temps sortaient parfois de la roche et le regardaient avec malveillance ou lassitude. Heureusement, le brouillard empêchait de regarder dans le vide.

A l'époque, sur l'île, s'écria-t-il. Comment s'en étaient-ils sortis, au juste ?

La réponse se fit tellement attendre que Bonpland avait oublié la question depuis longtemps lorsque Humboldt tourna enfin la tête vers lui. Même avec la meilleure volonté du monde, il n'aurait pu le dire. Comment, en effet ?

Au-dessus de la paroi, le brouillard se déchirait. Ils aperçurent quelques lambeaux de ciel bleu et le cône du sommet. L'air froid était très raréfié : on avait beau inspirer à fond, on n'avait presque rien dans les poumons. Bonpland essaya de prendre son pouls, mais il se trompait sans cesse dans ses calculs et finit par renoncer. Ils s'engagèrent sur une étroite passerelle recouverte de neige qui franchissait une crevasse.

Qu'il regarde droit devant lui, dit Humboldt. Jamais en bas !

Immédiatement, Bonpland regarda en bas. Il eut l'impression que la perspective basculait, le fond du précipice arrivait vers lui à toute vitesse tandis que la passerelle se précipitait vers le bas. Effrayé, il s'agrippa à sa canne. Le pont, bégaya-t-il.

On avance, dit Humboldt.

Pas de rocher, dit Bonpland.

Humboldt s'arrêta. C'était vrai : sous eux, il n'y avait pas de roches. Ils se trouvaient sur une arche de neige suspendue dans le vide. Il regarda fixement vers le bas.

On ne se pose pas de questions, dit Bonpland. On avance.

On avance, répéta Humboldt, sans bouger.

On avance, un point c'est tout, dit Bonpland.

Humboldt se remit en marche.

Bonpland mettait un pied devant l'autre. Pendant des heures, lui sembla-t-il, il entendit la neige crisser, et il savait qu'entre lui et l'abîme il n'y avait que des cristaux d'eau. Jusqu'à la fin de sa vie, ruiné et prisonnier dans la solitude du Paraguay, il put se remémorer ces images dans leurs moindres détails : les petits nuages de brume qui s'effilochaient, la clarté de l'air, le gouffre dans la partie inférieure de son champ de vision. Il tenta de fredonner une mélodie, mais la voix qu'il entendit n'était pas la sienne, alors il abandonna. Le gouffre, le sommet, le ciel et la neige qui crissait, et ils n'étaient toujours pas arrivés. Et toujours pas. Jusqu'à ce que finalement – Humboldt l'attendait déjà en lui tendant la main – il atteigne l'autre bord.

Bonpland, dit Humboldt. Il paraissait petit, gris et soudain vieilli.

Humboldt, dit Bonpland.

Pendant un moment, ils restèrent debout l'un à côté de l'autre en silence. Bonpland appliqua son mouchoir contre son nez qui saignait. Peu à peu, translucide au début, puis de plus en plus distinct, le gâteau de cire réapparut. Le pont de neige faisait dix, au maximum quinze pieds de long, la traversée n'avait pu durer que quelques secondes.

A pas hésitants, ils longèrent l'arête rocheuse. Bonpland constata qu'il se composait en réalité de trois personnes : une qui marchait, une qui regardait la première marcher, et une qui commentait le tout inlassablement dans une langue que personne ne comprenait. A titre expérimental, il se donna une gifle. Cela améliora un peu les choses et, durant quelques minutes, il eut les idées plus claires. Mais cela ne changeait rien au fait que là où devait se trouver le ciel, flottait à présent le sol, et qu'ils descendaient donc à l'envers, c'est-à-dire la tête en bas.

Mais ce n'est pas absurde, dit Bonpland à voix haute. Après tout, ils se trouvaient de l'autre côté de la terre.

Il ne comprit pas la réponse de Humboldt, elle était couverte par les murmures du compagnon qui commentait tout. Bonpland se mit à chanter. Le premier compagnon, puis le deuxième se joignirent à lui. Bonpland avait appris la chanson à l'école, il était à peu près certain que personne ne la connaissait sur cet hémisphère. C'était bien la preuve que les deux personnes à côté de lui étaient réelles et non des imposteurs, car qui aurait pu la leur apprendre ? Il y avait certes quelque chose d'illogique dans cette réflexion, mais il n'arrivait pas à savoir quoi. Et peu importait en fin de compte, puisqu'il n'avait aucune garantie que c'était bien lui qui pensait et non un des deux autres. Sa respiration était saccadée et bruyante, son cœur battait la chamade.

Humboldt s'arrêta brusquement.

Qu'est-ce qu'il y a, s'écria Bonpland, furieux.

Humboldt lui demanda s'il voyait la même chose, lui aussi.

Bien sûr que oui, répondit Bonpland, sans savoir de quoi il s'agissait.

Il fallait qu'il lui pose la question, dit Humboldt. Il ne pouvait plus se fier à ses sens. Et puis le chien n'arrêtait pas de s'en mêler.

Ce chien, dit Bonpland, je n'ai jamais pu le supporter.

Le précipice, là, dit Humboldt, était bien un précipice, n'est-ce pas ?

Bonpland regarda en bas. A leurs pieds, une crevasse d'au moins quatre cents pieds s'enfonçait dans les profondeurs. De l'autre côté, on pouvait continuer et, de là, le sommet ne semblait plus très loin.

Jamais ils n'allaient franchir ça !

Bonpland prit peur car ce n'était pas lui mais l'homme à sa droite qui avait parlé. Pour que ce soit valable malgré tout, il devait le répéter. Jamais ils n'allaient franchir ça !

Jamais, confirma l'homme à sa gauche. A moins de voler.

Humboldt s'agenouilla avec lenteur, comme s'il luttait contre une résistance, et il ouvrit la sacoche contenant le baromètre. Ses mains tremblaient tellement que l'instrument faillit tomber. Le sang lui coulait du nez à lui aussi, et dégoulinait sur sa veste. A présent, ne pas faire d'erreur, implora-t-il.

Très volontiers, répondit Bonpland.

Tant bien que mal, Humboldt réussit à allumer un feu et à faire chauffer un petit récipient avec de l'eau. Il ne pouvait pas se fier au baromètre, expliqua-t-il, ni à sa tête, il devait donc déterminer l'altitude d'après le point d'ébullition. Il avait les yeux plissés, ses lèvres tremblaient tant il se concentrait. Quand l'eau se mit à bouillir, il mesura la température et lut son chronomètre. Puis il sortit son carnet. Il chiffonna une demi-douzaine de feuilles jusqu'à ce que sa main lui obéisse suffisamment pour qu'il puisse noter des nombres.

Bonpland regarda le précipice d'un air méfiant. Le ciel, en dessous d'eux, semblait rugueux et très éloigné. On s'habituait presque à avoir la tête en bas. Mais pas à ce que Humboldt calcule aussi lentement. Bonpland demanda si c'était pour aujourd'hui ou pour demain.

Désolé, dit Humboldt. Il avait du mal à se concentrer. Quelqu'un voulait-il bien tenir le chien en laisse !

Ce chien, répliqua Bonpland, je n'ai jamais pu le supporter. Il eut aussitôt honte, parce qu'il l'avait déjà dit. Il était si gêné qu'il eut un malaise. Il se pencha en avant et vomit de nouveau.

Terminé ? lui demanda Humboldt. Alors il était en mesure de lui dire qu'ils se trouvaient à une altitude de dix-huit mille six cent quatre-vingt-dix pieds.

Alléluia, répondit Bonpland.

Cela faisait d'eux les hommes qui étaient allés le plus loin vers le haut. Personne ne s'était jamais autant éloigné du niveau de la mer.

Mais le sommet ?

Avec ou sans sommet, c'était le record du monde.

Je veux aller jusqu'au sommet, dit Bonpland.

Ne voyait-il donc pas le précipice, s'écria Humboldt. Ils n'avaient plus toute leur tête, ni l'un ni l'autre. S'ils ne redescendaient pas maintenant, ils ne reviendraient plus jamais.

On pouvait aussi, dit Bonpland, tout simplement prétendre qu'on était monté jusqu'en haut.

Humboldt déclara qu'il allait faire comme s'il n'avait rien entendu.

Ce n'est pas moi qui l'ai dit. C'est l'autre !

De fait, personne ne pourrait le vérifier, répondit Humboldt d'un air songeur.

Précisément, répliqua Bonpland.

Ce n'est pas ce que j'ai dit, s'écria Humboldt.

Dit quoi ? demanda Bonpland.

Ils se regardèrent, perplexes.

On avait relevé l'altitude, reprit Humboldt. Et ramassé des échantillons de roche. A présent, il fallait vite redescendre !

La descente dura longtemps. Ils furent contraints de faire un grand détour pour éviter le précipice qu'ils avaient traversé en passant sur le pont de neige. Mais la vue était maintenant dégagée, et Humboldt trouva le chemin sans difficulté. Bonpland le suivait en trébuchant. Ses genoux ne lui semblaient pas sûrs. Il avait sans cesse l'impression de marcher dans de l'eau courante, et une réfraction optique faisait dévier ses jambes de façon particulièrement désagréable. La canne qu'il tenait à la main avait elle aussi un comportement inconvenant : elle se balançait à droite et à gauche, se plantait dans la neige, tâtait des blocs de roche sans que Bonpland puisse faire autre chose que de la suivre. Le soleil était déjà bas. Humboldt glissa et dévala un champ d'éboulis. Ses mains et son visage étaient éraflés, son manteau déchiré, mais le baromètre était toujours entier.

La douleur avait aussi ses avantages, dit-il en serrant les dents. Pour le moment, il y voyait de nouveau clair. Le chien avait disparu.

Ce chien, dit Bonpland, je n'ai vraiment jamais pu le supporter.

Il fallait qu'ils rentrent aujourd'hui encore, dit Humboldt. La nuit fraîchissait ; ils étaient désorientés ; ils ne survivraient pas. Il cracha du sang. Il avait de la peine pour ce chien. Il l'avait aimé.

Puisqu'ils parlaient en toute franchise, dit Bonpland, et que demain on pourrait tout mettre sur le compte du mal des montagnes, il voulait savoir à quoi Humboldt avait pensé là-bas, sur le pont de neige.

Il s'était interdit de penser, dit Humboldt. Il n'avait donc pensé à rien.

Vraiment à rien ?

Pas la moindre chose.

Bonpland plissa les yeux en regardant le gâteau de cire qui commençait à s'effacer progressivement. Deux de ses compagnons étaient partis. Il devait encore se débarrasser du dernier. Mais ce n'était peut-être pas nécessaire. Il soupçonnait qu'il s'agissait de lui-même.

A eux deux, dit Humboldt, ils avaient escaladé la plus haute montagne du monde. C'était acquis, quoi qu'il se passe encore dans leur vie.

Pas entièrement escaladé, objecta Bonpland.

Absurde !

Quand on escaladait une montagne, on allait jusqu'au sommet. Quand on n'atteignait pas le sommet, on n'avait pas escaladé la montagne.

Humboldt regarda ses mains sanglantes en silence.

Là-bas, sur le pont, dit Bonpland, il avait tout à coup regretté de devoir marcher en second.

Rien de plus humain, répliqua Humboldt.

Mais pas uniquement parce que le premier était plus vite hors de danger. D'étranges idées lui étaient venues. S'il avait été le premier, quelque chose en lui aurait volontiers, dès son arrivée de l'autre côté, donné un coup de pied dans le pont. L'envie avait été grande.

Humboldt ne répondit pas. Il semblait perdu dans ses pensées.

Bonpland avait mal à la tête, et il sentait qu'il avait à nouveau de la fièvre. Il était mort de fatigue. Il lui faudrait du temps pour se remettre de cette journée. Celui qui voyageait loin, dit-il, apprenait beaucoup de choses. Dont quelques-unes sur lui-même.

Humboldt le pria de l'excuser. Malheureusement il n'avait pas compris un seul mot. Le vent !

Bonpland se tut pendant quelques secondes. Rien d'important, dit-il avec gratitude. Des bavardages, des paroles en l'air.

Eh bien dans ce cas, répondit Humboldt, impassible. Pas de quoi lambiner !

Deux heures plus tard, ils tombèrent sur leurs guides qui les attendaient. Humboldt demanda à récupérer sa lettre et la déchira aussitôt. Pour ces choses-là, dit-il, on n'avait pas le droit d'être négligent. Rien n'était plus embarrassant qu'une lettre d'adieu dont l'auteur était encore en vie.

Ça m'est égal, dit Bonpland en tenant sa tête douloureuse dans ses mains. Qu'ils gardent la sienne, ou qu'ils la jettent ; ils pouvaient aussi l'envoyer.

Dans la nuit, blotti sous une couverture pour se protéger des rafales de neige, Humboldt écrivit deux douzaines de lettres dans lesquelles il informait l'Europe que, parmi tous les mortels, c'était lui qui était monté le plus haut. Il cacheta chacune d'elles avec soin. Alors seulement il perdit connaissance.

LE JARDIN

Tard dans la soirée, le professeur frappa à la porte du manoir. Un jeune domestique maigre ouvrit et dit que le comte von der Ohe zur Ohe ne recevait pas.

Gauss lui demanda de répéter le nom.

Le domestique s'exécuta : comte Hinrich von der Ohe zur Ohe.

Gauss ne put s'empêcher de rire.

Le domestique le regarda comme s'il venait de marcher dans une bouse de vache. La famille de Monsieur, dit-il, s'appelait ainsi depuis mille ans.

L'Allemagne était quand même un endroit assez cocasse, répondit Gauss. Quoi qu'il en soit, il venait pour l'arpentage. Il fallait lever tous les obstacles, l'Etat devait acheter à monsieur… il sourit. L'Etat devait acheter à M. le comte quelques arbres et une remise sans valeur. Une simple formalité dont on pouvait se débarrasser rapidement.

Sans doute, dit le domestique. Mais certainement plus ce soir.

Gauss regarda ses chaussures sales. C'était bien ce qu'il craignait. Dans ce cas, il allait dormir ici, qu'on lui prépare une chambre !

Il ne croyait pas qu'il reste de la place, répondit le domestique.

Gauss enleva son bonnet en velours, s'essuya le front et tripota son col. Il ne se sentait pas bien, il transpirait. Il avait mal à l'estomac. C'était un malentendu, dit-il. Il ne venait pas solliciter une faveur. Il était directeur de la Commission nationale des mesures et, si on le renvoyait, il reviendrait avec une escorte. Est-ce qu'il se faisait bien comprendre ?

Le domestique recula d'un pas.

Est-ce qu'il se faisait bien comprendre ?

Parfaitement, dit le domestique.

Parfaitement, monsieur le professeur !

Monsieur le professeur, répéta le domestique.

Et à présent, il souhaitait voir le comte.

Le domestique fronça tellement les sourcils que tout son front se plissa. Visiblement, il ne s'était pas exprimé assez clairement. Monsieur s'était déjà retiré. Il dormait !

Juste un instant, dit Gauss.

Le domestique fit non de la tête.

Le sommeil n'était pas une fatalité. Quand on dormait, on pouvait être réveillé. Plus il devrait attendre longtemps ici, plus le comte retournerait tard au pieu, et son humeur à lui n'était pas vraiment en train de s'améliorer non plus. Il était claqué.

D'une voix rauque, le domestique le pria de le suivre.

Il avançait très vite avec le bougeoir, comme s'il espérait semer Gauss. Cela n'aurait pas été difficile : ses pieds lui faisaient mal, le cuir de ses chaussures était trop dur, sa chemise en laine le démangeait, et une sensation de brûlure dans la nuque lui signalait qu'il avait de nouveau attrapé un coup de soleil. Ils traversèrent un couloir bas avec des tentures ternes. Une servante à la jolie silhouette passa devant eux avec un pot de chambre, Gauss la suivit du regard d'un air mélancolique. Ils descendirent un escalier, puis remontèrent, puis redescendirent. La disposition intérieure était sans doute faite pour désorienter les visiteurs, et cela fonctionnait probablement très bien avec les gens ne sachant pas se repérer dans l'espace. Selon les estimations de Gauss, ils se trouvaient environ douze pieds au-dessus et quarante pieds à l'ouest de l'entrée principale et se dirigeaient vers le sud-ouest. Le domestique frappa à une porte, l'ouvrit, dit quelques mots à l'intérieur de la pièce et fit entrer Gauss. Dans un fauteuil à bascule était assis un vieil homme en robe de chambre et en sabots. Il était grand, avait des joues creuses et des yeux perçants.

Von der Ohe zur Ohe, enchanté. Qu'est-ce qui vous fait rire ?

Je ne ris pas, répondit Gauss. Il était l'arpenteur de l'Etat. Il ne riait jamais et voulait simplement se présenter et le remercier pour son hospitalité.

Le comte demanda si c'était pour cela qu'on l'avait réveillé.

Tout juste, répondit Gauss. A présent, il lui souhaitait une bonne nuit ! Satisfait, il suivit le domestique et ils descendirent de nouveau un escalier puis longèrent un couloir qui sentait fortement le renfermé. Ces gens ne le traiteraient plus jamais comme un larbin !

Son triomphe fut de courte durée. Le domestique le conduisit dans un taudis effroyable. Cela empestait, sur le sol gisaient des restes de foin pourri, une planche en bois servait de lit, pour se laver il y avait un seau rouillé rempli d'une eau pas tout à fait propre, et aucun cabinet d'aisances en vue.

Gauss dit qu'il avait déjà vu bien des choses : deux semaines plus tôt, un paysan lui avait proposé la niche de son chien, qui était quand même plus belle que ça.

C'était fort possible, dit le domestique, déjà en train de s'en aller. Mais il n'y avait rien d'autre.

En gémissant, Gauss s'allongea péniblement sur le lit de camp en bois. Le coussin était dur et ne sentait pas bon. Il posa son bonnet dessus, mais cela ne changea rien. Il lutta longtemps pour s'endormir. Son dos lui faisait mal, l'air était vicié, il avait peur des revenants et, comme chaque soir, Johanna lui manquait. On relâchait son attention l'espace d'une minute, et voilà qu'on avait un poste, qu'on parcourait les forêts et négociait avec des paysans au sujet de leurs arbres tordus. Pas plus tard que dans l'après-midi, il avait payé un vieux bouleau cinq fois sa valeur. Il avait fallu une éternité pour que ses assistants scient en deux le tronc rebelle et qu'il parvienne à orienter le théodolite vers le signal lumineux d'Eugène. Evidemment, cet âne avait d'abord dirigé le faisceau dans la mauvaise direction ! Ils se retrouveraient le lendemain, et il devait faire en sorte que l'on puisse rejoindre le point nodal suivant en deux lignes droites tout au plus. C'était son métier désormais. Son livre d'astronomie avait paru depuis longtemps et lui-même avait été mis en disponibilité par l'université. Ce travail était bien payé malgré tout et, lorsqu'on n'était pas idiot, on pouvait gagner encore un peu d'argent à côté, de diverses manières. Sur cette pensée, il s'endormit.

Tôt dans la matinée, il fut réveillé par un rêve atroce. Il se voyait allongé sur le lit de camp, en train de rêver qu'il était sur le lit de camp, en train de rêver qu'il était sur le lit de camp, à rêver. Il s'assit, oppressé, et comprit immédiatement qu'il n'était pas encore réveillé. Puis, en quelques secondes, il passa d'une réalité à une autre puis encore à une autre, et aucune d'entre elles n'avait rien de mieux à proposer que cette même chambre crasseuse avec du foin par terre et un seau d'eau dans un coin. Une fois, une grande silhouette obscure se tenait dans l'embrasure de la porte, une autre fois, un chien mort gisait à l'angle de la pièce, puis un enfant égaré portant un masque en bois était entré dans la chambre, mais il avait disparu avant que Gauss ait pu le distinguer clairement. Lorsqu'il se retrouva enfin assis au bord du lit, épuisé, regardant le lumineux ciel matinal, il ne put se débarrasser du sentiment qu'il avait manqué de peu la réalité à laquelle il appartenait. Il s'aspergea le visage avec de l'eau froide et pensa à Eugène, qu'il allait retrouver dans l'après-midi. D'habitude, son humeur s'améliorait quand il pouvait lui crier dessus. Il s'habilla et sortit en bâillant.

Il traversa des enfilades de pièces ornées de tableaux ravagés par le temps, reproduisant maladroitement, avec une couche de peinture trop épaisse, des hommes sérieux. Des meubles en bois pleins de taches, beaucoup de poussière. Il s'arrêta devant un miroir, l'air songeur. Il n'aima pas ce qu'il y vit. Il ouvrit quelques tiroirs, ils étaient vides. Il trouva avec soulagement une porte grillagée qui donnait sur le jardin.

Celui-ci était aménagé avec une minutie étonnante : palmiers, orchidées, orangers, cactus aux formes bizarres et toutes sortes de plantes que Gauss n'avait jamais vues, même en images. Du gravier crissait sous ses chaussures, une liane lui effleura la tête et fit tomber son bonnet. Une odeur douceâtre flottait dans l'air, des fruits éclatés jonchaient le sol. La végétation se fit plus dense, le chemin plus étroit, il dut marcher tête baissée. Quel gaspillage ! Il espérait seulement qu'il n'y avait pas, en plus, d'étranges insectes. En se frayant un passage entre deux troncs de palmier, il resta accroché par sa veste et faillit tomber dans un buisson d'épines. Puis il se retrouva dans une prairie. Le comte, encore en robe de chambre, les cheveux ébouriffés et les pieds nus, était assis dans un fauteuil et buvait du thé.

Impressionnant, dit Gauss.

Autrefois, c'était bien plus beau, répondit le comte. Le personnel de jardin coûte cher de nos jours, et le cantonnement des Français a détruit beaucoup de choses. Lui-même n'était de retour ici que depuis peu. Avant cela, il avait séjourné en Suisse, en tant qu'émigré ; à présent la situation s'était provisoirement modifiée. Monsieur le géomètre ne voulait-il pas s'asseoir ?

Gauss regarda autour de lui. Il n'y avait qu'une seule chaise, et le comte était assis dessus. Pas forcément, répliqua-t-il d'une voix hésitante.

Eh bien, dit le comte. Dans ce cas, on pouvait tout de suite entamer les négociations.

Une pure formalité, dit Gauss. Pour avoir une vue dégagée sur le point de mesure de Scharnhorst, il devait abattre trois arbres de la forêt de monsieur le comte et démolir une remise manifestement vide depuis des années.

Scharnhorst ? Mais personne ne pouvait voir aussi loin !

Si, répondit Gauss, dans la mesure où on utilisait la lumière focalisée. Il avait inventé un instrument qui pouvait envoyer des signaux lumineux à une distance insoupçonnée. Ainsi, pour la première fois, une communication entre la Terre et la Lune était possible.

La Terre et la Lune, répéta le comte.

Gauss acquiesça en souriant. Il voyait exactement ce qui se passait dans la tête du vieil imbécile.

En ce qui concernait les arbres et la remise, dit le comte, il s'agissait d'une erreur d'appréciation. La remise était absolument nécessaire. Les arbres avaient beaucoup de valeur.

Gauss soupira. Il aurait aimé s'asseoir. Combien de conversations de ce genre avait-il déjà eues ? Bien sûr, dit-il d'un air las, mais il ne fallait pas non plus exagérer. Il savait parfaitement ce que valaient un peu de bois et une cabane. Et à l'heure actuelle, on n'avait pas le droit d'alourdir le budget de l'Etat avec des prétentions excessives.

Le patriotisme, répliqua le comte. Intéressant. Surtout quand celui qui l'invoquait était il y a peu de temps encore fonctionnaire français.

Gauss le regarda fixement.

Le comte, qui buvait son thé à petites gorgées, le pria de ne pas mal interpréter ses propos. Il ne faisait de reproche à personne. Cela avait été une période difficile, et chacun avait agi en fonction de ses possibilités.

Par égard pour moi, dit Gauss, Napoléon a renoncé à canonner Göttingen !

Le comte approuva de la tête. Il ne paraissait pas surpris. Tout le monde n'avait pas eu la chance d'être apprécié du Corse, dit-il.

Et presque personne n'avait mérité de l'être, dit Gauss.

Le comte regarda pensivement à l'intérieur de sa tasse. En affaires en tout cas, monsieur le géomètre ne semblait pas aussi inexpérimenté qu'il voulait bien le faire croire.

Gauss demanda comment il devait comprendre cela.

Il partait du principe que monsieur le géomètre allait le payer en monnaie conventionnelle locale, n'est-ce pas ?

Bien entendu, dit Gauss.

Mais alors, ces dépenses n'allaient-elles pas lui être remboursées en or par l'Etat ? Parce que si c'était le cas, cela faisait un joli gain de change. Nul besoin d'être mathématicien pour s'en rendre compte.

Gauss rougit.

Du moins pas celui qu'on appelait le Prince des Mathématiciens, ajouta le comte, et qui pouvait difficilement négliger ces choses-là.

Gauss joignit les mains dans son dos et contempla les orchidées qui poussaient sur les troncs de palmier. Rien de tout cela n'est illicite, dit-il d'une voix étranglée.

Sans aucun doute, répliqua le comte. Il était convaincu que monsieur le géomètre l'avait vérifié. Lui-même avait d'ailleurs une grande admiration pour le travail d'arpentage. C'était une occupation singulière que d'errer pendant des mois avec ses instruments.

En Allemagne uniquement, répliqua Gauss. Quand on faisait la même chose dans les cordillères, on était salué comme un explorateur.

Le comte dodelina de la tête. Mais cela devait être difficile malgré tout, surtout lorsqu'on avait une famille à la maison. Monsieur le géomètre avait une famille, n'est-ce pas ? Une gentille épouse ?

Gauss acquiesça. La lumière du soleil était trop vive pour lui et les plantes l'inquiétaient. Il demanda s'ils pouvaient parler de l'achat des arbres. Il devait reprendre la route, son temps était limité !

Pas aussi limité que ça, dit le comte. Quand on était l'auteur des *Disquisitiones arithmeticae*, on ne devait plus jamais être pressé, à vrai dire.

Gauss regarda le comte d'un air stupéfait.

Pas de modestie inutile, s'il vous plaît, dit le comte. Le passage sur le découpage du cercle comptait parmi les choses les plus remarquables qu'il ait jamais lues. Il avait trouvé là des idées dont même lui avait pu tirer parti.

Gauss éclata de rire.

Si si, dit le comte, je suis sérieux.

Cela m'étonne, dit Gauss, de trouver ici un homme ayant ce genre d'intérêts.

Qu'il parle plutôt d'un savoir, dit le comte. Ses centres d'intérêt étaient très restreints. Mais il avait toujours jugé nécessaire d'élargir ses connaissances bien au-delà de ses inclinations. A ce propos : il avait entendu dire que monsieur le géomètre voulait lui parler de quelque chose.

Pardon ?

Cela remontait déjà à un certain temps. Des plaintes, des contrariétés. Et même une accusation.

Gauss se frotta le front. Il commençait à avoir chaud. Il n'avait aucune idée de ce que cet homme racontait.

Sûr que non ?

Gauss le regarda sans comprendre.

Eh bien tant pis, dit le comte. Quant aux arbres, je les cède gratuitement.

Et la remise ?

Elle aussi.

Mais pourquoi, demanda Gauss tout en s'effrayant de sa propre réaction. Quelle erreur stupide !

Fallait-il toujours avoir des raisons ? Pour l'amour de l'Etat, comme il convenait à un citoyen. Par estime pour monsieur le géomètre.

Gauss remercia en s'inclinant. Il devait partir à présent, son bon à rien de fils l'attendait, il lui fallait encore mesurer toute la longueur jusqu'à Kalbsloh.

Le comte répondit à son salut par un geste papillonnant de sa main frêle.

En se dirigeant vers le manoir, Gauss eut un instant l'impression qu'il s'était perdu. Il se concentra, puis il alla à droite, à gauche et à droite, passa la porte grillagée, tourna deux fois à droite, franchit de nouveau une porte et se retrouva dans le vestibule de la veille. Le domestique l'attendait déjà, il ouvrit la porte d'entrée et s'excusa pour la chambre. Il n'avait pas compris de qui il s'agissait. C'était simplement la pièce des palefreniers, où on logeait la racaille et les vagabonds. A l'étage, ce n'était pas vilain du tout. On disposait d'un miroir, d'une cuvette pour la toilette et même d'une literie.

La racaille et les vagabonds, répéta Gauss.

Oui, dit le domestique d'un air impassible. La lie et la canaille. Puis il referma doucement la porte.

Gauss prit une profonde inspiration. Il était soulagé d'être dehors. Il devait vite partir avant que ce fou ne regrette d'avoir donné son accord. Cet homme-là avait donc lu les *Disquisitiones* ! Gauss ne s'était pas encore habitué à l'idée qu'il était célèbre. Même à l'époque, quand la guerre faisait rage et qu'un officier d'ordonnance lui avait transmis les salutations de Napoléon, il avait cru à un malentendu. Sans doute en était-ce un, d'ailleurs ; il ne le saurait jamais. D'un pas rapide, il descendit le talus qui menait à la forêt.

Il constata avec agacement que les arbres qu'il avait marqués la veille se cachaient avec la plus grande habileté. Il faisait lourd, Gauss transpirait, et il y avait trop de mouches. Sur chaque arbre qui devait être éliminé, il avait tracé une croix à la craie. Il devait à présent en dessiner une deuxième au-dessus pour indiquer qu'on avait obtenu l'autorisation de l'abattre. Récemment, Eugène lui avait demandé si cela ne lui faisait pas de la peine ; ces arbres étaient si vieux et si grands, ils procuraient tant d'ombre et avaient vécu si longtemps. Ce garçon avait à la fois une nature sensible et un esprit lent. Quelle tristesse : il avait tout fait pour développer les talents de ses enfants, faciliter leur apprentissage et encourager tout ce qu'il y avait d'extraordinaire en eux. Puis il s'était rendu compte qu'en eux il n'y avait rien d'extraordinaire. Ils n'étaient même pas particulièrement intelligents. Joseph faisait bonne impression comme aspirant, mais il faut dire aussi que c'était le fils de Johanna. Wilhelmine était au moins obéissante et elle tenait la maison. Mais Eugène ?

Il finit par trouver la remise et put faire le repérage. Il faudrait probablement des jours avant que ses assistants ne la démolissent. Après, il pourrait déterminer le dernier angle, et le réseau s'agrandirait d'un nouveau triangle. C'est ainsi qu'il devait procéder, pas à pas, jusqu'à la frontière danoise.

Bientôt, tout cela ne serait plus qu'une broutille. On volerait dans des ballons et on lirait les distances sur des échelles magnétiques. On enverrait des signaux galvaniques d'un point de mesure à l'autre et on reconnaîtrait la distance à la baisse d'intensité électrique. Mais cela ne l'aidait pas, c'était maintenant qu'il devait faire ce travail, avec un mètre à ruban, un sextant et un théodolite, dans des bottes boueuses ; il devait en outre trouver des méthodes pour compenser les imprécisions de la mesure par le biais des mathématiques pures : chaque fois, de minuscules erreurs s'additionnaient et menaient à la catastrophe. Personne n'avait jamais dressé de carte exacte de cette région ou de n'importe quelle autre.

Son nez le démangeait, un moustique l'avait piqué au beau milieu. Il essuya la sueur sur son front. Il pensa au récit de Humboldt sur les moustiques de l'Orénoque : hommes et insectes ne pouvaient vivre ensemble éternellement. La semaine dernière encore, Eugène s'était fait piquer par un frelon. On disait que chaque être humain était assailli au cours de sa vie par un million d'insectes. Même avec beaucoup de chance et d'habileté, on ne pouvait pas tous les exterminer. Gauss s'assit sur une souche, sortit de sa poche un morceau de pain dur et mordit dedans avec précaution. Quelques secondes plus tard, les premières guêpes bourdonnaient autour de sa tête. En regardant les choses objectivement, il fallait bien admettre que les insectes allaient gagner.

Il pensa à sa femme Minna. Il ne lui avait jamais menti. Au début, il avait songé à épouser Nina, mais dans une longue lettre Bartels l'avait persuadé de ne surtout pas le faire. Gauss avait donc expliqué à Minna qu'il avait besoin de quelqu'un pour ses enfants, pour le ménage et pour sa mère ; il ne pouvait pas vivre seul, et elle était quand même la meilleure amie de Johanna. Ses fiançailles avec un quelconque imbécile avaient été rompues peu de temps avant, elle n'était plus jeune, elle avait peu de chances de se marier. Minna avait émis un petit gloussement gêné, elle était sortie puis revenue en tirant sur sa robe. Puis elle avait versé quelques larmes avant de dire oui. Il repensa à leur mariage, à l'effroi qu'il avait ressenti en la voyant habillée de blanc, un joyeux sourire découvrant ses grandes dents. A ce moment-là, il avait compris son erreur. Le problème, ce n'était pas qu'il ne l'aimait pas ; c'était qu'il ne pouvait pas la supporter. Sa présence le rendait nerveux et malheureux, sa voix lui faisait l'effet d'une craie crissant sur une ardoise, il se sentait seul dès qu'il voyait son visage, fût-ce de loin, et le simple fait de penser à elle lui donnait envie de mourir. Pourquoi était-il devenu arpenteur ? Pour ne pas être à la maison.

Il remarqua qu'il s'était de nouveau perdu. Il leva les yeux. Les cimes des arbres s'élevaient dans un ciel brumeux. Le sol de la forêt s'enfonçait sous ses pieds. Il devait faire attention, on glissait facilement sur les racines humides. A midi, il allait sans doute devoir manger chez un paysan et, comme toujours, la panade et le lait gras lui donneraient des crampes d'estomac. De plus, tous les médecins du pays disaient à qui voulait l'entendre que transpirer n'était pas bon pour la santé.

Des heures plus tard, Eugène le trouva en train de parcourir la forêt en pestant.

Pourquoi seulement maintenant, hurla Gauss.

Eugène assura qu'il n'était pour rien dans ce retard, un paysan l'avait envoyé dans la mauvaise direction, ensuite il n'avait pas vu la marque sur la remise, elle était tracée trop bas, et puis une chèvre était étendue juste devant. Quand il avait fini par apercevoir la croix, la bête l'avait attaqué. Il n'avait encore jamais été mordu par une chèvre. Il ne savait pas que ce genre de choses pouvait arriver.

Gauss tendit la main en soupirant ; le jeune homme, qui s'attendait à une gifle, recula en tressaillant. Or Gauss avait simplement voulu lui taper sur l'épaule. L'énervement s'empara de lui, maintenant il ne pouvait plus achever son geste sans se ridiculiser. Il devait donc lui donner une petite tape sur la joue. Elle fut un peu plus ferme que prévu, et Eugène le regarda de ses yeux écarquillés.

Comment est-ce que tu te tiens, dit Gauss, parce qu'il devait justifier la claque. Redresse-toi ! Il lui prit des mains l'héliotrope replié. Aucun doute, ce garçon avait l'intelligence de Minna, et, du père, uniquement son penchant à la mélancolie. Gauss caressa les miroirs de cristal, les échelles graduées et le télescope orientable. Les hommes se serviraient longtemps de cette invention ! Il regrettait de n'avoir pu montrer cet instrument au comte.

Quel comte ?

Gauss gémit. Depuis son plus jeune âge, il était habitué à l'inertie des gens. Mais il ne pouvait la tolérer chez son propre fils. Bougre d'âne, dit-il et il tourna les talons. En pensant à tout ce qu'il restait encore à faire, il fut pris de vertige. L'Allemagne n'était pas un pays de villes, elle était peuplée de paysans et de quelques aristocrates excentriques, elle se composait de milliers de forêts et de petits villages. Il avait l'impression qu'il allait devoir se rendre dans chacun d'eux.

LA CAPITALE

En Nouvelle-Espagne les attendait le premier reporter.

Ils avaient failli ne pas arriver jusque-là, parce que le capitaine de l'unique bateau à destination d'Acapulco avait refusé de prendre des étrangers à son bord. Qu'ils aient ou non des passeports, dit-il, peu importe, il était originaire de Nouvelle-Grenade, l'Espagne ne l'intéressait pas, et le sceau d'Urquijo n'avait aucune valeur, ici depuis toujours et là-bas non plus, désormais. Par principe, Humboldt n'avait pas voulu payer de pot-de-vin, et ils avaient fini par régler le problème de la façon suivante : Humboldt avait donné l'argent à Bonpland qui l'avait remis en douce au capitaine.

Durant leur voyage, une éruption du volcan Cotopaxi avait déclenché une tempête, et comme le capitaine avait ignoré les conseils de Humboldt – il faisait ce métier depuis des années, et il était contraire au droit maritime de critiquer le navigateur, les membres d'équipage pouvaient être pendus pour cela – ils avaient beaucoup dévié de leur route. Pour que l'orage serve quand même à quelque chose, Humboldt s'était fait attacher à la proue, à cinq mètres au-dessus de la surface de l'eau, afin de mesurer la hauteur des vagues qui ne se brisaient pas sur une côte. Il était resté suspendu ainsi toute une journée, du matin jusqu'à la nuit, l'oculaire du sextant devant son visage. Après, il était certes un peu désorienté, mais également rouge, rafraîchi et gai, et il n'avait pas compris pourquoi les marins, à partir de ce moment-là, l'avaient pris pour le diable.

Sur l'embarcadère d'Acapulco, donc, se tenait un homme moustachu. Il s'appelait Gomez et écrivait pour plusieurs journaux de Nouvelle-Espagne et de métropole. Il demandait très humblement l'autorisation d'accompagner monsieur le comte.

Pas comte, dit Bonpland. Simplement baron.

Humboldt répondit que cela lui paraissait superflu, étant donné qu'il voulait raconter lui-même son voyage, puis il regarda Bonpland d'un air réprobateur.

Gomez promit qu'il serait une ombre, un fantôme, pour ainsi dire invisible, mais qu'il avait bien l'intention d'observer tout ce qui allait nécessiter des témoins.

Humboldt commença par déterminer la position géographique de la ville portuaire. Un atlas exact de la Nouvelle-Espagne, dicta-t-il à Gomez tandis qu'il était allongé sur le dos et dirigeait le télescope vers le ciel nocturne, pourrait favoriser le peuplement de la colonie, accélérer l'asservissement de la nature et orienter la destinée de ce pays dans une direction favorable. On disait qu'un astronome allemand avait calculé la trajectoire d'un nouvel astre errant. Malheureusement, il était impossible d'avoir des informations précises, tant les journaux d'ici étaient arriérés. Parfois, il avait envie de rentrer chez lui. Il abaissa la lunette astronomique et pria Gomez de rayer les deux dernières phrases.

Ils partirent en montagne. Bonpland s'était remis de sa fièvre : il était amaigri et pâle malgré le soleil, il avait ses premières rides et beaucoup moins de cheveux que quelques années plus tôt. Il se rongeait les ongles, ce qui était nouveau chez lui, et il toussait encore de temps à autre, par habitude. Il lui manquait à présent tellement de dents qu'il avait du mal à manger.

Humboldt, au contraire, paraissait inchangé. Avec son ardeur habituelle, il travaillait à établir le tracé du continent. Il y reportait les zones de végétation, la pression atmosphérique qui diminuait quand l'altitude augmentait, la fusion des roches à l'intérieur de la montagne. Pour différencier les formations rocheuses, il rampait dans des cavités si petites qu'il resta coincé à plusieurs reprises et que Bonpland dut l'en faire ressortir en le tirant par les pieds. Il monta sur un arbre, une branche cassa et Humboldt dégringola sur Gomez qui était en train de prendre des notes.

Ce dernier demanda à Bonpland quelle sorte d'homme était Humboldt.

Il le connaissait mieux que n'importe qui, répondit Bonpland. Mieux que sa mère et son père, mieux que lui-même. Il n'avait pas choisi, ça s'était fait comme ça.

Alors ?

Bonpland soupira : Aucune idée.

Gomez demanda depuis combien de temps ils faisaient route ensemble.

Je l'ignore, répondit Bonpland. Peut-être toute une vie. Peut-être plus.

Pourquoi avoir pris tout cela sur lui ?

Bonpland le regarda de ses yeux cernés de rouge.

Pourquoi, répéta Gomez, avoir pris tout cela sur lui ? Pourquoi était-il l'assistant…

Pas assistant, répliqua Bonpland. Collaborateur.

Pourquoi, donc, était-il resté le collaborateur de cet homme, malgré toutes les souffrances et durant toutes ces années ?

Bonpland réfléchit. Pour de nombreuses raisons.

Par exemple ?

A vrai dire, il avait juste voulu, depuis toujours, quitter La Rochelle. Puis tout s'était enchaîné. Le temps passait ridiculement vite.

Ceci, répondit Gomez, n'est pas une réponse.

Bon, il faut que j'aille disséquer des cactus. Bonpland se détourna et grimpa d'un pas vif sur la colline la plus proche.

Pendant ce temps, Humboldt descendit dans la mine de Taxco. Durant quelques jours, il observa l'extraction de l'argent, inspecta le revêtement des galeries, tapota la roche, s'entretint avec les directeurs. Avec son masque à oxygène et sa lampe de mineur, il ressemblait à un démon. Où qu'il apparaisse, les ouvriers tombaient à genoux et demandaient à Dieu de leur venir en aide. Plusieurs fois, les contremaîtres durent le protéger des jets de pierres.

Ce qui le fascinait le plus, c'était l'inventivité des ouvriers pour les larcins. Personne n'était autorisé à monter dans la cage d'extraction avant d'avoir été soigneusement examiné. Ils trouvaient pourtant sans cesse de nouveaux moyens pour emporter des morceaux de minerai. Humboldt demanda si, à des fins scientifiques, il pouvait participer à la fouille corporelle. Il trouva des pépites d'argent dans les cheveux, sous les aisselles, dans la bouche et même dans l'anus de ces hommes. Ce genre de travail lui répugnait, dit-il au directeur de la mine, un certain don

Fernando García Utilla, qui le regardait rêveusement palper le nombril d'un jeune garçon ; mais la science et la prospérité de l'Etat l'exigeaient. Une exploitation régulière des richesses de la terre profonde n'était pas envisageable sans combattre les intérêts individuels des ouvriers. Il répéta la phrase pour que Gomez puisse la noter. En outre, il recommandait de rénover les installations. Il y avait trop d'accidents.

On avait suffisamment d'hommes, répondit don Fernando. Ceux qui mouraient pouvaient être remplacés.

Humboldt lui demanda s'il avait lu Kant.

Un peu, répliqua don Fernando. Mais il avait des objections, il préférait Leibniz. Il avait des ancêtres allemands, c'est pourquoi il connaissait toutes ces belles chimères.

Le jour de leur départ, deux ballons captifs ronds et étincelants flottaient à côté du soleil. C'était la mode en ce moment, expliqua Gomez, tout homme de qualité et de courage voulait un jour faire un vol.

Il y avait des années, il avait vu le premier ballon survoler l'Allemagne, dit Humboldt. Heureux ceux qui avaient pu participer à ce vol. A une époque où on n'y voyait déjà plus un miracle, mais pas encore une chose d'ici-bas. C'était comme la découverte d'une nouvelle étoile.

Aux abords de Cuernavaca, un jeune Nord-Américain leur adressa la parole. Il avait une barbe élégamment bouclée, s'appelait Wilson et écrivait pour le *Philadelphia Chronicle*.

Ça suffit, maintenant ! dit Humboldt.

Les Etats-Unis étaient évidemment dans l'ombre du grand voisin, dit Wilson. Mais leur jeune Etat disposait lui aussi d'une opinion publique qui suivait avec un intérêt grandissant les faits et gestes du général Humboldt.

Assesseur des Mines, répondit Humboldt pour devancer Bonpland. Pas général !

Aux portes de la capitale, Humboldt revêtit son uniforme de gala. Une délégation du vice-roi les attendait sur une butte avec les clés de la ville. Depuis Paris, ils ne s'étaient plus rendus dans une métropole de cette taille. Elle comptait une université, une bibliothèque publique, un jardin botanique, une académie des arts et une académie des Mines sur le modèle prussien, dirigée par l'ancien condisciple de Humboldt à Freiberg, Andres del Rio. Celui-ci ne semblait pas se réjouir outre mesure de leurs retrouvailles. Il posa ses mains sur les épaules de Humboldt, le maintint à une coudée de lui et le regarda en plissant les yeux.

C'était donc vrai, dit-il dans un mauvais allemand. Malgré toutes les rumeurs.

Quelles rumeurs ? Depuis la rencontre avec Brombacher, Humboldt n'avait plus pratiqué sa langue maternelle. Il parlait un allemand rouillé et hésitant, il cherchait ses mots sans arrêt.

Des bruits qui couraient, dit Andres. On disait par exemple qu'il espionnait pour le compte des Etats-Unis. Ou bien des Espagnols.

Humboldt se mit à rire. Un espion espagnol dans une colonie espagnole ?

Mais oui, répondit Andres. On ne resterait plus très longtemps une colonie. Là-bas on le savait bien, et ici on le savait encore mieux.

Près de la place principale, on avait commencé à déterrer les restes du temple détruit par Cortés. Dans l'ombre de la cathédrale se tenaient des ouvriers qui bâillaient, une odeur âcre de galettes de maïs flottait dans l'air. Par terre gisaient des crânes avec des yeux en pierre précieuse, des dizaines de couteaux d'obsidienne, des scènes de sacrifices humains artistement gravées dans la pierre, des statuettes en terre glaise à la cage thoracique ouverte. Il y avait aussi un autel en pierre composé de têtes de morts grossièrement sculptées. L'odeur de maïs gênait Humboldt, il ne se sentait pas bien. Quand il se retourna, il vit Gomez et Wilson avec leurs carnets de notes.

Il les priait de le laisser seul, il devait se concentrer.

Ainsi travaillent les grands savants, dit Wilson.

Etre seul pour se concentrer, dit Gomez. Il faut que la terre entière l'apprenne !

Humboldt se trouvait devant une gigantesque roue en pierre. Un tourbillon de sauriens, de têtes de serpents et de silhouettes humaines brisées en éclats géométriques. Au centre, un visage aux yeux sans paupières et qui tirait la langue. Humboldt contempla longuement l'ensemble. Le chaos s'organisa peu à peu : il reconnut des correspondances, des motifs qui se complétaient, des symboles cryptés par des nombres qui se répétaient selon des lois subtiles. On avait là un calendrier. Humboldt essaya de le reproduire mais il n'y parvint pas, et cela avait quelque chose à voir avec le visage au centre. Il se demanda où il avait déjà rencontré ce regard. Il pensa soudain au jaguar, puis au jeune garçon dans la hutte en torchis. Il jeta un œil sur son carnet, l'air inquiet. Pour ce faire, il aurait besoin d'un dessinateur professionnel. Il fixa le visage et, sans doute à cause de la chaleur ou de l'odeur de maïs, il dut se détourner brusquement.

Vingt mille, dit gaiement un ouvrier. Pour l'inauguration du temple, on avait sacrifié vingt mille personnes. L'une après l'autre : cœur arraché, tête coupée. Les files d'attente allaient jusqu'aux faubourgs de la ville.

Mon brave, répliqua Humboldt, ne dites pas de sottises !

L'ouvrier le regarda, vexé.

Vingt mille au même endroit et en un jour, c'était impensable. Les victimes ne le toléreraient pas. Les spectateurs ne le toléreraient pas. Et je dirais même plus : l'ordre du monde ne tolérerait pas ce genre de choses. Si un tel événement venait à se produire, ce serait la fin de l'univers.

L'univers, dit l'ouvrier, n'en a rien à cirer.

Le soir, Humboldt soupa chez le vice-roi. Andres del Rio et de nombreux membres du gouvernement étaient présents, ainsi qu'un directeur de musée, quelques officiers et un petit monsieur silencieux au teint mat, vêtu avec une rare élégance : le Condé de Moctezuma, arrière-arrière-petit-fils du dernier dieu-roi et grand d'Espagne. Il habitait un château en Castille et se trouvait dans la colonie pendant deux ou trois mois pour affaires. Sa femme, une beauté de haute taille, regardait Humboldt avec un intérêt non dissimulé.

Vingt mille, c'est bien cela, dit le vice-roi. Peut-être plus encore, les estimations divergeaient. Sous Tlacaelel, le dernier grand-prêtre, l'Empire avait sombré dans le sang.

Non pas que la vie d'un grand-prêtre ait été enviable, ajouta Andres. Il lui fallait régulièrement se mutiler. Pour les grandes occasions, par exemple – il priait les dames de l'excuser – on prélevait du sang sur ses parties génitales.

Humboldt se racla la gorge et se mit à parler de Goethe, de son frère aîné et de leur intérêt commun pour les langues des peuples primitifs. Ils les considéraient comme une forme de latin amélioré, plus pur et plus proche de l'origine du monde. Il se demandait si cela valait également pour la langue aztèque.

Le vice-roi regarda le Condé d'un air interrogateur.

Celui-ci répondit sans lever les yeux de son assiette qu'il ne pouvait pas le renseigner. Il parlait seulement espagnol.

Pour changer de sujet, le vice-roi demanda à Humboldt son avis sur les mines d'argent.

Inefficaces, dit Humboldt distraitement, ce n'était partout que dilettantisme et travail bâclé. Il ferma les yeux un instant, le visage en pierre apparut immédiatement devant lui. Il sentait que quelque chose l'avait vu et ne l'oublierait plus. Seule la quantité surabondante d'argent, s'entendit-il dire, permettait de feindre l'efficacité. Les moyens étaient dépassés, le taux de vol considérable, le personnel insuffisamment formé.

Le silence régna pendant quelques secondes. Le vice-roi lança un regard à Andres del Rio, devenu pâle.

La formulation était bien sûr exagérée, dit Humboldt, effrayé par ce qu'il venait de dire. Beaucoup de choses lui avaient fait une forte impression !

Le Condé le regarda avec un pâle sourire.

La Nouvelle-Espagne avait besoin d'un ministre des Mines compétent, dit le vice-roi.

Humboldt demanda à qui il songeait.

Le vice-roi ne dit rien.

Impossible, répliqua Humboldt en levant les mains. Il était prussien, il ne pouvait servir un autre pays.

Plus tard dans la soirée, il réussit enfin à échanger quelques mots avec le Condé. A voix basse, il lui demanda ce qu'il savait au sujet d'une gigantesque roue calendaire en pierre.

D'environ cinq coudées de rayon ?

Humboldt acquiesça.

Avec des serpents ailés, et un visage au regard fixe en plein milieu ?

Oui, s'écria Humboldt.

Il ne savait strictement rien à ce sujet. Il n'était pas indien, mais grand d'Espagne.

Humboldt demanda s'il n'existait pas de tradition familiale.

Le Condé se redressa de toute sa taille, il arrivait à présent à la poitrine de Humboldt. Son ancêtre, dit-il, s'était fait enlever par Cortés. Comme une femme, il avait supplié qu'on l'épargne, il avait gémi et pleuré, et finalement, après des semaines de captivité, il avait changé de camp. C'étaient les Aztèques qui l'avaient tué à coups de pierres. Si lui, le Condé de Moctezuma, allait maintenant sur la place principale, il ne vivrait pas cinq minutes de plus. Il réfléchit. Mais peut-être qu'il ne se passerait rien, ajouta-t-il. Tout cela remontait à longtemps, les gens s'en souvenaient à peine. Il saisit le coude de sa femme et leva ses yeux plissés vers Humboldt. Tous ceux qui le rencontraient cherchaient dans son visage un reflet des traits du dieu-roi. Quiconque apprenait son nom ne voyait en lui que son passé. Humboldt pouvait-il s'imaginer ce que c'était de vivre dans l'ombre d'un parent illustre ?

Parfois oui, répondit Humboldt.

La tradition familiale, répéta le Condé avec mépris. Lui et sa femme s'en allèrent sans saluer Humboldt.

Au petit matin, Humboldt remarqua que Bonpland n'était pas là. Il partit immédiatement à sa recherche. Les rues étaient pleines de marchands : un homme vendait des fruits séchés, un autre des remèdes miracle contre toutes les maladies sauf la goutte, un troisième se coupa la main gauche à la hache, la fit circuler et examiner par la foule, tandis qu'il attendait, en souffrant, de la récupérer. Puis il la pressa contre le moignon et versa dessus quelques gouttes de teinture. Blême à force de perdre son sang, il frappa alors deux ou trois fois sur la table pour montrer que sa main s'était ressoudée. Les badauds applaudirent et lui achetèrent toutes ses réserves de teinture. Un quatrième avait des remèdes miracle contre la goutte, un cinquième des brochures illustrées à l'impression bon marché. Dans l'une d'elles, on racontait l'histoire d'un prêtre thaumaturge, dans une autre la vie du jeune Indien auquel était apparue la Madone de Guadalupe, dans une troisième les aventures d'un baron allemand qui avait conduit un bateau à travers l'enfer de l'Orénoque et gravi la plus haute montagne du monde. Les images n'étaient pas mauvaises du tout, l'uniforme de Humboldt notamment était très ressemblant.

Il trouva Bonpland là où il pensait le trouver. La maison était luxueusement décorée, la façade recouverte de carreaux en faïence chinoise. Un portier le pria d'attendre. Quelques minutes plus tard, Bonpland apparut, vêtu à la hâte.

Humboldt demanda combien de fois encore il devrait lui rappeler leur accord.

C'était un hôtel comme un autre, répondit Bonpland, et cet accord était inadmissible. Il ne l'avait jamais approuvé.

Peu importe, dit Humboldt, c'était bel et bien ce qui avait été convenu.

Bonpland le pria de lui faire grâce de ses sermons.

Le lendemain, ils firent l'ascension du Popocatépetl. Un sentier conduisait presque jusqu'au sommet ; Gomez et Wilson, le maire de la capitale, trois dessinateurs et une centaine de curieux les suivaient. Chaque fois que Bonpland cueillait une plante, il devait la faire passer à la ronde. Le plus souvent, elle revenait si abîmée qu'il n'avait plus besoin de la mettre dans la boîte à herboriser. Lorsque Humboldt fixa son masque à oxygène devant une cavité souterraine, il y eut un tonnerre d'applaudissements. Et tandis qu'il déterminait la hauteur du sommet avec son baromètre et faisait descendre son thermomètre dans le cratère, des marchands vendaient des rafraîchissements.

En redescendant de la montagne, ils furent abordés par un Français. Il dit qu'il s'appelait Duprés et qu'il écrivait pour plusieurs revues parisiennes. A vrai dire, il était venu ici à cause de l'expédition de l'Académie dirigée par Baudin. Mais ce dernier ne s'était pas montré, et lui-même n'en était pas revenu d'apprendre qu'un personnage bien plus éminent se trouvait dans le pays.

Pendant un instant, Humboldt ne réussit pas à réprimer un sourire de suffisance. Il espérait toujours, dit-il, se joindre à Baudin pour se rendre avec lui aux Philippines. Il caressait l'idée d'attendre le capitaine à Acapulco afin qu'ils puissent se consacrer ensemble à la découverte de ces îles bienheureuses.

Ensemble, répéta Duprés. La bienheureuse découverte de ces îles.

La découverte de ces îles bienheureuses !

Duprés raya sa phrase, la récrivit et remercia Humboldt.

Puis ils visitèrent les ruines de Teotihuacán. Elles semblaient trop grandes pour avoir été construites de main d'homme. En suivant une chaussée toute droite, ils arrivèrent à une place entourée de temples. Humboldt s'assit par terre et fit des calculs, la foule l'observait à distance.

Bientôt, les premiers commencèrent à s'ennuyer, certains se mirent à pester ; au bout d'une heure, la plupart d'entre eux étaient partis, après quatre-vingt-dix minutes, les tout derniers avaient disparu. Seuls les trois journalistes étaient encore là. Bonpland revint en sueur du sommet de la plus grande pyramide.

Il n'imaginait pas qu'elle puisse être aussi haute !

Humboldt, le sextant à la main, acquiesça.

Quatre heures plus tard, la nuit était tombée depuis longtemps, il était toujours assis là, dans la même position, penché au-dessus de son papier ; Bonpland et les journalistes, gelés, s'étaient endormis. Lorsque Humboldt emballa ses instruments peu après, il savait que le jour du solstice, le soleil, observé depuis la chaussée, se levait juste au-dessus du sommet de la plus grande pyramide et se couchait en passant par le sommet de la deuxième plus grande. La ville entière était un calendrier. Qui l'aurait cru ? Quelles connaissances ces hommes avaient-ils des étoiles, et qu'avaient-ils voulu dire par là ? Depuis plus de mille ans, il était le premier à pouvoir lire leur message.

Bonpland, réveillé par le bruit des instruments qu'on rangeait, demanda à Humboldt pourquoi il était si soucieux.

Un tel degré de civilisation et une telle cruauté, dit Humboldt. Quelle association ! Tout le contraire, pour ainsi dire, de ce que représentait l'Allemagne.

Il était peut-être temps de rentrer, dit Bonpland.

En ville ?

Pas dans celle-ci.

Humboldt regarda un moment le ciel nocturne étoilé. Bien, dit-il. Il percerait le secret de ces pierres disposées les unes sur les autres avec une intelligence effrayante, comme si elles faisaient partie de la nature. Puis il laisserait Baudin partir seul pour les Philippines et il prendrait le premier bateau pour l'Amérique du Nord. De là, ils rentreraient en Europe.

Mais avant ils allèrent jusqu'au volcan de Jorullo qui, cinquante ans plus tôt, avait brusquement surgi de la plaine sous un orage, une tempête de feu et une pluie de cendres. Lorsque le volcan apparut à l'horizon, Humboldt battit des mains d'excitation. Je dois encore monter là-haut, dicta-t-il aux journalistes, on pouvait en effet s'attendre à une réfutation définitive des thèses neptunistes. Quand il pensait au grand Abraham Werner – il épela le nom – cela lui faisait presque de la peine.

Au pied du volcan, ils furent reçus par le gouverneur de la province de Guanajuato avec une suite imposante, parmi laquelle le premier homme à avoir gravi le volcan, un vieux monsieur du nom de don Ramón Espelde. Ce dernier insista pour être à la tête de l'expédition. La chose était trop dangereuse pour la confier à des novices !

Humboldt affirma qu'il avait gravi plus de montagnes que n'importe qui.

Impassible, don Ramón lui conseilla de ne pas regarder le soleil droit dans les yeux et d'invoquer, chaque fois qu'il posait le pied droit, la Madone de Guadalupe.

Ils avançaient très lentement. Ils devaient sans cesse attendre l'un ou l'autre de leurs accompagnateurs ; don Ramón notamment glissait sans arrêt ou bien il n'arrivait plus à marcher tant il était épuisé. Régulièrement, sous les regards ébahis, Humboldt se mettait à quatre pattes pour écouter le sol avec son cornet acoustique. Une fois parvenu au sommet, il descendit en rappel dans le cratère.

Cet individu est complètement fou, dit don Ramón, je n'ai encore jamais vu ça.

Lorsqu'on remonta Humboldt, il avait viré au vert, toussait horriblement et ses vêtements étaient roussis. A compter de ce jour, s'écria-t-il en clignant des yeux, le neptunisme est enterré !

C'est bien dommage, à vrai dire, répliqua Bonpland. La théorie ne manquait pas de poésie.

A Veracruz, ils prirent le premier bateau qui rentrait à La Havane. Il devait reconnaître, dit Humboldt tandis que la côte était engloutie par la brume, qu'il était content que cela se termine. Il s'appuya au bastingage et regarda le ciel en plissant les yeux. Bonpland s'aperçut que, pour la première fois, Humboldt ne ressemblait plus à un jeune homme.

Ils eurent de la chance : à La Havane, un bateau s'apprêtait à lever l'ancre et à remonter le long du continent pour suivre le fleuve Delaware jusqu'à Philadelphie. Humboldt s'adressa au capitaine, montra une fois de plus son passeport espagnol et demanda le passage.

Sacrebleu, dit le capitaine. Vous !

Juste ciel, dit Humboldt.

Ils se regardèrent, perplexes.

A son avis, ce n'était pas une bonne idée, dit le capitaine.

Humboldt répondit qu'il devait absolument aller là-bas, et il promit de n'effectuer aucune mesure de position durant le voyage. Il lui faisait entièrement confiance. Quant à la précédente traversée de l'océan, il avait le souvenir d'une performance remarquable dans l'art de la navigation. Et cela malgré l'épidémie, l'incompétence du médecin de bord et les erreurs de calcul.

Et il fallait que ce soit Philadelphie, renchérit le capitaine. En ce qui le concernait, tous les colonialistes insurgés pouvaient crever, ceux de là-bas et ceux d'ici.

Humboldt dit qu'il avait quatorze caisses remplies d'échantillons de roches et de plantes, ainsi que vingt-quatre cages avec des singes et des oiseaux, quelques coffrets en verre contenant des insectes et des arachnides et qui devaient être maniés avec prudence. Si cela convenait au capitaine, on pouvait procéder immédiatement au chargement.

C'était un port animé, répondit celui-ci. Un autre bateau allait certainement arriver bientôt.

Pour sa part, il n'aurait rien contre, dit Humboldt. Mais, maintenant qu'il avait ce passeport, Leurs Majestés catholiques s'attendaient à ce qu'il se dépêchât.

Humboldt tint sa promesse et ne se mêla pas de navigation. Si un singe ne s'était pas échappé de sa cage et n'avait pas, à lui tout seul, dévoré la moitié des vivres, libéré deux tarentules et tout mis en lambeaux dans la cabine du capitaine, le voyage se serait déroulé sans incident. Humboldt passa son temps sur le pont arrière, dormit plus que de coutume et rédigea des lettres adressées à Goethe, à son frère et au président Thomas Jefferson. Tandis qu'on déchargeait les caisses à Philadelphie, Humboldt et le capitaine prirent une nouvelle fois congé l'un de l'autre.

J'espère sincèrement que nous nous reverrons, dit Humboldt d'un air guindé.

Certainement pas autant que moi, répondit le capitaine, dont l'uniforme avait été raccommodé tant bien que mal.

Les deux hommes se saluèrent.

Une calèche les attendait pour les conduire dans la capitale. Un messager leur transmit une invitation dans les formes : le président souhaitait avoir l'honneur de les loger au siège du gouvernement, bâti récemment ; il était avide de savoir tout et plus encore au sujet du voyage déjà légendaire de M. von Humboldt.

Exaltant, dit Duprés.

Le mot était bien trop faible, ajouta Wilson. Humboldt et Jefferson ! Et il allait pouvoir assister à cela !

Pourquoi toujours "le voyage de M. von Humboldt", demanda Bonpland. Pourquoi ne disait-on jamais le voyage de Humboldt et de Bonpland ? Ou le voyage Bonpland-Humboldt ? L'expédition Bonpland ? Est-ce que quelqu'un pouvait le lui expliquer ?

Un président rustre, dit Humboldt. Qui donc s'intéressait à ce qu'il pouvait penser !

La ville de Washington était en pleine construction. On voyait partout des échafaudages, des excavations et des tas de briques, on entendait partout des bruits de scie et des coups de marteau. Le siège du gouvernement, tout juste terminé même si la peinture n'était pas achevée, était un bâtiment à coupole de style classique, entouré de colonnes. Lorsqu'ils sortirent de la calèche, Humboldt déclara qu'il était heureux de constater, une fois de plus, l'influence du grand Winckelmann.

Une haie de soldats faisant maladroitement le salut militaire s'était mise en place, une sonnerie de trompette fendit l'air, un drapeau se gonflait dans le vent. Humboldt se tenait très droit, il mit le revers de sa main au bord de sa casquette. Des hommes en redingote sombre sortirent du bâtiment et se rapprochèrent ; le président en tête, suivi de Madison, le ministre des Affaires étrangères. Humboldt fit brièvement allusion à l'honneur de se trouver là, à son respect pour la pensée libérale, à la joie d'avoir quitté la sphère oppressante d'un régime despotique.

Avez-vous déjà mangé ? demanda le président en lui tapant sur l'épaule. Il faut quand même que vous mangiez quelque chose, baron !

Le dîner de gala fut lamentable, mais les dignitaires de la République étaient tous réunis pour l'occasion. Humboldt évoqua le froid de la glace dans les cordillères et les nuées de moustiques sur l'Orénoque. Il savait raconter, mais il se perdait sans cesse dans les données factuelles : il rapportait tellement de détails sur les courants et les variations de pression, sur le lien entre altitude et densité de la végétation, sur les différences subtiles entre les espèces d'insectes, que plusieurs dames se mirent à bâiller. Lorsqu'il sortit son carnet et commença à exposer ses résultats de mesure, Bonpland lui donna un coup de pied sous la table. Humboldt but une gorgée de vin et parla des pesanteurs du despotisme et de l'exploitation des richesses souterraines ; cela créait une opulence stérile qui ne profiterait jamais à l'économie nationale. Il décrivit le cauchemar de l'esclavage. Il sentit à nouveau un coup de pied. Il regarda Bonpland avec colère, avant de comprendre que cela venait du ministre des Affaires étrangères.

Jefferson possédait des terres, chuchota Madison.

Et alors ?

Avec tout ce qui en faisait partie.

Humboldt changea de sujet. Il dépeignit le port sordide de La Havane, les hauts plateaux de Caxamarca, les jardins d'or disparus d'Atahualpa, les chemins en pierre longs de milliers de milles grâce auxquels le peuple inca avait relié des sommets innombrables. Humboldt avait déjà bu davantage qu'à l'accoutumée, son visage rougissait, ses gestes prenaient de l'ampleur. Il dit qu'il avait toujours été par monts et par vaux depuis l'âge de huit ans. Il n'avait jamais passé plus de six mois au même endroit. Il connaissait tous les continents et avait vu les créatures fabuleuses dont parlaient les conteurs orientaux : des chiens volants, des serpents à plusieurs têtes et des perroquets parfaitement polyglottes. Avec un petit rire, il partit se coucher.

Le lendemain, malgré sa migraine, il s'entretint longuement avec le président dans son bureau en forme d'ellipse. Jefferson se renversa dans son fauteuil et enleva ses lunettes.

Des verres à double foyer, expliqua-t-il ; très utiles, une des nombreuses inventions de son ami Franklin. Pour parler franchement, cet homme lui avait toujours paru étrange, il ne l'avait jamais compris. Oui, bien sûr. Tenez !

Tandis que Humboldt examinait les lunettes, Jefferson croisa les mains sur sa poitrine et se mit à l'interroger. Quand Humboldt s'éloignait du sujet, Jefferson faisait doucement non de la tête, l'interrompait et reposait sa question. Sur la table se trouvait comme par hasard une carte d'Amérique centrale. Jefferson voulut tout savoir sur la Nouvelle-Espagne, ses voies de communication et ses mines. Cela l'intéressait d'apprendre comment l'administration travaillait, comment on transmettait les ordres dans le pays et par-delà l'océan, quel climat régnait dans les milieux aristocratiques, quelle était la taille de l'armée, si elle possédait beaucoup d'armes, si elle était bien entraînée. Lorsqu'on avait une grande puissance comme voisin, dit Jefferson, on n'avait jamais assez d'informations. Il souhaitait cependant faire remarquer à monsieur le baron qu'il était venu ici au nom de la couronne espagnole. Sans doute était-il tenu à la discrétion.

Allons donc, dit Humboldt. A qui cela pouvait-il bien nuire ? Il se pencha au-dessus de la carte dont il venait de corriger les nombreuses erreurs, et marqua d'une croix les emplacements exacts des principales garnisons.

Jefferson le remercia en soupirant. Est-ce qu'on était au courant de quoi que ce soit, ici ? C'était une petite commune protestante au bout du monde. Infiniment loin de tout.

Humboldt jeta un coup d'œil par la fenêtre. Deux ouvriers passèrent devant lui en traînant une échelle, un troisième creusait une gravière. Pour être franc, il n'avait qu'une hâte, c'était de rentrer chez lui.

A Berlin ?

Humboldt se mit à rire. Aucune personne sensée ne pouvait considérer cette ville atroce comme la sienne. Il voulait évidemment parler de Paris. Une chose au moins était sûre, il n'habiterait plus jamais Berlin.

LE FILS

D'un air maussade, Gauss enleva sa serviette. Le repas ne lui avait pas plu du tout. Mais comme il pouvait difficilement s'en plaindre, il se mit à critiquer la ville. Comment faisait-on pour vivre ici ?

Cela présentait aussi des avantages, répondit vaguement Humboldt.

Lesquels ?

Humboldt regarda fixement la table pendant quelques secondes puis déclara qu'il envisageait de recouvrir la terre d'un réseau de stations d'observation magnétique. Il voulait découvrir s'il y avait un, deux ou d'innombrables aimants à l'intérieur de la terre. Il avait déjà gagné la Royal Society à sa cause, mais il avait également besoin de l'aide du Prince des Mathématiciens !

Nul besoin d'un mathématicien particulier pour cela, répliqua Gauss. Lui-même s'était consacré au magnétisme dès l'âge de quinze ans. Un jeu d'enfant. Est-ce qu'on pouvait avoir du thé, ici ?

Consterné, Humboldt fit claquer ses doigts. On était en début d'après-midi, et le professeur avait dormi seize heures d'affilée. Humboldt, lui, s'était levé comme tous les jours à cinq heures du matin, il avait remplacé son petit-déjeuner par quelques expériences sur la fluctuation du champ magnétique terrestre puis dicté un mémorandum sur le coût et l'intérêt éventuel d'un élevage de phoques à Warnemünde, rédigé quatre lettres pour deux académies, discuté avec Daguerre du problème manifestement insoluble de la fixation chimique d'une image sur des plaques de cuivre, bu deux tasses de café, s'était reposé dix minutes et avait pourvu d'annotations sur la flore des cordillères trois chapitres de son récit de voyage. Il avait évoqué avec le secrétaire de la Société des naturalistes le déroulement de la réception prévue pour le soir, écrit pour le nouveau premier ministre mexicain un petit mémoire sur le pompage de l'eau d'infiltration dans les mines et répondu aux questions de deux biographes. C'est alors que Gauss, tout somnolent et de mauvaise humeur, était sorti de la chambre d'amis en réclamant son petit-déjeuner.

En ce qui concernait Berlin, dit Humboldt, il n'avait pas vraiment eu le choix. Après de longues années passées à Paris, il s'était retrouvé… Il écarta ses cheveux blancs de son visage, sortit un mouchoir, se moucha sans bruit, le plia et le lissa de la main avant de le remettre dans sa poche. Comment dire ?

Sans le sou ?

Une formulation exagérée. Mais la publication des documents de son voyage avait passablement épuisé ses ressources financières. Trente-quatre volumes. Toutes les planches et les gravures, les cartes et les illustrations. Et cela en temps de guerre, avec un matériel insuffisant et des salaires qui augmentaient considérablement. Il avait dû jouer à lui seul le rôle de toute une académie. A présent, il était chambellan du roi, prenait ses repas à la cour et voyait Sa Majesté tous les jours. Il y avait pire.

Visiblement, dit Gauss.

En tout cas, Frédéric-Guillaume appréciait la recherche ! Napoléon les avait toujours détestés, lui et Bonpland, parce que trois cents de ses scientifiques avaient obtenu moins de résultats en Egypte qu'eux deux en Amérique du Sud. A leur retour, ils avaient été au centre des conversations dans toute la ville pendant des mois. Cela n'avait pas plu du tout à Napoléon. Duprés avait rapporté quelques très beaux souvenirs de cette période dans *Humboldt – grand voyageur.* Un livre qui distordait moins les faits que le livre de Wilson, par exemple, *Scientist and Traveller : My Journeys with Count Humboldt in Central America.*

Eugène demanda ce que M. Bonpland était devenu. On voyait que le garçon avait mal dormi. Il avait dû passer la nuit avec deux domestiques dans une petite pièce de la maison voisine qui sentait le renfermé. Il ignorait jusque-là que l'on puisse ronfler aussi fort.

Humboldt raconta que lors de son unique audience l'Empereur lui avait demandé s'il herborisait. Il avait répondu que oui, après quoi l'Empereur avait répliqué : Exactement comme ma femme, et il s'était brusquement détourné.

Par égard pour moi, dit Gauss, Bonaparte a renoncé à canonner Göttingen.

C'est ce qu'il avait entendu dire, répondit Humboldt, mais il en doutait ; cela reposait probablement davantage sur des motifs stratégiques. Quoi qu'il en soit, Napoléon avait souhaité par la suite l'expulser, lui, du pays, le prenant pour un espion prussien. Toute l'Académie avait dû se mobiliser pour empêcher cela. Or il n'avait voulu faire parler personne – Humboldt jeta un coup d'œil à son secrétaire, qui ouvrit immédiatement son carnet –, or il n'avait voulu faire parler personne, hormis la nature ; il n'avait sondé d'autres mystères que les vérités si manifestes de la création.

Les vérités manifestes de la création, répéta le secrétaire avec une grimace d'application.

Les vérités *si* manifestes !

Le secrétaire acquiesça. Le serviteur apporta un plateau avec de petites tasses en argent.

Mais Bonpland ? demanda de nouveau Eugène.

Une fâcheuse affaire. Humboldt soupira. Une histoire très triste. Mais voilà le thé qui arrive enfin – un cadeau du tsar, dont le ministre des Finances l'avait invité en Russie à plusieurs reprises. Il avait évidemment refusé, pour des raisons politiques tout comme, cela allait de soi, en raison de son âge.

Bonne décision, dit Eugène. Le régime le plus despotique du monde ! Il rougit, effrayé par ses propres paroles.

Gauss se baissa, souleva sa canne en gémissant, visa et chercha à frapper le pied d'Eugène sous la table. Il manqua son coup et réessaya. Eugène sursauta.

Il ne pouvait pas le contredire entièrement, dit Humboldt. Il fit un geste de la main, le secrétaire cessa immédiatement d'écrire. La Restauration s'étendait sur l'Europe comme le mildiou. Et son frère – il ne pouvait passer cela sous silence – y était aussi pour quelque chose. Les espoirs de sa jeunesse à lui semblaient lointains et irréels. D'un côté la tyrannie, de l'autre la liberté des fous. Lorsque trois hommes se trouvaient dans la rue, comme ils avaient pu le constater, on parlait d'un attroupement. Quand trente individus évoquaient les esprits dans une pièce reculée, personne n'y trouvait rien à redire. Des dizaines d'illuminés parcouraient le pays, prêchant la liberté et se faisant nourrir par des fous candides. L'Europe était devenue le théâtre d'un cauchemar dont on ne pouvait plus se réveiller. Des années plus tôt, il avait prévu de faire un voyage en Inde, il avait les fonds nécessaires, tous les instruments, le plan. Cette entreprise aurait dû être le couronnement de sa vie sur terre. Mais les Anglais l'avaient empêchée. Personne ne voulait avoir dans son pays un ennemi de l'esclavage. En Amérique latine, en revanche, des dizaines de nouveaux Etats avaient vu le jour sans aucune raison. L'œuvre à laquelle son ami Bolívar avait voué son existence était en ruine. Ces messieurs savaient-ils d'ailleurs comment le grand libérateur l'avait nommé, lui ?

Il se tut. Au bout d'un moment, on comprit qu'il attendait une réponse.

Eh bien, comment ? demanda Gauss.

Le véritable découvreur de l'Amérique du Sud ! Humboldt sourit en regardant le fond de sa tasse. C'est ce qu'on pouvait lire dans l'ouvrage de Gomez, *El Barón Humboldt*. Un livre sous-estimé. A propos, il avait entendu dire que monsieur le professeur se consacrait maintenant au calcul des probabilités ?

Aux statistiques sur la mortalité, dit Gauss. Il but une gorgée de thé, fit une moue écœurée et repoussa la tasse aussi loin de lui que possible. On croyait toujours, dit-il, être maître de sa destinée. On créait et on découvrait des choses, on achetait des biens, on trouvait des gens qu'on aimait plus que sa propre vie, on engendrait des enfants, peut-être intelligents, peut-être idiots, on voyait mourir la personne qu'on aimait, on devenait vieux et stupide, on tombait malade et on finissait sous terre. On pensait avoir tout décidé soi-même. Seules les mathématiques nous montraient que nous avions toujours suivi le mouvement. Le despotisme, quand j'entends ça ! Les princes, eux aussi, n'étaient que des pauvres bougres qui vivaient, souffraient et mouraient comme les autres. Les vrais tyrans étaient les lois de la nature.

Mais c'était l'entendement, répliqua Humboldt, qui élaborait ces lois !

Les vieilles sornettes kantiennes. Gauss fit non de la tête. L'entendement n'élaborait rien du tout et n'entendait pas grand-chose. L'espace se courbait et le temps se dilatait. Si on traçait une droite et qu'on la prolongeait, on rejoignait tôt ou tard son point de départ. Gauss montra du doigt le soleil qui apparaissait au bas de la fenêtre. Pas même les rayons de cette étoile en train de s'éteindre ne tombaient en ligne droite. On arrivait tant bien que mal à appréhender l'univers par le calcul, mais cela ne signifiait en aucun cas qu'on y comprenait quoi que ce soit.

Humboldt croisa les bras. Premièrement, le soleil ne s'éteignait pas, il renouvelait son phlogistique et brillerait éternellement. Deuxièmement, qu'est-ce que c'était que cette théorie au sujet de l'espace ? Sur l'Orénoque, ses rameurs avaient fait des plaisanteries du même genre. Il n'avait jamais compris leurs divagations. Il faut dire aussi qu'ils avaient souvent pris des substances qui leur brouillaient les idées.

Gauss voulut savoir ce que faisait au juste un chambellan du roi.

Diverses choses, ceci et cela. Ce chambellan-là en tout cas conseillait le roi lors de décisions importantes, il faisait valoir son expérience chaque fois qu'elle pouvait être utile. On le consultait fréquemment pour les entretiens diplomatiques. Le roi souhaitait sa présence à presque tous les dîners. Il raffolait des récits sur le Nouveau Monde.

Alors on était payé pour manger et bavarder ?

Le secrétaire eut un petit rire, pâlit et s'excusa en disant qu'il avait un accès de toux.

Les vrais tyrans, dit Eugène en rompant le silence, n'étaient pas les lois de la nature. Il existait dans ce pays des mouvements puissants, la liberté n'était plus un simple concept schillérien.

Des mouvements d'ânes, répliqua Gauss.

Il s'était toujours mieux entendu avec Goethe, dit Humboldt. Schiller avait été plus proche de son frère.

Des ânes, répéta Gauss, qui n'arriveraient jamais à rien. Qui auraient peut-être en héritage un peu d'argent et une bonne réputation, mais aucune intelligence.

Humboldt dit que son frère avait récemment rédigé une étude pénétrante sur Schiller. La littérature ne l'avait lui-même jamais beaucoup attiré. Les livres sans chiffres l'inquiétaient. Au théâtre, il s'était toujours ennuyé.

Tout à fait d'accord, s'écria Gauss.

Les artistes oubliaient trop facilement leur devoir : montrer ce qui existe. Ils voyaient dans l'écart une force, mais les fictions désorientaient les gens, la stylisation dénaturait le monde. Il en était ainsi des décors scéniques ne cherchant pas à dissimuler qu'ils étaient en carton, des tableaux anglais dont l'arrière-plan baignait dans une sauce huileuse, des romans qui se perdaient en fabulations mensongères parce que leur auteur associait ses idées saugrenues aux noms de personnages historiques.

Répugnant, dit Gauss.

Humboldt ajouta qu'il travaillait à un catalogue regroupant les caractéristiques des plantes et de la nature, et auxquelles les peintres devraient être légalement obligés de se conformer. Il recommandait de faire la même chose pour l'écriture théâtrale. Il songeait à des listes recensant les traits de caractère des personnes importantes, et dont l'auteur n'aurait plus la liberté de s'éloigner. Si l'invention de M. Daguerre atteignait un jour à la perfection, les arts deviendraient de toute façon inutiles.

Et lui, là, il écrivait des poèmes. Gauss désigna Eugène du menton.

Vraiment ? demanda Humboldt.

Eugène rougit.

Des poèmes et des idioties, dit Gauss. Tout petit déjà. Il ne les montrait pas, mais parfois il était assez idiot pour laisser traîner ses bouts de papier. C'était un scientifique minable, mais comme écrivain il était encore pire.

Ils avaient de la chance avec le climat, dit Humboldt. Le mois dernier, il avait beaucoup plu. On pouvait maintenant espérer un bel automne.

Et c'est qu'il se faisait entretenir, en plus. Son frère, au moins, était dans l'armée. Mais lui, là, n'avait rien appris, il ne savait rien faire. Si ce n'est des poèmes !

J'étudie la jurisprudence, dit Eugène à voix basse. Et les mathématiques, aussi !

Et comment, répliqua Gauss. Un mathématicien qui ne reconnaissait une équation différentielle que lorsqu'elle lui mordait le pied. Tout le monde savait que les études à elles seules ne suffisaient pas : lui-même avait dû scruter les visages hébétés de jeunes gens pendant des décennies. Il s'était attendu à mieux de la part de son fils. Pourquoi justement les mathématiques ?

Je n'ai pas choisi, répondit Eugène. On l'avait forcé !

Ah oui, et qui donc ?

Le changement de climat et de saison, dit Humboldt, faisait toute la beauté de ces latitudes. En Europe, le spectacle annuel de la nature renaissante n'avait rien à envier à la diversité de la flore tropicale.

Qui, en effet, s'écria Eugène. Qui avait eu besoin d'un assistant pour l'arpentage ?

Un assistant fantastique ! Il avait dû reprendre lui-même les mesures, mille après mille, à cause de toutes ses erreurs.

Des erreurs cinq chiffres après la virgule ! Elles n'avaient aucune incidence, elles étaient sans importance.

Un instant, dit Humboldt. Les erreurs de mesure n'étaient jamais sans importance.

Et l'héliotrope cassé ? reprit Gauss. Peu importe, là aussi ?

L'arpentage était un grand art, dit Humboldt. Une responsabilité qu'il ne fallait pas prendre à la légère.

A vrai dire, deux héliotropes, même, ajouta Gauss. Le deuxième, c'était certes lui qui l'avait laissé tomber, mais uniquement parce qu'un imbécile l'avait conduit sur le mauvais chemin forestier.

Eugène se leva d'un bond, saisit sa canne, son bonnet rouge et sortit en courant. La porte d'entrée claqua derrière lui.

Voilà ce qu'on y gagnait, dit Gauss. Le mot “gratitude” ne faisait plus partie de leur vocabulaire.

Evidemment, ce n'était pas facile avec les jeunes gens, répliqua Humboldt. Mais on ne devait pas non plus être trop sévère, parfois quelques encouragements aidaient plus que tous les reproches du monde.

Là où il n'y avait rien, il n'y aurait jamais rien. Et en ce qui concernait le magnétisme, la question était mal posée : il ne s'agissait pas de savoir combien d'aimants se trouvaient à l'intérieur de la terre. Quoi qu'on fasse, on obtenait deux pôles et un champ que l'on pouvait décrire grâce à l'intensité de la force magnétique et à l'angle d'inclinaison de l'aiguille.

Il avait toujours emporté avec lui une aiguille d'inclinaison, répondit Humboldt. C'est ainsi qu'il avait recueilli plus de dix mille résultats.

Juste ciel, dit Gauss. Il ne suffisait pas de trimballer des instruments, il fallait aussi réfléchir. On pouvait représenter la composante horizontale de la force magnétique sous la forme d'une fonction de la latitude et de la longitude géographiques. Quant à la composante verticale, le mieux était de la développer en une série potentielle d'après le rayon terrestre réciproque. De simples fonctions sphériques. Il rit à voix basse.

Des fonctions sphériques. Humboldt sourit. Il n'avait pas compris un seul mot.

Je manque de pratique, dit Gauss. A vingt ans, il ne lui avait pas fallu une journée pour ce genre d'enfantillages, maintenant il avait besoin d'une semaine. Il se tapota le front. Ça, là-haut, ne remplissait plus son rôle comme avant. Il regrettait de ne pas avoir bu le curare à l'époque. Le cerveau humain mourait un peu plus chaque jour.

On pouvait boire autant de curare qu'on voulait, répliqua Humboldt. Il fallait l'injecter dans le flux sanguin pour qu'il soit mortel.

Gauss le dévisagea. Certain ?

Bien sûr qu'il en était certain, répliqua Humboldt, indigné. Il avait pour ainsi dire découvert cette substance.

Gauss se tut un moment. Qu'était-il donc réellement arrivé à ce Bonpland ? demanda-t-il ensuite.

C'est l'heure ! Humboldt se leva. La réunion ne pouvait pas attendre. Après son allocution d'ouverture, on donnait une petite réception pour son invité d'honneur. En résidence surveillée !

Pardon ?

Bonpland se trouvait en résidence surveillée au Paraguay. A son retour, il n'avait plus retrouvé ses repères à Paris. Le rhum, l'alcool, les femmes. Sa vie n'avait plus eu de sens ni de but, la seule chose qu'il fallait à tout prix éviter. Pendant un temps, il avait été directeur des jardins d'agrément de l'Empereur, et un merveilleux cultivateur d'orchidées. Après la chute de Napoléon, il avait retraversé l'océan. Là-bas, il possédait une ferme et une famille, mais durant l'une des guerres civiles il avait pris parti pour les mauvaises personnes, ou peut-être pour les bonnes, en tout cas pour les perdants. Un dictateur fou du nom de Francia, un médecin de surcroît, l'avait emprisonné à sa cour où il était sans cesse menacé de mort. Même Simón Bolívar n'avait rien pu faire pour Bonpland.

Atroce, dit Gauss. Mais qui est ce type, au juste ? Je n'ai jamais entendu parler de lui.

LE PÈRE

Eugène Gauss errait dans Berlin. Un mendiant tendit vers lui sa main ouverte, un chien vint gémir le long de sa jambe, un cheval de fiacre lui toussa au visage, un agent de police lui dit d'un ton péremptoire de ne pas rester là à traînasser. A un angle de rue, il engagea une conversation avec un jeune prêtre également originaire de la province et tout aussi intimidé que lui.

Les mathématiques, dit le prêtre, intéressant !

Ah, fit Eugène.

Je m'appelle Julien, dit le prêtre.

Ils se souhaitèrent bonne chance et prirent congé l'un de l'autre.

A peine avait-il fait quelques pas qu'il fut abordé par une femme. Ses genoux se dérobèrent sous lui tant il avait peur, car il avait entendu parler de ce genre de choses. Il passa son chemin en toute hâte, ne se retourna pas lorsqu'elle lui courut après, et ne sut jamais qu'elle voulait simplement lui dire qu'il avait perdu son bonnet. Dans une auberge, il but deux verres de bière. Les bras croisés, il contemplait la table humide. Jamais il n'avait été aussi triste. Non pas à cause de son père – il était presque toujours ainsi – ou de sa solitude. Cela tenait à la ville elle-même. A cette foule, à la hauteur des maisons, au ciel sale. Il écrivit quelques lignes d'un poème. Elles ne lui plaisaient pas. Il resta là, les yeux dans le vague, jusqu'au moment où deux étudiants en pantalon bouffant et aux cheveux longs, comme c'était la mode, s'assirent à côté de lui.

Göttingen ? demanda l'un des étudiants. Un endroit qui faisait parler de lui ; il s'en passait des choses, là-bas !

Eugène acquiesça d'un air de conspirateur sans savoir de quoi il était question.

Mais elle allait venir, la liberté, dit l'autre étudiant, malgré tous les obstacles.

Elle allait certainement venir, répondit Eugène.

Sans tarder et tel un voleur dans la nuit, dit le premier étudiant.

Ils savaient à présent qu'ils avaient quelque chose en commun.

Une heure plus tard, ils étaient en route. Comme le voulait la coutume entre étudiants, Eugène marchait bras dessus bras dessous avec l'un deux tandis que l'autre les suivait à trente pas de distance, afin qu'ils ne soient pas arrêtés par un gendarme. Eugène ne comprenait pas qu'ils mettent tellement de temps : toujours de nouvelles rues, encore un croisement, et même les quantités de gens qui déambulaient semblaient inépuisables. Où allaient-ils donc tous, et comment pouvait-on vivre ainsi ?

L'étudiant qui marchait à côté d'Eugène raconta que la nouvelle université de Humboldt était la meilleure du monde, mieux organisée qu'aucune autre, avec les professeurs les plus réputés du pays. L'Etat la craignait comme l'enfer.

Humboldt avait fondé une université ?

L'aîné, expliqua l'étudiant. Celui qui était respectable. Pas le larbin des Français, resté à Paris durant toute la guerre. Son frère l'avait publiquement appelé aux armes, mais il avait fait comme si la patrie n'avait aucune valeur. Pendant l'occupation, il avait fait poser un écriteau à l'entrée de son château berlinois : Prière de ne pas piller, le propriétaire est membre de l'Académie de Paris. Répugnant !

La rue montait abruptement puis descendait en biais. Devant la porte d'une maison se tenaient deux jeunes gens qui leur demandèrent le mot de passe.

Libres dans le combat.

C'était celui de la dernière fois.

Le deuxième étudiant les rejoignit. Ils chuchotèrent entre eux. Germania ?

Plus depuis longtemps.

Allemand et libre ?

Aïe. Les gardes échangèrent un regard. Eh bien, ils n'avaient qu'à entrer comme ça.

Un escalier les conduisit dans une cave à l'odeur de moisi. Des caisses jonchaient le sol, dans les coins s'empilaient des fûts de vin. Les deux étudiants rabattirent les revers de leur redingote, laissant apparaître des cocardes rouge et noir brochées de fils d'or. Ils ouvrirent une trappe dans le sol. Un escalier étroit menait à une deuxième cave.

Six rangées de chaises étaient disposées devant un pupitre branlant. Aux murs étaient accrochées des banderoles rouge et noir, une vingtaine d'étudiants attendaient déjà. Tous avaient des cannes, quelques-uns portaient des bonnets polonais, d'autres des chapeaux allemands traditionnels. Deux ou trois d'entre eux avaient enfilé des pantalons bouffants qu'ils avaient cousus eux-mêmes et qu'ils portaient avec de larges ceintures de style médiéval. Des flambeaux fixés aux murs projetaient des ombres dansantes. Eugène s'assit, l'atmosphère confinée et l'excitation lui donnaient le vertige. Une personne chuchota qu'il allait, paraît-il, venir en personne. Lui ou quelqu'un comme lui, on ne le savait pas ; il était emprisonné à Freyburg an der Unstrut, mais à ce qu'on disait il continuait de parcourir le pays incognito. Ce serait incroyable que ce soit vraiment lui. S'il apparaissait en chair et en os, leur cœur allait lâcher, à coup sûr.

De plus en plus d'étudiants arrivaient, toujours par deux, toujours bras dessus bras dessous et parlant le plus souvent du mot de passe qu'apparemment personne ne connaissait. Ici et là, un étudiant feuilletait un recueil de poèmes ou bien *L'Art de la gymnastique allemande*. Certains bougeaient les lèvres comme s'ils priaient. Le cœur d'Eugène battait la chamade. Toutes les chaises étaient occupées depuis longtemps ; ceux qui arrivaient maintenant devaient se serrer dans un coin.

Un homme descendit l'escalier d'un pas lourd, et le silence se fit. Il était mince et très grand, chauve, avec une longue barbe grise. Il s'agissait – et, étrangement, cela ne surprit pas Eugène – de leur voisin de table à l'auberge qui était intervenu dans leur altercation avec le policier deux jours plus tôt. Lentement, en balançant les bras, il se dirigea vers le pupitre. Là, il s'étira en attendant qu'un étudiant, la main tremblante car il n'y arrivait pas au début et dut s'y reprendre à plusieurs fois, allume les bougies, puis il déclara d'une voix forte et sèche : Il ne faut pas que vous appreniez mon nom !

Au fond de la salle, un étudiant poussa un gémissement. A part cela, il régnait un calme absolu.

Le barbu leva un bras, le replia sur lui-même, le désigna de l'autre main et leur demanda s'ils savaient ce que c'était.

Personne ne répondit, personne ne respirait. Ce fut donc lui qui donna la réponse : des muscles.

Vous les braves, poursuivit-il après une longue pause, vous les jeunes et les vigoureux, il faut que vous soyez plus forts ! Il se racla la gorge. Car lorsqu'on voulait penser de façon approfondie, toucher à l'essence et aller au fond des choses, on devait raffermir le corps. Une pensée sans muscles était faible et fragile, c'était du flan français. L'enfant priait pour la patrie, le jeune garçon s'exaltait, l'homme quant à lui était là pour se battre et souffrir. Il se baissa et resta dans cette position un moment avant de retrousser d'un geste rythmé le bas de son pantalon. Là aussi ! Il se frappa le mollet avec le poing. Pur et dur, prêt pour un rétablissement avec tour d'appui, apte à la traction à la barre fixe, on pouvait toucher si on voulait. Il se redressa et regarda la salle pendant quelques secondes, l'œil hagard, avant de s'écrier d'une voix tonitruante : Cette jambe, voilà à quoi l'Allemagne doit ressembler !

Eugène réussit à regarder autour de lui. Plusieurs auditeurs avaient la bouche grande ouverte, beaucoup avaient des larmes qui leur coulaient sur le visage, l'un d'eux avait fermé les yeux, tout tremblant, et son voisin se mordait les doigts d'excitation. Eugène cligna des yeux. L'air était encore plus vicié qu'avant et les jeux d'ombre des flambeaux lui donnaient l'impression de faire partie d'une foule bien plus nombreuse. Il s'efforça de réprimer les sanglots qui montaient en lui.

Un vrai gaillard, reprit le barbu, ne fléchissait jamais. Le front à l'ami, le torse à l'ennemi. Ce qui accablait le peuple, ce n'étaient pas les forces qui s'opposaient à lui, mais sa propre faiblesse : il était oppressé, voilà ce qu'il était. Il frappa son torse du plat de la main. Le peuple ne pouvait pas respirer, il ne pouvait pas bouger, il ne savait que faire de sa volonté intrinsèque et de sa vertueuse piété. Les princes, les Français et les curés l'avaient envoûté, le dorlotant et lui chantant leurs maudites berceuses françaises jusqu'à ce qu'il s'endorme en suçant son pouce. Mais être un vrai gaillard, ça voulait dire : faire bloc, être chaste et pieux. Penser ! Il serra le poing et se frappa le front. Une pensée dont aucun démon ne pourrait rompre les liens sacrés. Une pensée qui conduirait enfin à la vraie Eglise allemande et qui dominerait l'Etre. Mais qu'est-ce que cela signifie, jeunes gens ? Il étendit ses bras, plia lentement les genoux puis se releva. Cela signifiait s'attaquer au corps, exercer ce corps en faisant des tractions et des flexions à la barre fixe jusqu'à ce qu'on soit un homme, un vrai. Et où est-ce qu'on en était, aujourd'hui ? Tout récemment, alors qu'il voyageait en cachant sa véritable identité, il avait été témoin de la scène suivante : un vieillard et un étudiant, un père allemand et son fils, deux hommes honnêtes, étaient brimés par la police parce qu'ils n'avaient pas de papiers sur eux. N'écoutant que son courage, il était intervenu comme l'aurait fait tout Allemand qui se respecte, et il était, Dieu merci, venu à bout de ces sbires tyranniques. L'injustice, on la rencontrait tous les jours, partout et en tout lieu ; qui donc devait la combattre, si ce n'étaient les valeureux gaillards qui avaient renoncé à l'alcool et aux femmes pour se consacrer à la force, eux qui étaient les moines de l'Allemagne, fringants et pieux, libres et joyeux ? On avait chassé les Français, à présent c'était au tour des princes, l'Alliance sacrilège ne se maintiendrait plus très longtemps, la philosophie n'avait plus qu'à prendre la réalité à bras-le-corps et la fouler aux pieds, sacrebleu ! Il frappa sur le pupitre et Eugène s'entendit crier avec les autres hourra. Le barbu était calme, il s'était dressé de toute sa hauteur, ses yeux perçants scrutaient la foule. Soudain, l'expression de son visage changea et il recula.

Eugène sentit un courant d'air. Les cris s'arrêtèrent. Cinq hommes étaient entrés : un petit vieillard et quatre gendarmes.

Grand Dieu, dit le voisin d'Eugène. L'appariteur !

Je le savais, dit le vieil homme aux gendarmes. Il avait suffi de les observer filant comme des dératés, par groupes de deux. Une chance qu'ils soient si bêtes.

Trois gendarmes s'immobilisèrent devant les marches, le dernier se dirigea vers le pupitre. Le barbu parut tout à coup beaucoup plus fluet et aussi moins grand. Il leva la main au-dessus de sa tête mais ce geste de menace ne produisit pas l'effet escompté, et il se retrouva avec les menottes aux poignets.

Je ne céderai pas, s'écria-t-il tandis que le policier l'emmenait vers l'escalier. Ni à la contrainte ni aux supplications. Les vaillants gaillards ne le toléreraient pas. L'orage allait éclater incessamment. Puis, pendant qu'on le poussait sur les marches, il déclara que ce n'était qu'un malentendu et qu'il pouvait tout leur expliquer. Mais il était déjà dehors.

L'appariteur dit en montant l'escalier à la hâte qu'il allait chercher du renfort.

Je ne veux rien entendre, dit l'un des gendarmes. Pas un mot, personne ne dit rien à personne. Sinon, on jouerait sacrément du bâton sur leurs crânes.

Eugène se mit à pleurer.

Il n'était pas le seul. Plusieurs jeunes gens sanglotaient sans retenue. Certains d'entre eux, qui s'étaient levés d'un bond, se rassirent. Cinquante étudiants avec des cannes, pensa Eugène, et trois policiers. Il suffisait que l'un d'eux attaque pour que les autres suivent. Et si c'était lui ? Il pouvait le faire. Il s'imagina la scène durant quelques secondes. Puis il comprit qu'il était trop lâche. Il essuya ses larmes et resta assis sans rien dire jusqu'au moment où l'appariteur revint avec vingt gendarmes commandés par un grand officier à moustache de phoque.

On embarque tout le monde, ordonna l'officier ; premier interrogatoire en cellule pour vérifier l'appartenance sociale ; demain on les remet aux autorités compétentes !

Un jeune homme frêle tomba à genoux devant lui et se cramponna à ses bottes en le suppliant d'être clément. L'officier, gêné, regardait le plafond tandis qu'un gendarme emmenait le garçon de force. Eugène en profita pour arracher une page de son carnet et écrire un message à son père. Avant qu'on lui mette les menottes, il réussit à froisser le bout de papier et à le cacher dans le creux de sa main.

Dans la rue les attendaient des véhicules de police. Les personnes arrêtées se serraient sur de longs bancs ; derrière elles se tenaient des gendarmes. Eugène se retrouva par hasard presque en face du barbu qui regardait droit devant lui, les yeux dans le vague.

Est-ce qu'on tente de s'évader ? chuchota un étudiant.

C’était un malentendu, répondit le barbu, il s’appelait Kösselrieder et venait de Silésie, il ne savait pas dans quoi il était tombé. Un gendarme le frappa à l’épaule avec sa canne de fer, il s’affaissa en balbutiant quelque chose à voix basse.

D’autres amateurs ? demanda le gendarme.

Personne ne bougea. Les portes se refermèrent avec fracas et ils partirent.

L'ÉTHER

Les yeux mi-clos, Humboldt parlait des étoiles et des courants. Il s'exprimait à voix basse mais on l'entendait dans toute la salle. Il se tenait devant un immense ciel nocturne sur lequel des étoiles s'ordonnaient en cercles concentriques : la décoration scénique de Schinkel pour *La Flûte enchantée*, redéployée à cette occasion. Entre les étoiles, on avait écrit les noms de savants allemands : Buch, Savigny, Hufeland, Bessel, Klaproth, Humboldt et Gauss. La salle était remplie jusqu'à la dernière place : des monocles et des lunettes, un très grand nombre d'uniformes, des éventails oscillant doucement ainsi que, dans la loge centrale, les silhouettes immobiles du Kronprinz et de son épouse. Gauss était assis au premier rang.

Allons donc, lui chuchota à l'oreille Daguerre, qui était de très bonne humeur, il faudrait encore des années avant qu'il puisse fabriquer une image. La question de l'exposition serait résolue tôt ou tard, mais lui et son associé Niépce ignoraient totalement comment fixer l'iodure d'argent.

Chut, souffla Gauss. Daguerre haussa les épaules et se tut.

Celui qui regardait le ciel nocturne, dit Humboldt, ne se faisait pas une idée exacte de l'étendue de cette voûte. Le brouillard lumineux des nuages de Magellan au-dessus de l'hémisphère sud n'était pas une substance amorphe, pas une brume ni un gaz, mais il se composait de soleils que seul l'éloignement, par un effet d'optique, faisait s'amalgamer. Une section de Voie lactée ayant deux degrés de latitude et quinze de longitude, telle que la détectait l'oculaire d'une lunette astronomique, contenait plus de cinquante mille étoiles dénombrables et sans doute près de cent mille que l'on n'arrivait plus à distinguer en raison de leur faible intensité lumineuse. Ainsi, la Voie lactée se composait de vingt millions de soleils qu'un œil situé à une distance correspondant au diamètre de sa surface percevrait cependant davantage comme une lueur pâle, comme l'une de ces nébuleuses dont les astronomes avaient recensé plus de trois mille. On pouvait donc se demander pourquoi, les étoiles étant si nombreuses, le ciel tout entier n'était pas inondé de lumière, pourquoi il y avait tant d'obscurité dans l'univers, et il fallait nécessairement admettre l'existence d'un principe opposé à la clarté, un élément inhibant dans les espaces intermédiaires, un éther qui effaçait la lumière. Cela prouvait une fois de plus la structure rationnelle de la nature, car en fin de compte toute civilisation humaine commençait par observer la trajectoire des corps célestes.

Humboldt avait maintenant les yeux grands ouverts. L'un de ces corps qui flottaient dans l'éther noir était la Terre, dit-il. Un noyau de feu, entouré de trois enveloppes, une rigide, une liquide et une élastique, toutes trois offrant une demeure à la vie. Même dans les profondeurs souterraines, il avait trouvé de la végétation qui proliférait sans lumière. Les volcans servaient de soupapes naturelles à ce noyau de feu qu'était la Terre, la croûte rocheuse quant à elle était recouverte de deux mers, l'une faite d'eau et l'autre d'air. Toutes deux étaient traversées par un flux permanent : le célèbre courant du Golfe, par exemple, qui emmenait les eaux de la mer Atlantique vers l'isthme de Nicaragua et le détroit du Yucatán, puis le canal de Bahama au nord-est vers le banc de Terre-Neuve et de là, au sud-est en direction des Açores, ce qui permettait aussi d'expliquer la mystérieuse présence de fruits de palmiers, de poissons volants et parfois même d'Esquimaux que l'on rencontrait souvent dans leurs kayaks le long des côtes irlandaises. Lui-même avait découvert dans la mer Pacifique un courant tout aussi important qui longeait le Chili et le Pérou et amenait l'eau froide du Nord vers les tropiques. Toutes ses supplications – il sourit avec un mélange de vanité et de gêne – n'avaient pu empêcher les marins de le nommer courant de Humboldt. Les courants de l'océan d'air, maintenus en mouvement par les variations de la chaleur solaire et se brisant sur les pentes obliques des grands massifs de pierre, avaient un effet similaire : la répartition des espèces végétales ne suivait pas les degrés de latitude, mais des lignes isothermes courbes. Ce système de courants créait entre les continents qu'il reliait une réelle unité. Humboldt se tut un moment, comme ému par l'idée qui allait suivre. Dans les cavités souterraines, dans la mer ou dans l'air : partout, les plantes s'épanouissaient. La végétation, déployée dans une immobilité silencieuse, était la forme visible de la vie. Les plantes n'avaient pas d'intimité, elles ne cachaient rien, tout en elles se trouvait à l'extérieur. Exposées et mal abritées, liées à la terre et à ses conditions, elles parvenaient cependant à vivre et à survivre. Les insectes, au contraire, ainsi que les animaux et les hommes, étaient protégés par une cuirasse. Une température interne constante les rendait capables de supporter des conditions changeantes. Lorsqu'on observait un animal, on ne savait encore rien de lui, tandis que la plante révélait son être à chaque regard posé sur elle.

Voilà qu'il devient sentimental, chuchota Daguerre.

La vie se développait ainsi en dissimulant de plus en plus son organisation, jusqu'au moment où elle effectuait ce bond, sans conteste le plus grand de tous : l'éclair de la raison. Entre ce stade et les précédents, il n'y avait aucune transition. La deuxième offense la plus grave faite à l'homme était l'esclavage. La première, l'idée qu'il descendait du singe.

L'homme et le singe ! Daguerre s'esclaffa.

Humboldt renversa la tête, il semblait boire ses propres paroles. La compréhension du cosmos avait beaucoup progressé. On explorait l'univers avec des lunettes astronomiques, on connaissait la structure de la Terre, son poids et sa trajectoire, on avait déterminé la vitesse de la lumière, on comprenait les courants de la mer et les conditions de la vie, et on aurait bientôt résolu la dernière énigme, la force des aimants. Le bout du chemin était en vue, la mesure du monde presque achevée. Le cosmos serait alors percé à jour, toutes les épreuves liées aux commencements de l'humanité, telles que la peur, la guerre et l'exploitation de l'homme, feraient partie du passé, et voilà à quoi l'Allemagne et notamment les savants de cette assemblée allaient devoir contribuer en priorité. La science inaugurerait une ère de bien-être et qui sait si elle ne parviendrait pas même à résoudre, un jour, le problème de la mort. Humboldt resta immobile durant quelques secondes. Puis il s'inclina.

Depuis son retour de Paris, chuchota Daguerre au milieu des applaudissements, le baron n'était plus le même. Il avait du mal à se concentrer. Il avait aussi tendance à radoter.

Gauss demanda s'il était vraiment rentré parce qu'il manquait d'argent.

Surtout à cause d'un ordre, répondit Daguerre. Le roi avait refusé de tolérer plus longtemps que son sujet le plus célèbre vive à l'étranger. Humboldt avait répondu à toutes les lettres de la cour en usant de prétextes, mais la dernière comportait une injonction si explicite qu'il n'aurait pu s'y opposer qu'en s'exposant à une rupture officielle. Et cela – Daguerre sourit – le vieil homme n'en aurait pas eu les moyens. Son récit de voyage tant attendu avait déçu le public : des centaines de pages remplies de résultats de mesure, rien ou presque de personnel, pratiquement pas d'aventures. Circonstance tragique qui allait nuire à sa gloire posthume. On ne devenait un voyageur célèbre que lorsqu'on léguait de bonnes histoires. Le pauvre homme ignorait tout bonnement comment on écrivait un livre ! A présent, il était établi à Berlin où il construisait un observatoire, avait mille projets et tapait sur les nerfs du conseil municipal. Les jeunes scientifiques se moquaient de lui.

Il ignorait comment c'était à Berlin, dit Gauss en se levant. Mais à Göttingen il n'avait rencontré aucun jeune scientifique qui ne soit pas un âne.

Et même l'ascension de la plus haute montagne était une légende, dit Daguerre en suivant Gauss vers la sortie. On avait découvert entretemps que l'Himalaya possédait des sommets bien plus élevés. Un revers cruel pour le vieil homme. Pendant des années, il avait refusé d'y croire. Et puis il ne s'était jamais remis de l'annulation de son voyage en Inde.

En allant vers le foyer, Gauss bouscula une femme, marcha sur le pied d'un homme et se moucha deux fois si bruyamment que plusieurs officiers le regardèrent avec mépris. Il n'avait pas l'habitude de se mouvoir parmi tant de gens. Pour l'aider, Daguerre lui saisit le coude, mais Gauss le houspilla. Qu'est-ce qui vous prend ! Il réfléchit un instant avant de déclarer : Une solution saline.

Bien sûr, dit Daguerre d'un ton compatissant.

Qu'il cesse de le dévisager avec cet air idiot, lui ordonna Gauss. On pouvait fixer l'iodure d'argent avec une simple solution saline.

Daguerre s'arrêta brusquement. Gauss se fraya un chemin à travers la cohue jusqu'à Humboldt qu'il avait aperçu à l'entrée du foyer. Une solution saline, s'écria Daguerre derrière lui. Comment cela ?

Pas besoin d'être un chimiste pour comprendre, cria Gauss par-dessus son épaule, un brin d'intelligence suffisait. Il entra dans le foyer avec hésitation, les applaudissements retentirent et, si Humboldt ne l'avait pas pris immédiatement par le bras et entraîné avec lui, Gauss se serait enfui. Plus de trois cents personnes étaient là, à l'attendre.

La demi-heure qui suivit fut un véritable calvaire. Une tête après l'autre s'avançait vers lui, une main après l'autre saisissait la sienne et la donnait à la suivante pendant que Humboldt lui chuchotait à l'oreille une série de noms inintelligibles. Gauss calcula rapidement que chez lui il lui faudrait à peu près un an et sept mois pour rencontrer autant de gens. Il voulait rentrer à la maison. La moitié des hommes portaient l'uniforme, un tiers la moustache. Seul un septième des personnes présentes étaient des femmes, seul un quart d'entre elles avaient moins de trente ans, seules deux n'étaient pas laides, et il n'y en avait qu'une seule qu'il aurait volontiers touchée, mais quelques secondes après sa révérence elle avait déjà disparu. Un homme arborant trente-deux décorations tint avec nonchalance la main de Gauss entre trois doigts ; machinalement, Gauss s'inclina, le Kronprinz fit un signe de tête et passa son chemin.

Je ne me sens pas bien, dit Gauss, il faut que j'aille me coucher.

Il remarqua que son bonnet en velours n'était plus là ; quelqu'un le lui avait pris, et il ne savait pas si c'était la règle ou si on le lui avait volé. Un homme lui donna une tape sur l'épaule comme s'ils se connaissaient depuis des années, et c'était probablement le cas. Tandis qu'une personne en uniforme claquait des talons et qu'une autre à lunettes et vêtue d'une redingote affirmait que c'était le plus grand moment de son existence, Gauss sentit les larmes lui monter aux yeux. Il pensa à sa mère.

Tout à coup, le silence se fit.

Un vieux monsieur maigre au teint cireux et qui se tenait anormalement droit était entré. A petits pas, apparemment sans bouger les jambes, il glissa vers Humboldt. Tous deux tendirent les bras, se prirent par les épaules et penchèrent la tête en avant de quelques centimètres à peine, puis chacun recula d'un pas.

Quelle joie, dit Humboldt.

En effet, répondit l'autre.

Les personnes présentes applaudirent. Tous deux attendirent la fin des applaudissements pour se tourner vers Gauss.

Voici, dit Humboldt, mon frère bien-aimé, le ministre.

Je sais, répliqua Gauss. On avait fait connaissance à Weimar, des années plus tôt.

L'éducateur de la Prusse, dit Humboldt, qui avait offert à l'Allemagne son université et au monde la véritable théorie du langage.

Un monde, ajouta le ministre, dont la structure avait été rendue compréhensible par son frère en personne. Sa main était froide et inerte au toucher, son regard fixe comme celui d'une poupée. Du reste, reprit-il, cela faisait longtemps qu'il n'était plus éducateur. Simplement rentier et poète.

Poète ? Gauss se réjouit de pouvoir lâcher sa main.

Chaque jour, entre sept heures et sept heures et demie du soir, dit le ministre, il dictait un sonnet à son secrétaire. Il faisait cela depuis douze ans, et il continuerait ainsi jusqu'à sa mort.

Gauss demanda si c'étaient des sonnets de qualité.

Il avait bon espoir, répondit le ministre. Mais à présent il devait s'en aller.

Quel dommage, dit Humboldt.

Certes, répliqua le ministre ; une merveilleuse soirée, un immense plaisir.

Tous deux tendirent les bras et répétèrent le rituel précédent. Le ministre se tourna vers la porte et sortit à petits pas prudents.

Une joie inespérée, répéta Humboldt. Soudain, il eut l'air triste.

Je veux rentrer à la maison, dit Gauss.

Encore un peu de patience, dit Humboldt. Voici le commandant de gendarmerie Vogt, auquel la science doit beaucoup. Il projetait d'équiper tous les gendarmes de Berlin en boussoles.

On pourrait ainsi collecter de nouvelles données sur les fluctuations du champ magnétique dans la capitale. Le commandant de gendarmerie mesurait deux mètres, il avait une moustache de phoque et une poignée de main effroyable. Et voici, dit Humboldt, le zoologiste Malzacher, le chimiste Rotter, le physicien Weber, originaire de Halle, et son épouse.

Enchanté, dit Gauss, enchanté. Il était au bord des larmes. Cependant, la jeune femme avait un petit visage bien formé, des yeux foncés et une robe très décolletée. Il ne la quitta plus des yeux, en espérant que cela allait le tirer de sa mélancolie.

Je suis physicien expérimental, dit Weber. Sur la piste des forces électriques. Elles essayaient de se cacher, mais il ne leur laissait aucune chance.

J'ai fait la même chose, répondit Gauss, les yeux toujours rivés sur la jolie femme. Avec les nombres. Il y avait longtemps de cela.

Je sais, dit Weber. Il avait étudié les *Disquisitiones* de plus près que la Bible. Qu'il n'avait pas étudiée de très près, d'ailleurs.

La femme avait des sourcils fins et très arqués. La robe dénudait ses épaules. Gauss se demanda quel effet cela ferait de presser ses lèvres sur ces épaules-là.

Il en rêvait, entendit-il le docteur Weber de Halle ajouter : qu'un jour, un esprit tel que celui de monsieur le professeur, c'est-à-dire un esprit qui n'était pas spécifiquement mathématique, mais universel, résolve les problèmes là où ils se présentaient et qu'il se consacre à l'exploration expérimentale de l'univers. Il avait tellement de questions ! Il ne souhaitait rien tant que de les soumettre au professeur Gauss.

Je n'ai pas beaucoup de temps, dit Gauss.

C'est bien possible, répondit Weber. Mais en toute modestie c'était nécessaire, et il n'était pas n'importe qui.

Gauss le regarda pour la première fois. Devant lui se tenait un jeune homme au visage étroit et aux yeux clairs.

Il fallait qu'il le dise, expliqua Weber en souriant, vu l'importance de la chose. Il avait étudié les mouvements ondulatoires des champs électriques. Ses écrits étaient lus par un grand nombre de gens.

Gauss lui demanda son âge.

Vingt-quatre ans. Weber rougit.

Vous avez une belle femme, dit Gauss.

Weber remercia. Sa femme fit une révérence, mais elle ne semblait pas embarrassée.

Vos parents sont fiers de vous ?

Je le suppose, dit Weber.

Qu'il vienne le voir le lendemain après-midi, dit Gauss. Il disposerait d'une heure, après quoi il devrait décamper.

Cela suffira, répondit Weber.

Gauss fit un signe de tête et se dirigea vers la porte. Humboldt lui cria de rester, on attendait le roi, mais Gauss n'en pouvait plus, il était mort de fatigue. Le commandant de gendarmerie moustachu se retrouva sur son chemin, chacun essaya de contourner l'autre à droite, à gauche, puis de nouveau à droite, et plusieurs minutes gênantes s'écoulèrent avant qu'ils n'y parviennent. Près du vestiaire se tenait un homme couvert de verrues ; il était entouré d'étudiants et pestait dans un dialecte souabe très prononcé : un naturaliste, un donneur de leçons, perdu dans l'en-soi, dénué de logique, sans esprit ; les étoiles, ce n'était que de la matière, après tout ! Gauss s'enfuit en courant.

Il avait des maux d'estomac. Etait-il vrai que dans cette grande ville on trouvait des fiacres qu'il suffisait d'arrêter pour être reconduit chez soi ? Mais il n'en voyait aucun. L'air empestait. A la maison, il serait au lit depuis longtemps, et même s'il n'aimait pas voir Minna, s'il ne voulait pas entendre le son de sa voix et si rien ne l'énervait autant que sa présence, elle lui manquait par simple habitude. Il se frotta les yeux. Comment avait-il fait pour devenir aussi vieux ? On ne marchait plus bien, on ne voyait plus bien, et on pensait si lentement. Vieillir n'avait rien de tragique. C'était ridicule.

Il se concentra et se remémora jusque dans les moindres détails le chemin emprunté à l'aller par la calèche de Humboldt, du *Packhof* n° 4 à l'Académie de musique. Il ne réussit pas à se rappeler tous les virages, mais la direction lui semblait claire : à gauche en diagonale, vers le nord-est probablement. Chez lui, il aurait réglé le problème en regardant vers le haut, mais dans ce cloaque on ne voyait pas les étoiles. L'éther qui effaçait la lumière. Quand on vivait ici, on pouvait très bien penser ce genre d'âneries !

A chaque pas, Gauss regardait autour de lui. Il avait peur des voleurs, des chiens et des flaques de boue. Il avait peur que la ville soit si grande qu'il ne puisse plus jamais en sortir, que son labyrinthe ne le retienne et ne l'empêche de rentrer chez lui. Mais non, il n'avait pas le droit de se monter la tête ! Une ville, ce n'était après tout que des maisons et, dans cent ans, les plus petites seraient plus grandes que celles-ci, et dans trois cents ans – il fronça les sourcils, ce n'était pas facile d'évaluer une courbe de croissance exponentielle quand on était nerveux, triste et qu'on avait mal au ventre –, dans trois cents ans, donc, il y aurait dans la plupart des villes plus d'habitants que dans l'ensemble des Etats allemands aujourd'hui. Des hommes tels des insectes, entassés dans des gâteaux de cire, accomplissant des tâches dégradantes, procréant et mourant. Il faudrait évidemment brûler les cadavres, aucun cimetière ne pourrait en contenir autant. Et tous les excréments ? Il éternua et se demanda s'il allait en plus tomber malade.

Lorsque son hôte arriva à la maison deux heures plus tard, il trouva Gauss dans le grand fauteuil, fumant la pipe, les pieds posés sur une petite table mexicaine en pierre.

Où s'était-il donc éclipsé si vite ? s'écria Humboldt. On était parti à sa recherche, on avait craint le pire ; et il y avait eu un excellent buffet ! Le roi était déçu.

Gauss répondit qu'il était désolé pour le buffet.

En voilà des manières. Beaucoup de gens s'étaient déplacés spécialement pour l'occasion. Cela ne se faisait pas !

Ce Weber me plaît, dit Gauss. Mais l'éther qui avale la lumière, quelle idiotie.

Humboldt croisa les bras.

Occam's razor, ajouta Gauss. Autrement dit, il fallait limiter autant que possible le nombre d'hypothèses nécessaires à l'explication d'un phénomène. D'ailleurs, l'espace était certes vide, mais courbe. Les étoiles erraient sur une voûte céleste des plus étranges.

Encore ! dit Humboldt. La géométrie astrale. Il s'étonnait qu'un homme comme Gauss défende cette curieuse école.

Ce n'est pas le cas, dit Gauss. Il avait décidé depuis longtemps de ne jamais rien publier à ce sujet. Il n'avait pas envie de s'exposer aux moqueries. Trop de gens tenaient leurs habitudes pour des principes de base de l'univers. Gauss fit monter deux petits nuages de fumée au plafond. Quelle soirée ! Il avait failli ne pas retrouver sa route et, pour que le personnel paresseux le laisse entrer, il avait dû réveiller toute la maison à coups de sonnette. Et il n'avait encore jamais vu des rues aussi pouilleuses.

Mais, moi, j'ai sans doute un peu plus voyagé, dit sèchement Humboldt. Et il lui assurait qu'il existait des rues plus pouilleuses encore. C'était une grande erreur de s'éloigner comme il l'avait fait lorsque tant de gens se réunissaient, des gens avec lesquels on pouvait mettre en place des projets.

Des projets, aboya Gauss. Des bavardages, des plans, des intrigues. Des palabres avec dix princes et cent académies jusqu'à ce qu'on obtienne l'autorisation de planter son baromètre quelque part. Ce n'était pas de la science, ça.

Tiens donc, s'écria Humboldt, et c'était quoi, la science, dans ce cas ?

Gauss tira sur sa pipe. Un homme seul à son bureau. Une feuille de papier devant lui, à la rigueur une lunette astronomique et, devant la fenêtre, un ciel dégagé. Un homme qui n'abandonnait pas avant d'avoir compris. Ça, c'était peut-être de la science.

Et si cet homme faisait des voyages ?

Gauss haussa les épaules. Ce qui se cachait au loin, dans des grottes, des volcans ou des mines, était aléatoire et insignifiant. Le monde n'en devenait pas plus clair pour autant.

Cet homme assis à son bureau, dit Humboldt, avait évidemment besoin d'une épouse pleine de sollicitude qui lui réchauffait les pieds et préparait ses repas, ainsi que d'enfants dociles qui nettoyaient ses instruments, et de parents qui s'occupaient de lui comme d'un enfant. Et aussi d'une maison solide avec un bon toit pour se protéger de la pluie. Et d'un bonnet afin qu'il n'ait jamais mal aux oreilles.

Gauss lui demanda à qui il pensait.

Il parlait en général.

Dans ce cas : oui, il avait besoin de tout cela et plus encore. Comment un homme pouvait-il vivre autrement ?

Le domestique, déjà en robe de chambre, entra.

Humboldt demanda ce que c'étaient que ces manières, ne pouvait-il donc pas frapper ?

Le domestique lui tendit une feuille de papier. On venait de la lui remettre ; un jeune gamin des rues. Cela semblait important.

Sans intérêt, répliqua Humboldt. Il n'acceptait pas de missives nocturnes venant d'on ne sait qui. On se croirait dans une pièce de Kotzebue ! A contrecœur, il déplia le papier et lut. Etrange, dit-il. Un poème. Aux rimes maladroites. Qui parlait des arbres, du vent et de la mer. Il était aussi question d'un oiseau de proie et d'un roi du Moyen Age. Puis cela s'arrêtait net, l'auteur n'ayant manifestement pas trouvé de mot rimant avec "argenté".

Le domestique le pria de retourner la feuille.

Humboldt le fit et lut. Grand Dieu, dit-il à voix basse.

Gauss se redressa dans son fauteuil.

Apparemment, le jeune sieur Eugène était en difficulté. Il avait fait sortir ce billet de sa cellule en cachette.

Gauss, immobile, regardait le plafond.

Voilà qui est fâcheux, dit Humboldt. Je suis tout de même fonctionnaire.

Gauss acquiesça.

Et je ne suis pas en mesure d'apporter mon aide. Les choses allaient suivre leur cours. On pouvait d'ailleurs se fier à la justice prussienne ; avec elle, aucune injustice possible. Celui qui n'avait rien fait pouvait avoir toute confiance.

Gauss regardait attentivement sa pipe.

C'est humiliant, dit Humboldt, et fort ennuyeux. Il s'agissait quand même de son invité.

On n'avait jamais rien pu faire de ce garçon, répliqua Gauss. Il glissa l'embout de la pipe entre ses lèvres.

Ils se turent pendant un moment. Humboldt alla vers la fenêtre et regarda la cour sombre.

Qu'est-ce qu'on pouvait faire, de toute façon ?

En effet, répondit Gauss.

La journée avait été longue, dit Humboldt. Ils étaient tous les deux fatigués.

Et ils n'étaient plus tout jeunes, ajouta Gauss.

Humboldt se dirigea vers la porte et lui souhaita bonne nuit.

Je finis juste ma pipe, dit Gauss.

Humboldt emporta le chandelier et referma la porte derrière lui.

Gauss croisa les mains derrière sa tête. L'unique lumière provenait de la lueur de sa pipe. Dans la rue, un fiacre passa avec un bruit métallique. Gauss enleva la pipe de sa bouche et la fit tourner entre ses doigts. Il avança les lèvres et tendit l'oreille. Des pas se rapprochaient, la porte s'ouvrit brusquement.

Ce n'est pas possible, s'écria Humboldt. Je ne le tolérerai pas !

Bon, dit Gauss.

Mais on a peu de temps. Cette nuit, Eugène était encore sous la garde des gendarmes. Demain matin, la police secrète allait l'interroger, après quoi on ne pourrait plus rien faire pour lui. S'ils voulaient le sortir de là, c'était maintenant ou jamais.

Avait-il une idée de l'heure qu'il était ? demanda Gauss.

Humboldt le dévisagea.

Cela faisait des années qu'il n'était plus sorti de chez lui aussi tard ! Quand il y pensait, ça ne lui était même jamais arrivé.

Incrédule, Humboldt posa le chandelier.

Eh bien soit. Gauss reposa sa pipe en soupirant puis il se leva. Cela allait à coup sûr le rendre encore plus malade.

Vous m'avez l'air en excellente santé, répliqua Humboldt.

Ça suffit maintenant, s'écria Gauss. Les choses étaient déjà suffisamment graves. Il n'allait pas en plus se laisser insulter !

LES ESPRITS

Vogt, le commandant de gendarmerie, était sorti. Sa femme, enveloppée dans une robe de chambre en laine, le teint et les cheveux brouillés par le sommeil, leur dit qu'après la réception à l'Académie de musique il était passé rapidement à la maison, après quoi on l'avait appelé, il y avait eu de toute évidence des arrestations. Puis il était revenu peu avant minuit et s'était habillé en civil avant de repartir à nouveau. Il faisait cela une fois par semaine. Non, elle ne savait pas où.

Dans ce cas, il n'y avait sans doute rien à faire, dit Humboldt. Il s'inclina, prêt à s'en aller.

Et moi je pense que si, dit Gauss.

Les deux autres le regardèrent d'un air interrogateur.

Je pense qu'il y a effectivement quelque chose à faire. Humboldt n'avait jamais été marié, il ignorait comment cela se passait. Une femme dont le mari s'absentait une fois par semaine, la nuit, savait parfaitement où il était fourré, et si lui-même ne disait rien, elle l'apprenait de toute façon. A présent, elle pouvait rendre un grand service à deux vieux messieurs.

Mme Vogt murmura qu'elle n'avait vraiment pas le droit de dire quoi que ce soit.

Gauss fit un pas vers elle, posa la main sur son bras et lui demanda pourquoi elle leur compliquait la tâche à ce point. Est-ce qu'ils ressemblaient, lui et son ami, à des délateurs, à des gens incapables de garder un secret ? Il pencha la tête et lui sourit. C'était très important.

Mais personne ne devait apprendre que l'information venait d'elle.

C'est évident, répondit Gauss.

Ça n'avait rien d'illégal, après tout. Et c'était seulement depuis la mort de la grand-mère. On supposait qu'il y avait de l'argent caché quelque part, mais on ignorait où. Alors on se renseignait comme on pouvait.

Voilà comme elles sont, dit Gauss tandis qu'ils descendaient l'escalier. Les femmes n'étaient pas fichues de garder quoi que ce soit pour elles. Ce que l'épouse savait, tout le monde l'apprenait tôt ou tard. Pouvaient-ils faire un saut à la gendarmerie ? Il voulait jeter un œil sur le bon à rien.

Impossible, répliqua Humboldt. Il n'avait pas le droit de se montrer là-bas.

Le républicain le plus éminent d'Europe n'était pas en mesure d'entrer dans la gendarmerie ?

Surtout pas le républicain le plus éminent, répondit Humboldt. Sa position était plus fragile qu'il n'y paraissait à première vue. Et la renommée ne protégeait pas toujours. Il était plus facile de trouver ses repères sur l'Orénoque que dans cette ville. Il baissa la voix. Les gendarmes se contentaient de séparer les prévenus selon leur rang social, mais la police secrète ne relevait les identités que le lendemain matin. S'ils persuadaient Vogt de renvoyer immédiatement le jeune homme chez lui, il ne resterait aucune trace de sa présence.

Il n'y avait plus rien à espérer de ce garçon, dit Gauss. Ce Weber lui plaisait davantage.

On ne choisissait pas, répliqua Humboldt.

Sans doute, dit Gauss, puis il se tut jusqu'à l'arrivée du fiacre.

Ils traversèrent à pied une cour sale et montèrent un escalier. Ils durent s'arrêter deux fois pour que Gauss reprenne son souffle. Ils arrivèrent au quatrième étage, Humboldt frappa à la porte de l'appartement. Un homme pâle à la barbiche entortillée leur ouvrit. Il portait une chemise ornée de broderies dorées, un pantalon de velours et des pantoufles élimées.

Lorenzi, dit-il. Au bout de quelques secondes, ils comprirent qu'il venait de se présenter.

Humboldt demanda si le commandant de gendarmerie Vogt était ici.

Il est ici, répondit M. Lorenzi dans un allemand hésitant, lui et bien d'autres encore. Mais s'ils voulaient entrer, ils devaient rejoindre le cercle.

Soit, dit Gauss.

Il ne fallait pas briser le cercle, dit Lorenzi, la vie d'ici-bas et le royaume des morts ne devaient pas se mélanger. En d'autres termes, cela coûtait de l'argent.

Gauss fit non de la tête, mais Humboldt glissa quelques pièces d'or à Lorenzi, et celui-ci s'écarta en s'inclinant maladroitement.

Le sol du couloir était recouvert de tapis râpés. A travers une porte entrouverte, on entendait les gémissements d'une voix de femme. Ils entrèrent.

Une unique bougie éclairait la pièce. Des gens étaient installés autour d'une table ronde. Les gémissements provenaient d'une jeune fille de dix-sept ans environ. Elle portait une chemise de nuit blanche, son visage était trempé de sueur, ses cheveux lui collaient au front. A sa gauche était assis, les yeux fermés, le commandant de gendarmerie Vogt. A côté de lui, un chauve ainsi que trois dames assez âgées ; une femme habillée de noir ; plusieurs messieurs en costume sombre. La jeune fille tournait la tête en tous sens et poussait des cris plaintifs. Humboldt voulut repartir, Gauss le retint. Lorenzi approcha deux chaises. Avec hésitation, ils s'assirent à la table.

Et maintenant, dit Lorenzi, tout le monde doit se tenir par la main !

Jamais de la vie, dit Humboldt.

Ce n'est pourtant pas sorcier, répliqua Gauss en prenant la main de Lorenzi. Si on les jetait dehors, ils seraient bien avancés.

Non, répéta Humboldt.

Ce n'est pas possible autrement, dit Lorenzi.

Gauss soupira et saisit la main gauche de Humboldt ; au même moment, la femme qui se trouvait de l'autre côté – elle avait environ soixante ans et ressemblait à une statue effritée – attrapa sa main droite. Humboldt se figea.

La jeune fille rejeta la tête en arrière et se mit à crier. Ses contorsions firent glisser sa chemise de nuit. Gauss la contempla en haussant les sourcils. Son corps se dressa comme si elle voulait bondir, mais les deux hommes assis près d'elle la tenaient fermement ; elle découvrait ses dents, roulait les yeux, se tournait brusquement d'un côté puis de l'autre en geignant. Elle dit d'une voix gémissante qu'elle avait vu le roi Salomon, mais il n'avait pas daigné venir, et à présent un autre homme s'annonçait.

Je n'en peux plus, dit Humboldt.

Mais c'est très drôle, tout compte fait, répliqua Gauss. Et la petite n'était pas mal du tout.

Elle poussa un cri, un soubresaut projeta son corps en arrière ; si les hommes ne l'avaient pas maintenue, elle aurait basculé avec sa chaise. Puis elle se calma, inclina la tête et fixa son regard sur la table. Quelqu'un est là, dit-elle. Et l'oncle de cette personne lui annonçait que tout était pardonné. Un fils attendait sa mère. Je vois aussi Bonaparte, ce diable qui a pris forme humaine, brûler en enfer. Il proférait de terribles blasphèmes et refusait de se repentir. Elle tourna la tête et prêta l'oreille. Sa chemise de nuit était ouverte jusqu'en dessous de sa poitrine. Sa peau humide luisait. Elle apercevait le frère d'une autre personne, il disait que sa mort était naturelle et normale, il fallait arrêter les recherches. Et aussi la mère d'un autre. Elle était très déçue. L'œuvre de cet homme serait toujours insignifiante ; elle savait désormais qu'il avait simplement attendu qu'elle meure pour s'éclipser à la manière d'un vagabond, et dans la grotte, à l'époque, il avait fait comme s'il ne la voyait pas. Et il y avait également un enfant qui voulait dire à ses parents qu'il allait bien, compte tenu des circonstances ; la salle était grande, on n'arrêtait pas de voler dans les airs, et si on était prudent personne ne vous faisait de mal. Et une vieille femme déclarait qu'elle n'avait pas caché d'argent et qu'elle ne pouvait pas apporter son aide. La jeune fille gémit, tous se penchèrent en avant, mais c'était fini. Elle émit un son étranglé puis releva la tête, libéra délicatement ses mains, rajusta sa chemise de nuit et sourit d'un air égaré.

Eh bien voilà, dit Gauss.

Vogt, effrayé, le regarda par-dessus la table. Il venait seulement de les remarquer.

J'ai à vous parler, dit Humboldt. Il était pâle, son visage rigide comme un masque.

Fascinant, dit la femme en noir.

Un moment unique de communication entre les mondes, dit Lorenzi. Tous le regardèrent d'un air réprobateur, il avait parlé sans accent italien ; il se dépêcha de répéter la phrase comme il fallait. La jeune fille regardait autour d'elle avec gêne. Gauss l'observait attentivement.

Vogt demanda s'ils l'avaient suivi.

En quelque sorte, répondit Humboldt. Ils étaient venus solliciter quelque chose. Un entretien en tête à tête. Il fit signe à Gauss de rester et sortit avec Vogt dans le couloir.

Vogt chuchota qu'il était là à cause de sa grand-mère. Personne ne savait où se trouvait l'argent. La situation était délicate. Un gentleman devait payer ses dettes, quoi qu'il arrive. Il recourait donc à tous les moyens possibles et imaginables.

Humboldt se racla la gorge. Il ferma les yeux quelques secondes, comme s'il devait se rappeler à l'ordre. Un jeune homme, dit-il ensuite, le fils de l'astronome, là-bas, avait été arrêté au cours d'une stupide réunion. Il était encore temps de le renvoyer tout simplement chez lui.

Vogt caressa sa moustache.

On rendrait ainsi service au pays. La Prusse attachait beaucoup d'importance à la coopération avec cet homme. Il était du plus haut intérêt de ne pas l'indisposer.

Du plus haut intérêt, répéta Vogt.

Ailleurs, dit Humboldt, on décorait les gens pour une telle initiative.

Vogt s'appuya contre le mur. Ce qu'on reprochait à ces individus n'était pas une mince affaire. Il s'agissait d'une réunion secrète extrêmement inquiétante. Au début, on avait même cru que le détestable auteur de *L'Art de la gymnastique allemande* était intervenu en personne.

Mais il semblait à présent, Dieu soit loué, que l'orateur n'était autre que l'un des nombreux imposteurs parcourant le pays en son nom. Un messager était cependant parti pour Freyburg afin de s'en assurer.

La plaie des identités feintes, répliqua Humboldt. Deux collaborateurs à lui, Daguerre et Niépce, travaillaient à une invention permettant d'y remédier. Les autorités disposeraient alors de portraits officiels, et on ne pourrait plus se faire passer pour une célébrité. Il connaissait bien le problème : récemment, au Tyrol, un homme avait vécu pendant des mois aux frais de la commune parce qu'il avait prétendu s'appeler Humboldt et savoir comment on trouvait de l'or.

En tout cas, reprit Vogt, la situation était grave. Il ne voulait pas dire par là qu'on ne pouvait rien faire. Il regarda Humboldt, plein d'espoir. Mais ça n'allait pas être facile.

Il lui suffisait de se rendre à la gendarmerie et de renvoyer le jeune homme chez lui, dit Humboldt. Son nom n'était pas encore consigné au procès-verbal. Personne n'en saurait rien.

Mais cela comportait un risque, dit Vogt.

Un risque minime.

Minime ou pas, entre gens civilisés, il existait des compensations pour ce genre de choses.

Humboldt promit sa reconnaissance.

Elle pouvait s'exprimer de différentes manières.

Humboldt lui assura qu'il trouverait toujours en lui un ami. Il était aussi prêt à lui accorder n'importe quelle faveur.

Une faveur. Vogt soupira. Il y avait faveur et faveur.

Humboldt lui demanda ce qu'il entendait par là.

Vogt gémit. Ils se regardèrent, déconcertés.

Dieu du ciel, dit la voix de Gauss à côté d'eux. Est-ce qu'il ne comprenait vraiment pas ? Ce type voulait qu'on lui graisse la patte.

Vogt blêmit.

Il voulait se faire acheter, dit tranquillement Gauss. Le petit saligaud. La misérable ordure.

Je proteste, s'écria Vogt d'une voix aiguë. Je refuse d'entendre ça !

Humboldt fit des gestes fébriles à Gauss. Intrigués, les gens du salon s'approchèrent : le crâne dégarni et la femme en noir faisaient des messes basses, la jeune fille en chemise de nuit regardait par-dessus leurs épaules.

Il n'avait pas le choix, dit Gauss. Quand on était un sale type, un ours mal léché, un nain rapace, on devait supporter d'entendre la vérité.

Ça suffit maintenant, cria Vogt.

Loin de là, dit Gauss.

Demain matin, j'enverrai mes témoins !

Pour l'amour de Dieu, s'écria Humboldt, tout cela n'était qu'un malentendu.

Je les jetterai dehors, dit Gauss. Cela devait être de sacrés vauriens, s'ils se faisaient envoyer à droite et à gauche par un bousier comme ça. Qu'ils viennent donc chercher leurs coups de pied dans les fesses, et ailleurs aussi !

D'une voix étranglée, Vogt demanda si cela signifiait que monsieur refusait de lui donner réparation.

Et comment ! Il ne manquerait plus qu'il se fasse descendre par une saleté de triton !

Vogt ouvrit puis referma la bouche, serra les poings et fixa le plafond. Son menton tremblait. S'il avait bien compris, le fils de monsieur le professeur connaissait des difficultés. Que monsieur le professeur ne s'attende pas à revoir son fils de sitôt. Il alla d'un pas chancelant vers le portemanteau, empoigna son pardessus, saisit violemment un chapeau et se précipita dehors.

Mais c'est mon chapeau, s'écria le crâne dégarni, et il lui courut après.

Ma foi, c'est raté, finit par dire Gauss en brisant le silence. Il jeta encore un regard appuyé au médium, puis il mit les mains dans ses poches et quitta l'appartement.

Une terrible méprise, dit Humboldt en le rattrapant dans l'escalier. Cet homme ne voulait pas d'argent, voyons !

Ah, dit Gauss.

Un haut fonctionnaire de l'Etat prussien n'était pas corruptible. Cela ne s'était jamais vu.

Ah !

Il en mettait sa main au feu !

Gauss se mit à rire.

Ils sortirent à l'air libre et constatèrent que leur fiacre était parti.

Eh bien dans ce cas, ce sera à pied, dit Humboldt. Après tout, ce n'était pas loin ; pour sa part, il était venu à bout de distances beaucoup plus grandes.

Pitié, pas encore ça, répliqua Gauss. Il ne pouvait plus l'entendre.

Les deux hommes se regardèrent, furieux, puis ils se mirent en route.

C'était dû à l'âge, dit Humboldt au bout d'un moment. Autrefois, il avait réussi à persuader tout le monde. Il avait franchi tous les blocus et obtenu tous les passeports qu'il désirait. Personne ne lui avait résisté.

Gauss ne répondit pas. Ils marchaient l'un à côté de l'autre en silence.

Bon, finit par dire Gauss. Il l'admettait. Ce n'avait pas été très intelligent de sa part. Mais ça l'avait tellement énervé !

Ce médium méritait que l'on mette un terme à ses activités, dit Humboldt. Ce n'était pas ainsi qu'on s'approchait des morts. C'était inconvenant, impertinent et vulgaire ! Lui-même avait grandi avec les esprits et savait comment il fallait se comporter avec eux.

Ces réverbères, dit Gauss. Bientôt, ils fonctionneraient au gaz, et la nuit serait alors abolie. Ils avaient tous deux vécu à une époque médiocre. Qu'allait devenir Eugène, maintenant ?

Exclu de l'université. Envoyé en prison, probablement. On pourrait peut-être s'arranger pour obtenir un bannissement.

Gauss ne dit rien.

Parfois, dit Humboldt, on devait admettre qu'on ne pouvait pas aider les autres. Il lui avait fallu des années pour accepter l'idée qu'il n'y avait plus rien à faire pour Bonpland. Il ne pouvait pas s'en affliger toute sa vie.

Mais, lui, il allait devoir annoncer cela à Minna, dit Gauss. Elle était stupidement attachée à ce garçon.

Ce qui voulait tomber, ajouta Humboldt, il fallait le laisser tomber. Ce n'était pas agréable à entendre, mais c'était simplement le côté dur et pour ainsi dire brutal d'une existence réussie.

Gauss répliqua que sa vie était derrière lui. Il possédait un foyer qui n'avait aucune importance à ses yeux, une fille dont personne ne voulait et un fils auquel il était arrivé malheur. Quant à sa mère, elle ne vivrait plus très longtemps. Il avait passé les quinze dernières années à mesurer des collines. Gauss s'arrêta et regarda le ciel nocturne. En fin de compte, il ne comprenait pas pourquoi il se sentait aussi léger.

Moi non plus, répondit Humboldt. Mais je ressens la même chose.

Peut-être était-il encore possible de faire ceci et cela. Le magnétisme. La géométrie de l'espace. Sa tête n'était plus comme autrefois, mais elle n'était pas complètement hors d'usage.

Je ne suis jamais allé en Asie, dit Humboldt. Ce n'était pas croyable. Il se demandait tout à coup si ce n'était pas une erreur de décliner l'invitation en Russie.

Evidemment, il lui faudrait de nouveaux assistants. Il ne pouvait plus y arriver seul. Son fils aîné était dans l'armée, le petit était encore trop jeune, et Eugène indisponible. Mais ce Wilhelm Weber lui plaisait ! Et il avait une jolie femme. Une chaire de physique allait se libérer à Göttingen.

Ce ne serait pas simple, dit Humboldt. Le gouvernement voudrait contrôler tous ses faits et gestes. Mais si on le prenait pour un homme faible et conciliant, on se trompait. Ils l'avaient tenu à l'écart de l'Inde. Il irait en Russie.

La physique expérimentale, dit Gauss. Voilà quelque chose de nouveau. Il fallait qu'il y réfléchisse.

Avec un peu de chance, dit Humboldt, je pourrai arriver jusqu'en Chine.

LA STEPPE

Qu'est-ce au juste, mesdames et messieurs, que la mort ? Ce n'est pas seulement la vie qui s'éteint et les quelques secondes de transition, mais déjà le long déclin qui précède, cet affaiblissement qui s'étend au fil des ans ; la période où l'homme est toujours là sans l'être vraiment et peut encore prétendre qu'il existe, même si sa gloire s'est évanouie depuis longtemps. Telles sont les précautions, mesdames et messieurs, avec lesquelles la nature a prévu notre disparition !

Lorsque les applaudissements cessèrent, Humboldt avait déjà quitté l'estrade. Devant l'Académie de musique l'attendait un fiacre qui l'amena au chevet de sa belle-sœur mourante. Elle quittait la vie de façon douce et indolore, tantôt endormie, tantôt à demi consciente ; elle ouvrit les yeux une dernière fois, regarda d'abord Humboldt puis, un peu effrayée, son mari, comme si elle avait du mal à les différencier. Quelques secondes plus tard, elle était morte. Les deux frères restèrent assis l'un en face de l'autre, Humboldt tenait la main de l'aîné parce qu'il savait que la situation l'exigeait ; mais pendant un long moment ils oublièrent complètement de se tenir droits sur leurs chaises et de prononcer les paroles d'usage.

Se souvenait-il de la soirée, finit par demander l'aîné, au cours de laquelle ils avaient lu l'histoire d'Aguirre et où il avait décidé de partir pour l'Orénoque ? La date était enregistrée pour la postérité !

Bien sûr que je m'en souviens, dit Humboldt. Mais il ne croyait plus que cela intéresserait la postérité, il doutait même de l'utilité de leur navigation sur le fleuve. Le canal n'avait pas apporté la prospérité au continent : il était loin de tout et recouvert de nuées d'insectes, comme avant ; Bonpland avait raison. Mais, au moins, sa vie n'avait pas été ennuyeuse.

L'ennui ne m'a jamais dérangé, dit l'aîné. En revanche, je n'aurais pas voulu me retrouver seul.

J'ai toujours été seul, répliqua Humboldt. Mais ce que je redoute par-dessus tout, c'est l'ennui.

J'ai beaucoup souffert, dit l'aîné, de n'être jamais devenu chancelier. Hardenberg m'en a empêché, et pourtant j'y étais destiné !

Personne, dit Humboldt, n'a de destinée. On décidait seulement de faire comme si, jusqu'à ce qu'on y croie soi-même un jour. Or tant de choses n'entraient pas dans ce cadre qu'il avait dû se faire terriblement violence.

L'aîné s'enfonça dans son fauteuil et le regarda longuement. Toujours les jeunes garçons ?

Tu le savais ?

Je l'ai toujours su.

Longtemps, aucun d'eux ne parla, puis Humboldt se leva et ils s'embrassèrent de façon aussi solennelle que d'habitude.

Allait-on se revoir ?

Certainement. A l'état charnel ou lumineux.

A l'Académie l'attendaient ses compagnons de voyage, le zoologiste Ehrenberg et le minéralogiste Rose. Ehrenberg était petit, gros et portait une barbiche, Rose mesurait plus de deux mètres et semblait avoir les cheveux toujours humides. Tous deux avaient d'épaisses lunettes. La cour les avait adjoints à Humboldt comme assistants. Ensemble, ils vérifièrent leur équipement : le cyanomètre, le télescope et la bouteille de Leyde qui venait de son périple sous les tropiques, une montre anglaise plus précise que l'ancienne d'origine française et, pour les mesures magnétiques, un inclinomètre de meilleure qualité fabriqué par Gambey en personne, ainsi qu'une tente qui ne comportait pas d'éléments en fer. Après quoi Humboldt se rendit au château de Charlottenburg.

Il saluait ce voyage au royaume de son gendre, dit Frédéric-Guillaume avec emphase. C'est pourquoi il conférait le titre de conseiller privé du roi au chambellan Humboldt, que l'on devrait dorénavant appeler Excellence.

Humboldt dut se détourner tant son émotion était forte.

Que vous arrive-t-il, Alexander ?

C'est à cause de la mort de ma belle-sœur, dit rapidement Humboldt.

Le roi répondit qu'il connaissait la Russie et aussi la réputation de Humboldt. Il ne souhaitait pas entendre de plaintes à son sujet ! Il n'était pas nécessaire d'éclater en sanglots à la vue de chaque paysan malheureux.

J'en ai donné l'assurance au tsar, répliqua Humboldt comme s'il avait appris cette phrase par cœur. Il se consacrerait à la nature inanimée et n'étudierait pas les conditions de vie des classes inférieures. Humboldt avait déjà écrit ces mêmes mots deux fois au tsar et trois fois à des fonctionnaires de la cour de Prusse.

Chez lui, il trouva deux lettres. L'une de son frère aîné, qui le remerciait pour sa visite et son soutien. Que l'on se revoie ou non, il n'y a plus à présent – comme depuis toujours, au fond – que nous deux. On nous a très tôt inculqué l'idée qu'une vie devait avoir un public. Nous pensions tous deux que le nôtre était le monde entier. Or les cercles se sont progressivement rétrécis, et il nous a bien fallu comprendre que la vraie finalité de nos efforts n'était pas le cosmos mais simplement l'autre. C'est à cause de toi que je voulais devenir ministre, c'est à cause de moi que tu devais monter sur la plus haute montagne et ramper dans des grottes ; pour toi j'ai conçu la meilleure université qui soit, pour moi tu as découvert l'Amérique du Sud, et seuls les imbéciles qui ne voient pas ce qu'une vie dédoublée signifie auraient le mot "rivalité" à l'esprit : parce que tu existais, j'ai dû devenir l'éducateur d'un Etat, parce que j'existais, il te fallait être l'explorateur d'un continent, tout le reste aurait été inconvenant. Et nous avons toujours eu un instinct très sûr des convenances. Je te prie de ne pas léguer cette lettre à la postérité avec l'ensemble de notre correspondance, même si, comme tu me l'as dit, tu ne fais plus aucun cas de l'avenir.

L'autre lettre était de Gauss. Lui aussi transmettait ses bons vœux ainsi que quelques formules pour les mesures magnétiques dont Humboldt ne comprit pas une ligne. Il lui recommandait également d'apprendre le russe au cours de son voyage. Pour sa part, il avait commencé à l'étudier, surtout en raison d'une promesse faite longtemps auparavant. Au cas où Humboldt rencontrerait un certain Pouchkine, qu'il ne manque pas de lui témoigner sa plus grande estime.

Le domestique entra en annonçant que tout était prêt, on avait donné à manger aux chevaux et chargé les instruments, on pourrait se mettre en route à l'aube.

Le russe aidait effectivement Gauss à supporter les contrariétés à la maison, les lamentations permanentes et les reproches de Minna, le visage morne de sa fille et toutes les questions concernant Eugène. Nina avait offert à Gauss un dictionnaire de russe en guise d'adieu : elle était partie chez sa sœur en Prusse-Orientale, elle avait quitté Göttingen pour toujours. L'espace d'un instant, il s'était demandé si ce n'était pas elle, et non Johanna, la femme de sa vie.

Son caractère s'était adouci avec l'âge. Ces derniers temps, il arrivait même à regarder Minna sans aversion. Quelque chose dans son visage maigre, vieillissant et éternellement accusateur lui manquerait si elle venait à disparaître.

Weber lui écrivait souvent désormais. Tout portait à croire qu'il viendrait bientôt à Göttingen. La chaire s'était libérée et la recommandation de Gauss avait du poids. Quelle tristesse, dit celui-ci à sa fille, que tu sois si laide et qu'il ait déjà une femme !

En rentrant de Berlin, alors que les oscillations de la diligence l'avaient rendu plus malade que jamais, Gauss avait tenté de soulager son mal en analysant les vibrations, les balancements et les roulements jusque dans leurs moindres détails. Il avait peu à peu réussi à se représenter tous les éléments dans leur interaction. Cela n'avait pas vraiment amélioré son état mais lui avait tout de même permis de comprendre le principe de contrainte minimale : chaque mouvement s'accordait à l'ensemble du système aussi longtemps qu'il le pouvait. Dès son arrivée à Göttingen, au petit matin, Gauss avait envoyé à Weber ses notes sur le sujet, et ce dernier les lui avait retournées pourvues de judicieuses annotations. L'étude serait publiée d'ici quelques mois. Gauss était ainsi devenu physicien.

L'après-midi, il faisait de longues promenades en forêt. Il ne se perdait plus comme autrefois, il connaissait la région mieux que personne, après tout c'était lui qui l'avait fixée sur les cartes. Il avait parfois l'impression qu'il n'avait pas simplement mesuré, mais aussi inventé cette contrée, comme si elle n'était devenue réalité que grâce à lui. Là où tout n'était qu'arbres, mousse, pierres et hauteurs herbeuses s'étendait désormais un réseau de lignes droites, d'angles et de nombres. Rien de ce que quelqu'un avait un jour arpenté n'était plus ou ne serait encore comme avant. Gauss se demanda si Humboldt pourrait comprendre cela. Il se mit à pleuvoir, il alla se réfugier sous un arbre. L'herbe frémissait, une odeur de terre fraîche flottait dans l'air et, pour rien au monde, Gauss n'aurait voulu être ailleurs.

L'escorte de Humboldt n'avançait pas vite. Son départ avait coïncidé avec la fonte des neiges ; une erreur d'organisation qu'il n'aurait pas commise autrefois. Les voitures s'enlisaient dans la boue et quittaient sans cesse la route détrempée, elles devaient tout le temps s'arrêter et attendre. La file était trop longue, les hommes trop nombreux. Ils atteignirent Königsberg déjà plus tard que prévu. Le professeur Bessel accueillit Humboldt avec un flot de paroles, il leur fit visiter le nouvel observatoire et montra à ses invités la plus grande collection d'ambre du pays.

Humboldt lui demanda s'il n'avait pas jadis travaillé avec le professeur Gauss.

L'apogée de son existence, dit Bessel, même si cela n'avait pas été simple. Longtemps, il ne s'était pas remis de ce moment, à Brême, où le Prince des Mathématiciens lui avait conseillé d'abandonner la science et de devenir cuisinier ou maréchal-ferrant, à moins que ce ne soit encore trop difficile pour lui. Malgré tout, il avait eu de la chance ; pour son ami Bartels, à Saint-Pétersbourg, cela avait été bien pire. Seule la sympathie aidait contre une telle supériorité.

Sur la route de Tilsit, les chemins étaient gelés et les roues des voitures s'enfoncèrent plusieurs fois dans la glace. A la frontière russe était postée une troupe de cosaques qui avait reçu l'ordre de les accompagner.

Ce n'est vraiment pas nécessaire, dit Humboldt.

Faites-moi confiance, répliqua le commandant, c'est nécessaire.

J'ai passé des années dans des contrées sauvages sans escorte !

Ici, ce n'est pas une contrée sauvage, répondit le commandant. C'est la Russie.

Aux abords de Dorpat les attendaient une dizaine de journalistes ainsi que l'ensemble de la faculté de sciences naturelles. On voulut immédiatement leur faire voir les collections minéralogiques et botaniques.

Volontiers, dit Humboldt, bien que je ne sois pas là pour voir les musées, mais la nature.

Moi, je peux m'en occuper pendant ce temps, répondit Rose avec empressement ; ce n'est pas un problème, c'est bien pour cela que je suis venu !

Tandis que Rose mesurait les collines entourant la ville, le maire, le doyen de l'université et deux officiers conduisaient Humboldt à travers une enfilade de pièces mal aérées et remplies d'échantillons d'ambre. Dans l'une des pierres se trouvait une araignée comme Humboldt n'en avait encore jamais vue, dans une autre un étrange scorpion ailé qu'on était bien obligé d'appeler une créature fabuleuse. Humboldt regarda la pierre de près en clignant des yeux, mais rien n'y faisait, il n'y voyait plus très bien. Il faudrait en faire un dessin !

Certainement, dit Ehrenberg qui se trouvait tout à coup derrière lui ; il lui prit la pierre des mains et l'emporta. Humboldt voulut le rappeler, puis il y renonça. Cela aurait paru bizarre devant tous ces gens. Il n'obtint pas le dessin et ne revit plus jamais la pierre. Lorsqu'il interrogea plus tard Ehrenberg, celui-ci répondit qu'il ne s'en souvenait pas.

Ils quittèrent Dorpat pour la capitale. Un messager de la couronne était en tête du cortège, deux officiers s'étaient joints à eux ainsi que trois professeurs et un géologue de l'Académie de Saint-Pétersbourg, un certain Volodin dont Humboldt oubliait constamment la présence, si bien qu'il tressaillait chaque fois que Volodin faisait une remarque de sa voix douce et calme. C'était comme si quelque chose chez cet être falot empêchait qu'on le fixe dans sa mémoire ou comme s'il maîtrisait à la perfection l'art du camouflage. Au bord du fleuve Narva, il fallut attendre pendant deux jours que les blocs de glace s'amenuisent pour effectuer la traversée. Le nombre d'hommes était devenu tel qu'ils durent emprunter le grand bac, qui ne fonctionnait que lorsque le fleuve était dégagé. C'est ainsi qu'ils atteignirent Saint-Pétersbourg avec du retard.

L'envoyé prussien accompagna Humboldt à l'audience. Le tsar lui serra longuement la main en l'assurant que sa visite était un honneur pour la Russie, puis il demanda à Humboldt des nouvelles de son frère aîné, dont il avait gardé un souvenir précis au Congrès, à Vienne.

Un bon souvenir ?

A vrai dire, je l'ai toujours un peu craint, répondit le tsar.

Chaque ambassadeur européen donna une réception en l'honneur de Humboldt. Il soupa plusieurs fois avec la famille du tsar. Le ministre des Finances, le comte Cancrin, doubla la somme allouée pour l'expédition.

Humboldt dit qu'il lui en était reconnaissant, même s'il repensait avec nostalgie à l'époque où il finançait lui-même ses voyages.

Aucune raison d'être nostalgique, répliqua Cancrin ; Humboldt avait toute liberté, et voici – il glissa une feuille à Humboldt – l'itinéraire autorisé. Il serait escorté durant le trajet, attendu à chaque étape et tous les gouverneurs de province avaient reçu l'ordre de veiller à sa sécurité.

Je ne sais pas trop quoi en penser, répondit Humboldt. Je veux me déplacer à ma guise. Un savant devait improviser.

Uniquement lorsqu'il s'était mal organisé, objecta Cancrin en souriant. Et ce plan, il le lui garantissait, était vraiment excellent.

Avant de partir pour Moscou, Humboldt reçut à nouveau du courrier : deux missives de son frère aîné que la solitude rendait bavard. Une longue lettre de Bessel. Et une carte de Gauss, plongé dans les expériences magnétiques. Il prenait désormais la chose au sérieux, écrivait-il, il avait fait construire à cet effet une cabane sans fenêtre avec une porte hermétique et des clous de cuivre non magnétisables.

Au début, les conseillers municipaux avaient pris Gauss pour un fou. Mais il les avait couverts d'insultes, avait proféré des menaces, s'était répandu en lamentations, leur avait fait miroiter des avantages totalement fictifs pour le commerce, la renommée de l'Etat et l'économie, si bien qu'ils avaient fini par accepter et installer la cabane à côté de l'observatoire. Gauss passait maintenant le plus clair de son temps devant une longue aiguille en fer qui oscillait dans une bobine d'induction. Son mouvement était si faible qu'il n'était pas visible à l'œil nu ; on devait orienter un télescope sur un miroir placé au-dessus de l'aiguille pour percevoir les légères oscillations du cadran mobile. L'hypothèse de Humboldt était juste : le champ magnétique terrestre fluctuait, son intensité se modifiait périodiquement. Mais Gauss effectuait ses mesures par intervalles plus courts que Humboldt, de façon plus précise, et, bien entendu, il était meilleur en calcul ; il trouvait amusant que Humboldt n'ait pas remarqué qu'il fallait tenir compte de l'allongement du fil auquel était suspendue l'aiguille.

A la lumière d'une lampe à huile, Gauss contemplait ce balancement pendant des heures. Aucun bruit n'arrivait jusqu'à lui. De même que le voyage en ballon avec Pilâtre, autrefois, lui avait montré ce qu'était l'espace, de même il comprendrait tôt ou tard l'agitation qui régnait au cœur de la nature. Il n'était pas nécessaire d'escalader des montagnes ou de s'imposer une traversée de la jungle. Celui qui observait cette aiguille voyait jusqu'au centre de la terre. Parfois, ses pensées allaient à sa famille. Eugène lui manquait et Minna allait mal depuis qu'il n'était plus là. Le cadet aurait bientôt fini l'école. Lui non plus n'était pas particulièrement intelligent, il ne ferait sans doute pas d'études supérieures. On devait en prendre son parti et ne pas surestimer les capacités d'autrui. En tout cas, il s'entendait de mieux en mieux avec Weber, et très récemment un mathématicien russe lui avait envoyé une étude dans laquelle il émettait l'hypothèse que la géométrie euclidienne n'était pas exacte et que les lignes parallèles se touchaient. Depuis que Gauss lui avait répondu qu'aucune de ces réflexions n'était nouvelle pour lui, on le considérait en Russie comme un vantard. Il ressentait un pincement inhabituel au cœur à l'idée que d'autres annonceraient publiquement ce qu'il savait depuis si longtemps. Il lui avait donc fallu vivre aussi vieux pour apprendre ce qu'était l'ambition. Par instants, lorsqu'il observait l'aiguille sans oser respirer pour ne pas perturber sa danse silencieuse, il se prenait pour un magicien venu de la nuit des temps, un alchimiste d'une vieille gravure sur cuivre. Et pourquoi pas, d'ailleurs ? La *scientia nova* était issue de la magie et cela laisserait toujours quelques traces.

Gauss déplia avec précaution la carte de la Russie. Il faudrait répartir des cabanes comme celle-ci sur l'étendue déserte de la Sibérie, y loger des hommes de confiance capables de prendre soin des instruments, de passer des heures devant un télescope et de vouer leur vie au silence et à l'observation. Humboldt savait organiser les choses ; même ça, sans doute. Gauss réfléchit. Lorsqu'il eut terminé la liste des emplacements qui s'y prêteraient, son plus jeune fils ouvrit vivement la porte et apporta une lettre. Le vent s'engouffra dans la pièce, des feuilles de papier s'envolèrent, l'aiguille s'affola, et Gauss donna à l'enfant deux gifles qu'il n'oublierait pas de sitôt. Après une demi-heure passée assis, sans bouger, à attendre que la boussole se fût calmée, Gauss osa enfin se lever pour ouvrir la lettre. Humboldt écrivait qu'ils devaient changer leurs plans ; il ne pouvait pas faire ce qu'il voulait, on lui avait assigné un itinéraire et il ne lui paraissait pas judicieux de s'en écarter ; il avait le droit d'effectuer ses mesures sur ce trajet et pas ailleurs, et il priait Gauss d'en tenir compte dans ses propres calculs. Gauss mit la lettre de côté en souriant tristement. Pour la première fois, Humboldt lui faisait pitié.

A Moscou, rien ne bougeait. Le maire déclara qu'il était impossible que son invité d'honneur reparte déjà. Peu importait que la saison fût favorable, la haute société l'attendait, en aucun cas il ne pouvait refuser à Moscou ce qu'il avait accordé à Saint-Pétersbourg. Humboldt dut donc, là aussi, fréquenter les dîners tous les soirs tandis que Rose et Ehrenberg ramassaient des échantillons de roche aux alentours. On portait des toasts, des hommes en queue-de-pie poussaient des vivats en agitant leur verre, des musiciens faisaient retentir des instruments à vent désaccordés, et on demandait sans cesse à Humboldt, d'un air compatissant, s'il ne se sentait pas bien. Si, répondait celui-ci en regardant le soleil qui déclinait, mais la musique ne l'avait jamais beaucoup attiré, et puis fallait-il vraiment qu'elle soit aussi forte ?

Des semaines s'écoulèrent avant qu'ils obtiennent l'autorisation de poursuivre leur route vers l'Oural. De nouveaux accompagnateurs s'étaient encore joints à eux, et il fallut une journée entière pour que toutes les voitures soient prêtes à partir.

Ce n'est pas croyable, dit Humboldt à Ehrenberg, c'est inadmissible, cela n'a plus rien d'une expédition, enfin !

Rose intervint en disant qu'on ne faisait pas toujours ce qu'on voulait.

D'ailleurs, demanda Ehrenberg, qu'est-ce qui s'y opposait ? Il n'y avait là que des personnes intelligentes et respectables, et elles pourraient le décharger de certaines tâches qu'il aurait peut-être du mal à effectuer. Humboldt s'empourpra mais, avant qu'il ait pu dire quoi que ce soit, la voiture se mit en route et sa réponse fut couverte par le crissement des roues et le claquement des sabots.

Aux abords de Nijni-Novgorod, il détermina à l'aide de son sextant la largeur de la Volga. Pendant une demi-heure, il regarda fixement à travers l'oculaire, fit pivoter l'alidade, marmonna des calculs. Ses compagnons l'observaient d'un air respectueux. Volodin dit à Rose que c'était comme si on faisait un voyage dans le temps ou qu'on était transporté dans un livre d'histoire, tellement c'était sublime. Il avait envie de pleurer !

Humboldt finit par annoncer que le fleuve faisait cinq mille deux cent quarante pieds virgule sept de large.

Mais bien sûr, dit Rose d'un ton lénifiant.

Deux cent quarante virgule neuf, pour être précis, ajouta Ehrenberg. Mais il devait reconnaître que, compte tenu d'une méthode aussi datée, le résultat était plutôt bon.

En ville, Humboldt reçut du sel, du pain et une clé en or, il fut nommé citoyen d'honneur, il dut écouter la prestation d'une chorale d'enfants et assister à quatorze réceptions officielles ainsi qu'à vingt et une réceptions privées avant qu'ils puissent remonter la Volga sur un bateau de surveillance. Près de Kazan, Humboldt insista pour effectuer une mesure magnétique. En plein champ, il fit dresser sa tente, demanda le silence, se glissa dedans et attacha la boussole aux suspensions prévues à cet effet. Il mit plus de temps que d'habitude car ses mains tremblaient et le vent commençait à faire pleurer ses yeux. L'aiguille oscilla avec hésitation, se calma, s'immobilisa pendant quelques minutes puis oscilla de nouveau. Humboldt pensa à Gauss qui, en cet instant précis, à une distance correspondant à un sixième du périmètre terrestre, faisait la même chose. Ce pauvre homme n'avait jamais rien vu du monde extérieur. Humboldt sourit d'un air mélancolique, soudain Gauss lui faisait pitié. Dehors, Rose frappa sur la bâche et demanda s'il était éventuellement possible d'accélérer un peu les choses.

Lorsqu'ils reprirent leur route, ils passèrent devant une colonne de prisonnières escortées par des cavaliers armés de lances. Humboldt voulut s'arrêter pour leur parler.

Exclu, dit Rose.

Totalement impensable, approuva Ehrenberg. Il donna un coup sur le toit, la voiture repartit et quelques minutes plus tard son nuage de poussière avait englouti la file des détenues.

A Perm, c'était déjà devenu une routine, Ehrenberg et Rose partirent ramasser des cailloux tandis que Humboldt dînait avec le gouverneur. Ce dernier avait quatre frères, huit fils, cinq filles, vingt-sept petits-enfants et neuf arrière-petits-enfants ainsi qu'un nombre indéterminé de cousins. Tous étaient présents et voulaient entendre des histoires concernant le pays situé au-delà des mers. Humboldt dit qu'il ne savait rien à ce sujet ; c'était à peine s'il se rappelait quoi que ce soit ; il éprouvait une grande envie d'aller se coucher.

Le lendemain matin, il donna pour consigne de diviser la collection : on avait besoin d'un double de chaque échantillon, et tous les échantillons devaient être transportés séparément.

Mais cela faisait longtemps qu'on travaillait avec des collections séparées, dit Rose.

Depuis le début, ajouta Ehrenberg.

Aucun savant sensé ne faisait autrement, dit Rose. Tout le monde connaissait les écrits de Humboldt.

Ils arrivèrent à Iekaterinbourg. Le commerçant chez qui logeait Humboldt portait, comme tous les hommes de l'endroit, une barbe, un long pardessus et un ceinturon. Lorsque Humboldt revint tard dans la soirée d'une réception chez le maire, son hôte souhaita boire avec lui. Humboldt refusa, l'autre se mit à sangloter comme un enfant, se frappa la poitrine et s'écria en mauvais français qu'il n'était qu'un pauvre malheureux et qu'il voulait mourir.

Bon d'accord, dit Humboldt, gêné, mais un seul verre !

La vodka le rendit tellement malade qu'il dut rester alité pendant deux jours. Pour une raison obscure, le gouvernement posta un garde cosaque devant la maison, et personne ne réussit à dissuader deux officiers de passer la nuit à ronfler dans un coin de sa chambre.

Lorsque Humboldt put à nouveau se lever, Ehrenberg, Rose et Volodin le conduisirent dans une mine métallifère. Le directeur de la mine, un homme du nom d'Ossipov, voulut savoir ce qu'on pouvait faire contre les infiltrations d'eau. Il emmena Humboldt dans une galerie inondée : l'eau leur montait jusqu'aux hanches, cela sentait le moisi. Humboldt, mécontent, regardait ses jambes de pantalon détrempées.

Il fallait pomper de façon plus efficace !

On n'avait pas assez de machines, répondit tristement Ossipov.

Eh bien dans ce cas, répliqua Humboldt, il devait s'en procurer davantage.

Ossipov demanda comment on était censé les payer.

S'il y avait moins d'inondations, dit lentement Humboldt, on pourrait extraire plus de métal.

Ossipov le regarda d'un air interrogateur.

Ainsi, les pompes seraient amorties, n'est-ce pas ?

Ossipov réfléchit, puis il saisit Humboldt et le pressa contre sa poitrine.

Lorsqu'ils repartirent, Humboldt fut pris de fièvre. Il avait mal à la gorge et son nez coulait sans arrêt. Un rhume, dit-il et il resserra sa couverture de laine autour de lui. Le cocher pouvait-il conduire moins vite, il ne voyait rien des forêts de sapins !

Hélas, dit Rose, voilà bien une chose qu'on ne pouvait pas exiger des cochers russes ; ils avaient appris à conduire comme ça et pas autrement.

Ils ne s'arrêtèrent qu'au pied de la montagne aimantée. Au milieu de la plaine de Vissokaïa Gora s'élevait une masse de minerai jaune clair ; toutes les boussoles s'affolèrent et Humboldt commença l'ascension. Sans doute à cause de son rhume, il eut plus de mal qu'autrefois, Ehrenberg dut le soutenir à plusieurs reprises et, quand Humboldt voulut se pencher pour ramasser des cailloux, son dos lui fit si mal qu'il demanda à Rose de se charger des prélèvements. Mais cela se révéla inutile puisque le directeur de la mine de fer locale l'attendait déjà au sommet pour lui remettre un coffret contenant des échantillons de minerais classés avec soin. Humboldt remercia d'une voix enrouée. Le vent tirait violemment sur son écharpe en laine.

Eh bien, dit Rose, on redescend ?

Dans la mine de fer, on leur amena un jeune garçon. Le directeur de la mine dit que le petit s'appelait Pavel, qu'il avait quatorze ans et qu'il était idiot. Mais il avait trouvé cette pierre. Le garçon ouvrit une main sale.

C'était sans aucun doute un diamant, dit Humboldt après un examen minutieux.

D'immenses cris de joie retentirent, les gardiens de la mine se tapèrent sur les épaules, des ouvriers dansaient, une chorale d'hommes se mit à chanter, plusieurs mineurs donnèrent à Pavel des gifles amicales mais très énergiques.

Pas mal, dit Volodin. A peine quelques semaines dans le pays, et Humboldt avait déjà trouvé le premier diamant de Russie, on reconnaissait bien là la main du maître.

Ce n'est pas moi qui l'ai trouvé, répliqua Humboldt.

S'il pouvait se permettre de lui donner un conseil, dit Rose, il valait mieux ne pas répéter cette phrase.

Il existait une vérité superficielle et une vérité plus profonde, ajouta Ehrenberg ; en tant qu'Allemand, on était bien placé pour le savoir.

Etait-ce donc trop demander, reprit Rose, que de donner aux gens, pour un instant, ce qu'ils souhaitaient ?

Quelques jours plus tard, ils furent rejoints par un cavalier exténué qui apportait une lettre de remerciement du tsar.

Le rhume de Humboldt ne s'améliora pas. Ils traversèrent la taïga bourdonnante de moustiques. Le ciel était très haut et le soleil semblait ne plus se coucher, si bien que la nuit devint un vague souvenir. Les lointains avec leurs marais recouverts d'herbe, leurs petits arbres et les lignes sinueuses des ruisseaux se fondaient dans une brume blanche. Parfois, lorsque Humboldt, effrayé, se réveillait en sursaut d'un sommeil de quelques secondes pour constater que l'aiguille du chronomètre avait de nouveau sauté une heure, il avait l'impression que le ciel, avec ses petits nuages filandreux et le soleil qui brûlait sans relâche, était divisé en segments et sillonné de fissures qui se déplaçaient en même temps que son champ de vision lorsqu'il bougeait la tête.

Ehrenberg lui demanda insidieusement s'il désirait une couverture supplémentaire.

Jamais encore il n'avait eu besoin de deux couvertures, répliqua Humboldt. Mais Ehrenberg, imperturbable, lui tendit la couverture et la conscience de sa fragilité l'emporta sur la colère ; Humboldt la saisit, s'enroula dans le coton moelleux et, peut-être simplement pour résister au sommeil, il demanda si Tobolsk était encore loin.

Très loin, dit Rose.

Mais, en fin de compte, pas tant que ça, ajouta Ehrenberg. Ce pays était si grand que les distances ne signifiaient plus rien. Elles faisaient place aux mathématiques abstraites.

Humboldt trouva qu'il y avait quelque chose d'impertinent dans cette réponse, mais il était trop fatigué pour approfondir le problème. Il se rappela soudain que Gauss avait parlé d'une longueur absolue, d'une droite à laquelle on ne pouvait rien rajouter et qui, bien que finie, s'étendait jusqu'à ce que n'importe quelle distance ne soit plus qu'une partie d'elle-même. Durant quelques secondes, à mi-chemin entre la veille et le sommeil, Humboldt eut le sentiment que cette droite était en rapport avec sa propre vie et que tout serait clair et limpide s'il parvenait à comprendre quel était ce lien. La solution lui semblait toute proche. Il voulait écrire à Gauss. Mais c'est là qu'il s'endormit.

Gauss avait calculé qu'il ne restait à Humboldt que trois à cinq ans à vivre. Depuis peu, il se consacrait de nouveau aux statistiques sur la mortalité. Il faisait cela à la demande de la Caisse nationale d'assurance, c'était bien payé et pas inintéressant d'un point de vue mathématique. Il venait d'estimer l'espérance de vie de ses vieilles connaissances. Lorsqu'il dénombrait les personnes qui passaient devant l'observatoire en une heure, il pouvait évaluer combien d'entre elles seraient sous terre dans un an, trois ans, dix ans. Que les astrologues essaient un peu d'en faire autant !

Weber répondit qu'il ne fallait pas sous-estimer les horoscopes ; une science parfaite saurait les mettre en œuvre eux aussi, de même qu'on commençait actuellement à utiliser l'énergie galvanique. De plus, la courbe en cloche permettant le calcul des probabilités ne modifiait en rien cette simple vérité : personne ne savait quand il allait mourir ; un dé tombait toujours pour la première fois.

Gauss le pria de ne pas raconter n'importe quoi. Sa femme Minna, qui avait une santé fragile, mourrait avant lui, puis ce serait sa mère et ensuite lui. C'était ce que disaient les statistiques, voilà comment les choses allaient se passer. Pendant un moment encore, il observa à travers la lunette le cadran à miroir au-dessus du récepteur, mais l'aiguille ne déviait pas, Weber ne répondait plus. Sans doute les impulsions s'étaient-elles de nouveau perdues en route.

Ils communiquaient souvent ainsi. Là-bas, au centre de la ville, Weber était assis dans le cabinet de physique devant une deuxième bobine avec une aiguille identique. Grâce à des appareils d'induction, ils s'envoyaient des signaux à des heures convenues. Des années plus tôt, Gauss avait tenté une expérience similaire avec Eugène et les héliotropes, mais le garçon n'avait pas réussi à se rappeler l'alphabet binaire. Weber considérait tout cela comme une invention exceptionnelle qu'il suffisait au professeur de faire connaître pour devenir riche et célèbre. Gauss répondit qu'il était déjà célèbre et à vrai dire plutôt riche aussi. Cette idée était si évidente qu'il la laissait volontiers aux imbéciles.

Weber ne se manifestant plus, Gauss se leva, fit glisser son bonnet de velours vers l'arrière et partit en promenade. Le ciel s'était couvert d'un amas de nuages diaphanes, la pluie n'allait pas tarder.

Combien d'heures avait-il passées devant ce dispositif de réception à attendre un signe d'elle ? Si Johanna était là, quelque part, tout comme Weber, simplement plus éloignée et dans un lieu différent, pourquoi ne profitait-elle pas de l'occasion ? Si les morts acceptaient que des jeunes filles en chemise de nuit viennent les chercher et les fassent revivre, pour quelle raison dédaignaient-ils cette installation de premier ordre ? Gauss cligna des yeux : il devait avoir un problème de vue, le firmament lui semblait sillonné de fissures. Il sentit les premières gouttes de pluie. Peut-être les morts ne parlaient-ils plus parce qu'ils se trouvaient dans une réalité plus intense et que cette réalité-ci leur apparaissait déjà comme un songe, un mauvais compromis, une énigme résolue depuis longtemps et dont ils devraient une fois encore démêler l'imbroglio s'ils voulaient s'y déplacer et s'y exprimer. Certains tentaient l'aventure. Les plus sages renonçaient. Gauss s'assit sur une pierre, l'eau de pluie ruisselait sur sa tête et ses épaules. La mort l'amènerait à reconnaître l'irréalité du monde. Il comprendrait alors ce qu'étaient l'espace et le temps, la nature d'une ligne, l'essence d'un nombre. Il comprendrait peut-être aussi pourquoi il se voyait sans cesse comme une invention pas tout à fait réussie, comme la copie d'un être bien plus réel, placée dans un univers d'une étonnante médiocrité par un piètre inventeur. Il regarda autour de lui. Quelque chose d'étincelant traversa le ciel en ligne droite, très haut au-dessus de Gauss. La rue lui semblait plus large, les remparts de la ville avaient disparu et entre les maisons se dressaient des tours en verre réfléchissant. Des capsules métalliques avançaient en colonnes de fourmis le long des rues, un bourdonnement profond remplissait l'air, flottait sous le ciel, semblait même monter du sol qui vibrait légèrement. Le vent avait un goût aigrelet. Cela sentait le brûlé. Il y avait aussi quelque chose d'invisible et qu'il ne pouvait s'expliquer : une oscillation électrique, reconnaissable uniquement à un léger malaise, à un vacillement de la réalité elle-même. Gauss se pencha en avant et tout se volatilisa ; c'est avec un cri d'effroi qu'il se réveilla. Trempé de sueur, il se leva et retourna en hâte à l'observatoire. Etre âgé, cela voulait dire aussi qu'on pouvait s'assoupir n'importe où.

Humboldt avait somnolé dans un si grand nombre de voitures, il s'était laissé tirer par tant de chevaux et avait vu tellement de plaines herbeuses qui n'étaient qu'une seule et même plaine, d'horizons qui n'étaient qu'un seul et même horizon, qu'il en venait à douter de sa propre existence. Ses accompagnateurs portaient des masques pour lutter contre les attaques de moustiques ; ces derniers ne dérangeaient pas

Humboldt car ils lui rappelaient sa jeunesse et les mois où il s'était senti vivant comme jamais. Leur cortège avait reçu du renfort, une centaine de soldats les escortaient à vive allure à travers la taïga, si bien que toute tentative de prélèvement ou d'arpentage était exclue. Ils n'avaient connu des difficultés qu'une seule fois, dans le district de Tobolsk : à Ichim, Humboldt était entré en conversation avec des prisonniers polonais, ce qui n'avait pas plu à la police, puis il s'était esquivé et avait gravi une colline pour y installer son télescope. Quelques minutes plus tard, des soldats l'avaient encerclé. Que faisait-il là, pourquoi braquait-il un canon sur la ville ? Ses compagnons l'avaient libéré, mais Rose l'avait réprimandé devant tout le monde : en voilà, une idée, il savait bien qu'il devait rester près de l'escorte !

Leurs collections s'agrandissaient sans cesse. Partout les attendaient des savants qui leur remettaient des échantillons de roches et de plantes soigneusement étiquetés. Un professeur d'université barbu et chauve portant des verres de lunette ronds leur offrit une minuscule bouteille de verre remplie d'éther cosmique qu'il avait séparé de l'air grâce à un système complexe de filtrage. La fiole était si lourde qu'on ne pouvait la soulever qu'à deux mains, et son contenu répandait une telle obscurité que même les objets situés à une certaine distance demeuraient indistincts. Il fallait manipuler la substance avec précaution, dit le professeur en nettoyant ses verres embués ; elle était très inflammable. Quant à lui, il avait démonté toute l'installation et, excepté cette fiole, il n'en restait plus nulle part ; il recommandait aussi de l'ensevelir profondément dans la terre. Et il valait mieux ne pas regarder l'éther trop longtemps, cela faisait du tort à l'âme.

De plus en plus souvent, les cabanes de bois avaient des toits en pagode, les yeux des hommes semblaient s'allonger, et dans l'étendue déserte du pays se dressaient chaque jour davantage de yourtes plantées par les nomades kirghizes. Devant la frontière, un régiment de cosaques se mit en rang et fit le salut militaire, des drapeaux claquaient au vent, une trompette retentit. Pendant quelques minutes, ils traversèrent une zone inhabitée recouverte de mousse avant d'être accueillis par un officier chinois. Humboldt prononça un discours sur le levant et le couchant, l'Orient, l'Occident et l'humanité dans son ensemble. Puis ce fut au tour du Chinois. Il n'y avait pas d'interprète.

J'ai un frère qui a même étudié cette langue, dit Humboldt à voix basse à Ehrenberg.

Le Chinois leva les mains en souriant. Humboldt lui offrit un rouleau de tissu bleu, le Chinois lui donna un parchemin. Humboldt le déroula, s'aperçut qu'il portait une inscription et contempla les caractères d'un air inquiet.

Il faut rentrer à présent, chuchota Ehrenberg, tout cela mettait déjà durement à l'épreuve la bienveillance du tsar ; franchir la frontière était hors de question.

Sur le chemin du retour, ils passèrent devant un temple kalmouk. On célébrait ici de sombres cultes, dit Volodin ; c'était à voir absolument.

Un serviteur du temple en robe jaune et à la tête rasée les conduisit à l'intérieur. Des statues dorées souriaient, une odeur d'herbes brûlées flottait dans l'air. Un petit lama vêtu de jaune et de rouge les attendait. Il parlait chinois avec le serviteur du temple qui parlait lui-même en mauvais russe avec Volodin.

Il avait appris qu'un homme qui savait tout était en route.

Humboldt protesta : Il ne savait rien, mais sa vie durant il avait tenté d'y remédier, il avait acquis des connaissances et parcouru le monde, rien de plus.

Volodin et le serviteur du temple firent la traduction, le lama sourit. Il frappa son gros ventre avec le poing. C'est ça qui compte !

Pardon ? demanda Humboldt.

Devenir grand et fort à l'intérieur, dit le lama.

C'était précisément ce à quoi il avait toujours aspiré, répliqua Humboldt.

Le lama toucha la poitrine de Humboldt de sa douce main d'enfant. Mais il n'y a rien, là-dedans, dit-il. Celui qui ne comprenait pas cela ne trouvait pas le repos, il arpentait le monde tel l'ouragan et ébranlait tout sur son passage sans accomplir quoi que ce soit.

Il ne croyait pas au néant, dit Humboldt d'une voix enrouée. Il croyait à la diversité et à la richesse de la nature.

La nature n'était pas libérée, objecta le lama, elle respirait le désespoir.

Humboldt, perplexe, demanda à Volodin s'il avait bien traduit.

Diable, répondit Volodin, comment pouvait-il le savoir, tout ça n'avait aucun sens !

Le lama demanda si Humboldt pouvait réveiller son chien.

Je regrette, dit Humboldt, mais je ne comprends pas cette métaphore.

Volodin s'entretint avec le serviteur du temple. Ce n'était pas une métaphore, dit-il ensuite ; le petit chien préféré du lama était mort avant-hier, quelqu'un avait marché dessus par erreur. Le lama avait conservé le corps et priait Humboldt, qu'il considérait comme très instruit, de bien vouloir ramener l'animal à la vie.

Humboldt répondit qu'il ne pouvait pas le faire.

Volodin et le serviteur du temple traduisirent, le lama se courba. Il savait qu'un initié était rarement autorisé à faire cela, mais il sollicitait cette faveur car ce chien lui tenait très à cœur.

Humboldt, qui commençait à avoir le vertige à cause des effluves d'herbes, répéta qu'il ne pouvait vraiment pas le faire. Il était incapable de ressusciter qui que ce soit !

Je comprends, dit le lama, ce que l'homme avisé veut dire par là.

Je ne veux rien dire par là, s'écria Humboldt, j'en suis incapable, c'est tout !

Je comprends, dit le lama ; pouvait-il au moins offrir à l'homme avisé une tasse de thé ?

Volodin lui recommanda la prudence : dans cette région, on ajoutait du beurre rance dans le thé. Lorsqu'on n'y était pas habitué, on était pris de nausées atroces.

Humboldt refusa en remerciant ; il ne digérait pas le thé.

Je comprends, dit le lama, ce message-ci également.

Mais il n'y a aucun message, s'écria Humboldt.

Je comprends, dit le lama.

Désemparé, Humboldt s'inclina, le lama l'imita et ils se remirent en route.

Aux abords d'Orenbourg, une centaine de cosaques supplémentaires se joignirent à eux pour les protéger contre les attaques des hordes à cheval. Ils étaient désormais plus de cinquante voyageurs, répartis dans douze voitures avec une escorte supérieure à deux cents soldats. Ils roulaient toujours à grande vitesse et, malgré les implorations de Humboldt, on ne fit aucune halte.

C'était trop dangereux, disait Rose.

La route était encore longue, ajoutait Ehrenberg.

On avait un programme chargé, disait Volodin.

A Orenbourg les attendaient trois sultans kirghizes, venus avec leur suite rencontrer l'homme qui savait tout. D'une petite voix, Humboldt demanda s'il pouvait gravir quelques collines, ces roches l'intéressaient beaucoup et cela faisait longtemps qu'il n'avait pas déterminé la pression atmosphérique.

Plus tard, répondit Ehrenberg, c'était l'heure des jeux !

Au cours de la soirée précédant leur départ, Humboldt réussit à effectuer une mesure magnétique en secret, dans sa chambre à coucher. Le lendemain matin, il avait des douleurs au dos et, à partir de ce moment-là, il marcha un peu courbé. Rose, très prévenant, l'aida à monter dans la voiture. Lorsqu'ils passèrent devant une colonne de prisonniers, Humboldt se força à ne pas regarder par la fenêtre.

Près d'Astrakhan, Humboldt embarqua pour la première fois de sa vie sur un bateau à vapeur. Deux moteurs rejetaient une fumée nauséabonde, la lourde coque en acier se balançait rageusement dans la mer. L'écume semblait luire faiblement dans la lumière matinale. Ils abordèrent sur une île minuscule. Des pattes de tarentules enterrées émergeaient du sable. Quand Humboldt les effleura, elles tressaillirent, mais les araignées ne fuirent pas. Le visage presque rayonnant de joie, il fit quelques croquis. Il allait y consacrer un long chapitre dans son récit de voyage !

Je n'y crois guère, répliqua Rose. Il était chargé des descriptions, Humboldt n'avait pas besoin de s'en occuper.

Mais je veux le faire moi-même, dit Humboldt.

Je ne veux pas m'imposer, répondit Rose, mais après tout c'est à moi que le roi a confié cette tâche.

Le bateau leva l'ancre, en peu de temps l'île fut hors de vue. Un brouillard épais les entourait, on ne pouvait plus distinguer l'eau du ciel. Seule la tête barbue d'un phoque surgissait de temps à autre. Humboldt était debout sur la proue, il fixait l'horizon et ne réagit pas tout de suite lorsque Rose lui dit qu'il était temps de rentrer.

Rentrer où ?

D'abord sur la côte, puis à Moscou et ensuite à Berlin, dit Rose.

Alors c'était la fin, demanda Humboldt, le point culminant, le retour définitif ? Il n'irait pas plus loin ?

Pas dans cette vie, répondit Rose.

Il s'avéra que le bateau s'était écarté de sa route. Personne ne s'attendait à un tel brouillard, et le capitaine naviguait sans carte ; nul ne savait dans quelle direction se trouvait la terre ferme. Ils croisaient sans but, le brouillard absorbait tous les bruits excepté le claquement régulier des pistons. Cela commençait à devenir dangereux, dit le capitaine ; le combustible ne durerait pas éternellement, et s'ils s'éloignaient trop même le bon Dieu ne pourrait plus rien pour eux. Volodin et le capitaine tombèrent dans les bras l'un de l'autre, plusieurs professeurs se mirent à boire, une euphorie larmoyante se répandit.

Rose alla trouver Humboldt sur la proue. On avait besoin maintenant de l'aide du grand navigateur, sans lui ils allaient tous mourir.

Et ils ne reviendraient plus jamais ? demanda Humboldt.

Rose acquiesça.

Ils allaient tout simplement disparaître, dit Humboldt, partir sur la mer Caspienne à l'apogée de leur existence pour ne plus jamais rentrer ?

Exactement, répondit Rose.

Ne faire qu'un avec l'horizon, se fondre définitivement dans les paysages dont on rêvait enfant, entrer dans une image, s'en aller et ne plus jamais retourner chez soi ?

En quelque sorte, dit Rose.

Là-bas. Humboldt tendit le doigt à gauche, là où la grisaille, traversée de stries blanchâtres, semblait un peu plus claire.

Rose rejoignit le capitaine et lui indiqua la direction opposée. Une demi-heure plus tard, ils atteignirent la côte.

A Moscou eut lieu le plus grand bal auquel ils aient assisté jusque-là. Humboldt apparut dans un frac bleu, il fut tiraillé en tous sens, les officiers faisaient le salut militaire, les dames la révérence, les professeurs s'inclinaient, puis le silence s'installa et l'officier Glinka déclama un poème qui commençait par l'incendie de Moscou et se terminait par une strophe sur le baron Humboldt, le Prométhée de l'époque moderne. Les applaudissements durèrent plus d'un quart d'heure. Alors que Humboldt, la voix un peu enrouée et hésitante, s'apprêtait à parler du magnétisme terrestre, le recteur de l'université l'interrompit pour lui offrir une natte provenant de la chevelure de Pierre le Grand. Des bavardages et des paroles en l'air, chuchota Humboldt à l'oreille d'Ehrenberg ; ce n'était pas de la science. Il devait absolument dire à Gauss qu'il comprenait mieux, à présent.

Je sais que vous comprenez, répondit Gauss. Vous avez toujours compris, mon pauvre ami, plus que vous ne croyiez. Minna lui demanda s'il ne se sentait pas bien. Il la pria de le laisser tranquille ; il avait pensé tout haut. Gauss était de mauvaise humeur, ne serait-ce qu'à cause du Chinois souriant qui n'avait cessé de le regarder durant la nuit ; une attitude inacceptable, fût-ce en rêve. De plus, on lui avait encore envoyé une étude sur la géométrie astrale qui venait cette fois du vieux Martin Bartels en personne. Après toutes ces années, il a quand même fini par me dépasser, dit Gauss, et il lui sembla que ce n'était pas Minna qui lui répondait, mais Humboldt filant déjà à vive allure vers Saint-Pétersbourg à bord d'une calèche : Les choses sont comme elles sont, et lorsque nous reconnaissons leur vraie nature, elles nous semblent faites par d'autres, voire personne. Qu'entendez-vous par là ? demanda le tsar qui, sur le point de mettre autour du cou de Humboldt le ruban de l'ordre de Sainte-Anne, avait interrompu son geste. Humboldt l'assura en hâte qu'il lui avait simplement dit de ne pas surestimer les résultats d'un scientifique, un savant n'était pas un créateur, il n'inventait rien, ne conquérait aucun pays, ne cultivait pas de fruits, ne semait rien et ne récoltait rien non plus, et d'autres lui succéderaient qui en sauraient plus que lui, puis d'autres qui en sauraient davantage encore, jusqu'à ce que tout sombre à nouveau. En fronçant les sourcils, le tsar passa le ruban autour des épaules de Humboldt, on cria vivat, bravo, et Humboldt s'efforça de ne pas se tenir voûté. Auparavant, sur l'escalier d'apparat, il avait remarqué des boutons ouverts sur la chemise de son frac et, en rougissant, il avait dû prier Rose de les fermer ; ses doigts étaient tellement engourdis ces derniers temps ! A présent, la salle dorée devenait floue, les lustres étincelaient comme si leur lumière venait d'ailleurs, tous applaudirent et un poète à la peau foncée déclama un poème d'une voix douce. Humboldt aurait voulu parler à Gauss de la lettre froissée et tachée qui l'avait attendu à Saint-Pétersbourg après un voyage de plus d'un an. Bonpland écrivait que ses journées s'écoulaient lentement et péniblement, la terre devenue soudain petite ne comprenait plus que lui, sa maison et le champ tout autour, le reste appartenait au monde opaque du président ; lui-même était calme, il n'espérait plus rien, s'attendait au pire et avait pour ainsi dire trouvé la paix : Tu me manques, mon vieux. Je n'ai jamais rencontré quelqu'un qui aime les plantes autant que toi. Humboldt tressaillit car Rose lui avait effleuré le bras. Toutes les personnes assises à la grande table regardaient Humboldt. Il se leva, mais durant son discours un peu confus il pensa à Gauss. Ce Bonpland, lui aurait sans doute répondu le professeur, n'a effectivement pas eu de chance, mais est-ce que nous deux nous pouvons nous plaindre ? Aucun cannibale ne vous a dévoré, aucun ignorant ne m'a battu à mort. N'y a-t-il pas quelque chose d'humiliant dans cette façon dont tout nous a réussi ? Et maintenant, il n'arrive que ce qui devait arriver : notre inventeur en a assez de nous. Gauss posa sa pipe, mit son bonnet en velours sur l'arrière de sa tête, glissa dans sa poche le dictionnaire de russe ainsi que le petit volume de Pouchkine et partit se promener avant le repas du soir. Son dos lui faisait mal, son ventre également, et ses oreilles bourdonnaient. Sa santé était pourtant loin d'être mauvaise. D'autres étaient morts, lui était toujours là. Il parvenait encore à réfléchir, certes plus sur des problèmes trop complexes, mais pour les questions élémentaires, c'était suffisant. Les cimes des arbres se balançaient au-dessus de lui, la coupole de son observatoire s'élevait à l'horizon, plus tard dans la nuit il irait à son télescope et, davantage par habitude que pour découvrir quelque chose de nouveau, il suivrait le ruban de la Voie lactée en direction des lointaines nébuleuses spirales. Il songea à Humboldt. Il aurait aimé lui souhaiter un bon retour, mais en fin de compte on ne rentrait jamais bien, on était chaque fois un peu plus faible, et pour finir on ne rentrait plus du tout. Peut-être existait-il pour de bon, cet éther qui effaçait la lumière. Mais bien sûr qu'il existe, pensa Humboldt, installé dans sa calèche ; il l'avait même avec lui, dans l'un des véhicules, seulement il ne se rappelait plus où, il y avait des centaines de caisses et il s'y perdait. Il se tourna brusquement vers Ehrenberg. Les faits ! Ah ah, dit Ehrenberg. Les faits, répéta Humboldt, il restait encore les faits, il allait tous les mettre par écrit, un ouvrage gigantesque rempli de faits, chaque fait de l'univers, contenus dans un seul livre, eux et rien d'autre, la totalité du cosmos une fois encore, mais dénué d'erreurs, de chimères, de rêves et de brouillard ; des faits et des nombres, dit-il d'une voix mal assurée, eux pouvaient peut-être sauver l'homme. Quand on pensait par exemple qu'ils avaient voyagé pendant vingt-trois semaines, parcouru quatorze mille cinq cents verstes et fait halte dans six cent cinquante-huit relais de poste et – il hésita un instant – utilisé douze mille deux cent vingt-quatre chevaux, alors le chaos devenait intelligible, et on reprenait courage. Mais tandis que les premiers faubourgs de Berlin défilaient devant eux et que Humboldt imaginait Gauss en train d'observer au télescope, à ce moment précis, les corps célestes dont il pourrait résumer la trajectoire grâce à des formules simples, il fut soudain incapable de dire lequel des deux était allé très loin et lequel était toujours resté chez lui.

L'ARBRE

Lorsque Eugène vit disparaître la côte, il alluma sa toute première pipe. Elle n'avait pas bon goût, mais on pourrait sans doute s'y habituer. Il portait la barbe à présent et, pour la première fois de sa vie, il n'avait plus l'impression d'être un enfant.

La matinée qui avait suivi son arrestation lui semblait loin. Le commandant de gendarmerie moustachu s'était précipité dans sa cellule et lui avait flanqué deux gifles d'une telle violence qu'elles lui avaient déboîté la mâchoire. L'interrogatoire avait débuté peu après : un homme en redingote, étrangement courtois, lui demanda d'un air triste pourquoi il avait agi ainsi. En résistant comme il l'avait fait lors de son emprisonnement, il s'était mis dans de beaux draps ; était-ce bien nécessaire ?

Mais je ne me suis pas défendu, s'écria Eugène.

L'agent de la police secrète lui demanda s'il voulait accuser de mensonge la police prussienne.

Eugène le pria de prendre contact avec son père.

Croyait-il vraiment que ce n'était pas déjà fait depuis longtemps ? demanda l'agent en soupirant. Il se pencha en avant, saisit Eugène par les oreilles avec précaution et cogna sa tête de toutes ses forces contre la table.

Quand Eugène revint à lui, il était allongé dans des draps propres au fond d'un dortoir d'hôpital qui avait des barreaux aux fenêtres. Une sœur qui n'était plus toute jeune lui dit que ce n'était pas un de ces endroits sordides comme il en existait ailleurs ; on ne transférait ici que les nobles ou les gens pour lesquels quelqu'un avait intercédé ; il pouvait s'estimer heureux.

Vers le soir, l'agent courtois réapparut. Tout était réglé, Eugène allait quitter le pays. On était en train d'arranger un voyage à destination de l'outre-mer.

Je n'en sais trop rien, répondit Eugène. C'est quand même très loin.

A vrai dire, ce n'était pas une proposition, répliqua l'agent ; il n'y avait pas là matière à discussion et si Eugène savait à quelle destinée il échappait, il verserait des larmes de joie.

Dans la soirée, il reçut la visite de son père, qui s'assit sur le bord du lit et lui demanda comment il avait pu faire ça à sa mère.

Tout cela n'était pas dans mes intentions, dit Eugène en pleurant, je n'étais au courant de rien, je ne veux pas m'en aller.

Ce qui est fait est fait, répondit son père ; il lui tapa distraitement sur l'épaule et glissa un peu d'argent sous son oreiller. Le baron avait tout réglé, c'était un homme bien, quoiqu'un brin dérangé.

Eugène demanda comment il était censé vivre.

Son père haussa les épaules. Avait-il déjà réfléchi au calcul des champs ?

Des champs, comment ça ?

Les fonctions sphériques, dit son père d'un air songeur ; avec elles, ça pourrait marcher. Il tressaillit et regarda Eugène comme s'il sortait d'un rêve. Peu importe, tu arriveras bien à t'en tirer ! Puis il serra Eugène si fort contre lui que ses épaules heurtèrent la mâchoire du jeune homme ; pendant quelques secondes, Eugène fut étourdi par la douleur. Lorsqu'il retrouva ses esprits, son père avait disparu. Alors seulement, il comprit qu'il ne le reverrait plus jamais.

Trois jours plus tard, Eugène atteignit le port. En attendant le bateau pour l'Angleterre, il engagea la conversation avec trois commis voyageurs, des gens débonnaires, pas très intelligents, qui travaillaient dans des banques récemment créées et l'invitèrent à une partie de cartes. Eugène gagna. Peu au début, puis de plus en plus, et à la fin de telles sommes qu'ils le prirent pour un escroc et qu'il dut décamper. Il n'avait pourtant rien fait d'autre que de mémoriser les cartes selon la méthode de Giordano Bruno que son père lui avait apprise des années plus tôt : il fallait transformer mentalement chaque carte en un personnage ou un animal – plus c'était idiot, mieux c'était – si bien que mises bout à bout elles formaient une histoire. En s'exerçant, on pouvait garder en mémoire un jeu de trente-deux cartes. A l'époque, Eugène n'y était jamais arrivé et son père avait abandonné en ronchonnant. A présent, cela ne lui posait plus aucun problème.

Dans une autre auberge, il but plus que de raison. L'air semblait vibrer, il ressentait une douce fatigue dans tous ses membres. Son envie de dormir était si grande qu'il faillit ne pas voir la jolie jeune femme soudain assise à côté de lui. De plus près, il vit qu'elle n'était pas si jeune ni si belle que ça, mais quand il mentit en disant qu'il n'avait pas d'argent, elle lui demanda, vexée, s'il la prenait pour ce genre de filles et, ne serait-ce que pour lui prouver que ce n'était pas le cas, il l'emmena dans sa chambre d'auberge. En chemin, il se demanda s'il était convenable de lui dire qu'elle était sa première femme et qu'il savait à peine comment s'y prendre. Mais en fin de compte ce fut très simple, et au moment où il sentit dans la pénombre les mains de la femme sur ses joues, il était tellement heureux et fatigué qu'il se serait presque endormi si elle n'avait pas su le maintenir éveillé, et son âge ou son apparence physique n'eurent alors plus aucune importance et quand, le lendemain matin, il comprit qu'elle avait emporté la totalité de ses gains, il fut incapable de s'énerver. Comme tout devenait léger lorsqu'on s'en allait !

Puis il était arrivé en Angleterre : des gens inconnus, une langue aux sonorités singulières, des panneaux indicateurs déroutants et une nourriture bizarre. On disait que des millions de personnes habitaient à Londres, mais il ne parvenait pas à se l'imaginer ; un million d'individus, cela n'avait aucun sens. A son auberge l'attendait une lettre de Humboldt qui lui recommandait de prendre l'un des nouveaux paquebots transatlantiques. Il joignait des conseils sur le comportement à adopter vis-à-vis des sauvages : il fallait se montrer aimable et avoir l'air intéressé, et l'on ne devait ni renier sa supériorité ni négliger de les instruire ; se délecter de l'ignorance d'autrui était une forme de dédain. Eugène ne put se retenir de rire. Comme s'il allait s'établir parmi des sauvages ! De son père, pas un mot. Durant la nuit, le mal du pays et la solitude l'empêchèrent de dormir. Il prit le premier paquebot sur lequel il trouva une place.

Il n'y avait pas beaucoup de voyageurs à bord, les paquebots traversaient l'océan depuis peu et la plupart des gens étaient encore réticents. Le ciel était bas et nuageux, la pipe d'Eugène s'éteignit, il voulut la rallumer mais le vent était trop violent. Le capitaine, qui avait appris qu'Eugène s'y connaissait en mathématiques, l'invita dans le poste de commande.

S'intéressait-il également à la navigation ?

Pas le moins du monde, répondit Eugène.

Autrefois, dit le capitaine, une couche de nuages aussi épaisse aurait été préoccupante, mais aujourd'hui on naviguait sans l'aide des étoiles car on possédait des montres précises. Avec un chronomètre de Harrison, par exemple, le premier novice venu faisait le tour du globe.

Mais alors, demanda Eugène, l'époque des grands navigateurs était révolue ? Plus de Bligh, plus de Humboldt ?

Le capitaine réfléchit. Eugène s'étonna que les gens soient toujours aussi lents à répondre. Ce n'était pourtant pas une question difficile ! Le capitaine finit par dire qu'elle était révolue et ne reviendrait jamais.

Dans la nuit, tandis qu'Eugène n'arrivait pas à dormir, davantage à cause de son excitation que du bruit des moteurs et des ronflements de son compagnon de cabine irlandais, une véritable tempête se leva : les vagues frappaient la coque en acier avec une force inouïe, les moteurs hurlaient et, lorsque Eugène monta sur le pont en chancelant, l'écume le fouetta avec une telle violence qu'il faillit passer par-dessus bord. Dégoulinant de la tête aux pieds, il se réfugia dans sa cabine. L'Irlandais interrompit sa prière.

Il avait une famille nombreuse, dit-il dans un français médiocre, il en était responsable, il n'avait pas le droit de mourir. Son père avait un cœur de pierre et n'avait jamais pu aimer qui que ce soit, sa mère était morte jeune et voilà qu'il était rappelé à Dieu lui aussi.

Sa mère à lui vivait encore, dit Eugène, et son père avait aimé beaucoup de choses, mais pas lui. Et il ne croyait pas que Dieu veuille déjà l'avoir à ses côtés.

Le lendemain matin, l'océan était calme comme un lac. Le capitaine se pencha au-dessus de ses cartes en murmurant, il regarda à travers le sextant et consulta la montre de Harrison. Ils avaient largement dévié de leur route, dit-il, à présent ils devaient se réapprovisionner en combustible.

C'est pourquoi ils abordèrent à Ténériffe. La lumière était d'une clarté étincelante, un perroquet les observait avec curiosité depuis le balcon d'un bureau de douane qui venait tout juste d'ouvrir ses portes. Eugène descendit à terre. Des hommes criaient des ordres, on chargeait des caisses, des femmes peu vêtues allaient et venaient à petits pas gracieux. Un mendiant demanda l'aumône mais Eugène n'avait plus rien. Une cage s'ouvrit et une bande de petits singes hurlants jaillit dans toutes les directions, comme une explosion. Eugène laissa le port derrière lui et se dirigea vers la silhouette de la montagne conique. Quel effet cela ferait-il d'être au sommet ? La vue devait porter loin. L'air y serait très clair.

Au bord du chemin se trouvait une stèle commémorative. Un relief montrait la montagne et, à côté d'elle, un homme avec une écharpe, une redingote et un haut-de-forme. Eugène ne comprit rien à l'inscription, excepté le nom. Il s'assit sur un rocher, souffla de petits nuages de fumée dans les airs et contempla le motif sur la pierre. Un autochtone en poncho et bonnet de laine s'arrêta, la désigna du doigt, cria quelque chose en espagnol, pointa son doigt vers le sol, les hauteurs et à nouveau le sol. Un mille-pattes aux antennes étonnamment longues grimpa sur la jambe de pantalon d'Eugène. Il regarda autour de lui. Tellement de plantes nouvelles. Il se demanda comment elles pouvaient bien s'appeler. D'un autre côté – qui s'en souciait ! Ce n'étaient que des noms.

Il arriva à un jardin clôturé dont la porte était ouverte. Des orchidées s'accrochaient à des troncs d'arbres, le gazouillement de centaines d'oiseaux traversait l'air. A proximité du mur visiblement construit depuis peu se dressait un très gros arbre. Son écorce était rugueuse et marquée de cicatrices, tout en haut le tronc se déployait en un panache de branches. Avec hésitation, Eugène s'avança dans son ombre, s'appuya contre le tronc et ferma les yeux. Lorsqu'il les rouvrit, un homme portant un râteau se tenait devant lui et se mit à l'injurier. Eugène sourit pour apaiser sa colère. Cet arbre était sans doute très vieux ? Le jardinier tapa du pied et montra la sortie. Eugène s'excusa en disant qu'il était venu se reposer ; il avait cru un instant être quelqu'un d'autre, ou personne ; cet endroit était si agréable. Le jardinier brandit son râteau d'un air menaçant, Eugène déguerpit.

Le paquebot appareilla au petit matin, et en quelques heures les îles étaient déjà hors de vue. Pendant des jours, l'océan fut si calme qu'Eugène avait l'impression qu'ils ne se déplaçaient pas. Mais ils croisèrent sans cesse des voiliers à la toile gonflée par le vent et à deux reprises d'autres paquebots. Une nuit, Eugène crut apercevoir un scintillement à l'horizon mais le capitaine lui conseilla de ne pas y prêter attention, la mer envoyait des mirages, elle semblait parfois rêver comme un être humain.

Puis les vagues devinrent plus fortes, un oiseau ébouriffé surgit du brouillard, poussa un cri maussade et disparut à nouveau. L'Irlandais demanda à Eugène s'il voulait s'associer avec lui pour ouvrir un magasin, créer une petite entreprise.

Pourquoi pas, répondit Eugène.

Il avait également une sœur, dit l'Irlandais, elle n'avait pas de quoi vivre, elle n'était pas belle mais elle savait cuisiner.

Cuisiner, dit Eugène, bien.

Il bourra sa pipe avec le tabac qui lui restait, alla vers la proue et y demeura longtemps, les yeux larmoyants à cause du vent, jusqu'au moment où quelque chose se dessina dans la brume du soir, d'abord en transparence, sans être encore tout à fait réel, puis de plus en plus nettement, et le capitaine répondit en souriant que non, cette fois ce n'était ni une chimère ni des éclairs de chaleur, c'était l'Amérique.

TABLE

OUVRAGE RÉALISÉ
PAR L'ATELIER GRAPHIQUE ACTES SUD
ACHEVÉ D'IMPRIMER
SUR ROTO-PAGE
EN JANVIER 2007
PAR L'IMPRIMERIE FLOCH
A MAYENNE
POUR LE COMPTE DES ÉDITIONS
ACTES SUD
LE MÉJAN
PLACE NINA-BERBEROVA
13200 ARLES

DÉPÔT LÉGAL
1re ÉDITION : JANVIER 2007
N° impr. : 67496.
(Imprimé en France)